－乌克兰教育科学部推荐高等教育用书－
－乌克兰玛卡洛夫将军国立造船大学－
－黑龙江省精品工程专项资金资助出版－

船用燃气轮机机组设计理论基础

CHUANYONG RANQI
LUNJI JIZU SHEJI
LILUN JICHU

U0285321

[乌克兰] 罗曼诺夫斯基·格奥尔吉·费奥多罗维奇　　G. F. Romanovsky

[乌克兰] 瓦西连科·尼古拉·维塔利耶维奇　　N. V. Washchilenko

[乌克兰] 谢尔滨·谢尔盖·伊万诺维奇　　S. I. Serbin　　著

毕晓煦　译

哈尔滨工程大学出版社
Harbin Engineering University Press

黑版贸审字 08 – 2017 – 103 号

内容简介

《船用燃气轮机机组设计理论基础》一书由教授 G. F. 罗曼诺夫斯基、N. V. 瓦西连科和 S. I. 谢尔滨联合撰写,由具备舰船动力装置设计领域二十年从业经验的俄语资深翻译毕晓煦独立翻译。

本书重点介绍船用简单循环和复杂循环燃气轮机机组设计理论及计算方法,初步方案设计阶段船用燃气轮机机组及其关键部件几何尺寸计算及布置方案选定,轴流式压气机、环管式燃烧室、多级轴流式涡轮的气动力学计算,以及船用燃气轮机机组变工况计算研究。

本书可用作工科院校"轮机""船用动力装置与设备"及相关动力专业的教科书和船用燃气轮机设计、制造与维修领域工程设计人员的参考书。

图书在版编目(CIP)数据

船用燃气轮机机组设计理论基础 /(乌克兰)罗曼诺夫斯基·格奥尔吉·费奥多罗维奇,(乌克兰)瓦西连科·尼古拉·维塔利耶维奇,(乌克兰)谢尔滨·谢尔盖·伊万诺维奇著;毕晓煦译. — 哈尔滨:哈尔滨工程大学出版社,2020.12

ISBN 978 – 7 – 5661 – 1600 – 0

Ⅰ. ①船… Ⅱ. ①罗… ②瓦… ③谢… ④毕… Ⅲ. ①船舶 – 燃气轮机 – 机组 – 设计 Ⅳ. ①U664.131

中国版本图书馆 CIP 数据核字(2017)第 201043 号

选题策划　刘凯元　丁　伟
责任编辑　刘凯元　丁　伟
封面设计　博鑫设计

出版发行　哈尔滨工程大学出版社
社　　址　哈尔滨市南岗区南通大街 145 号
邮政编码　150001
发行电话　0451 – 82519328
传　　真　0451 – 82519699
经　　销　新华书店
印　　刷　哈尔滨市石桥印务有限公司
开　　本　787 mm×1 092 mm　1/16
印　　张　13.75
字　　数　360 千字
版　　次　2020 年 12 月第 1 版
印　　次　2020 年 12 月第 1 次印刷
定　　价　49.80 元
http://www.hrbeupress.com
E-mail:heupress@ hrbeu.edu.cn

前　　言

　　《船用燃气轮机机组设计理论基础》一书由教授 G. F. 罗曼诺夫斯基、N. V. 瓦西连科和 S. I. 谢尔滨联合撰写,可用作工科院校"轮机""船用动力装置与设备"及相关动力专业的教科书和船用燃气轮机设计、制造与维修领域工程设计人员的参考书。

　　本书所有支撑材料取材于乌克兰玛卡洛夫将军国立造船大学机械制造学院"轮机"专业船用燃气轮机机组工作过程理论研究课程教案,概要介绍了苏联及其他国家船用燃气轮机制造业的发展史,阐述了船用简单循环和复杂循环燃气轮机机组热力循环的基本原理,并探讨了船用燃气轮机机组热力循环研究领域未来的发展方向。

　　本书提供了船用燃气轮机机组全工况热力计算方法,研究了工质热工特性对该计算方法的影响,介绍了初步方案设计阶段船用燃气轮机机组及其关键部件总体设计特性,给出了燃气轮机压气机、燃烧室和涡轮等部件的气动力学计算方法,并对船用燃气轮机变工况研究工作的主要特点进行了简要介绍。

　　本书在各章节末尾列出了方便学生对本章节内容进行复习和自学的课后练习题,并在附录中以附表形式提供了简单循环燃气轮机机组循环设计计算和参数数值计算算例。

译者

2020 年 4 月

缩 略 语

BCC——主燃烧室；

BGTA——主燃气轮机机组；

BRP——主再循环泵；

BW——叶轮；

CC——燃烧室；

CCIGH——再热燃烧室；

CGTA——双工质并联型燃气－蒸汽联合循环燃气轮机机组；

CT——驱动涡轮；

DFTJE——双涵道涡轮喷气式燃气轮机；

EC——效率，回热器；

EV——蒸发器；

FC——支撑环；

GTA——燃气轮机机组；

GTE——燃气轮机；

GTU——燃气轮机装置；

GV——导向器；

H——气垫船；

HPC——高压压气机；

HPT——高压涡轮；

HPTC——高压涡轮压气机；

HRC——蒸汽余热回收系统；

HRSG——余热蒸汽发生器；

HS——水翼船；

HW——热井；

IAC——中间空气冷却器；

ICE——内燃机；

IGV——进口导向器；

ISO——国际标准化组织；

LPC——低压压气机；

LPT——低压涡轮；

LPTC——低压涡轮压气机；

MPC——中压压气机；

MPP——船用动力装置；

PP——动力装置；

PT——动力涡轮；

PTE——涡桨发动机；

SB——整流器；

SC——蒸汽冷凝器；

SGC——汽气冷凝器；

SS——蒸汽过热器；

ST——汽轮机；

STP——汽轮机装置；

STS——蒸汽分离器；

TD——高温除氧器；

TH——节流器；

TJE——涡轮喷气式燃气轮机；

TPRC——总压恢复系数；

a——绝热，轴线，空气；

ac——空气冷却器，冲动；

an. c——环形通道；

ab——补燃；

at——大气，喷嘴，弱化；

av——均化的；

ax——轴向的；

b——初始的，边界的，增压器，叶片，轮毂；

bd——外涵道；

bu——燃烧；

c——压气机，消耗的；

ch——通流部分；

cir——循环；

cm——水滴；

co——冷却；

co. a——冷却空气；

con——冷凝器，冷凝水；

cp——凝水泵；

cr——临界的；

cyl——圆柱的；

d——设计的，计算的，除氧器，分配，水滴；

dif——扩压器；

e——有效的,标准的;

ef——溢出;

ex——膨胀;

ext——外部的;

f——燃料,摩擦;

fl——火焰;

fo——溢流;

fp——给水泵;

fr——自由的,正面的,摩擦;

ft——火焰筒;

fw——给水;

g——燃气,气体,发生器;

gb——导向叶片;

go——排气管;

h——小时,头部;

in——进口的;

inn——内部的;

l——终端的,上升的;

m——机械的,材料;

me——测量的;

mix——混合气,掺混器;

med——平均的,中间的;

mo——湿度;

n——额定的;

nb——喷嘴叶片;

o——孔,开口;

opt——优化的;

out——出口的;

ow——海水,舷外水;

p——推进的,泵,一次的,短管,允许的,多变的;

pa——一次空气;

pe——外围的;

R——喷气的;

r——回热器,径向的,相对的;

rb——动叶片;

re——折合的,实际的;

rg——减速器;

ro——根部的;

rp——循环泵;

s——蒸汽,装置,烟黑;

sa——二次空气;

sat——饱和,饱和蒸汽;

sp——单位的;

ss——过热蒸汽;

st——级,强度,稳定的,拉伸,停留;

su——喘振;

sw——旋流器;

t——涡轮,理论的;

u——余热回收;

un——欠热度;

us——有效的;

w——水,叶轮,工作的;

wg——排气;

ws——饱和水;

∞——环境条件;

Ⅰ、Ⅱ、Ⅲ——级编号;

1、2、3——截面编号。

目　　录

第1章 燃气轮机应用领域及船用燃气轮机制造业发展史

1.1 军舰及民船制造领域常见燃气轮机相关问题

纵观整个科技发展史,汽轮机和燃气轮机的设计理念早在活塞式发动机问世之前就已经孕育成形。蒸汽机的发明者在发明出蒸汽机以前就已经接触和掌握了转子式发动机的相关概念。

众所周知,蒸汽机的发明者之一——英国人瓦特及其同事和后辈都曾在转子式蒸汽发动机方面做过大胆的尝试。俄罗斯首条铁路的建造者——切列帕诺夫兄弟也在很早之前就尝试过制造转子式蒸汽发动机。1791年,英国人乔治·巴尔别耳申请注册了首个发动机专利。就其本质而言,这台发动机与现代燃气轮机的基本原理如出一辙。

然而,18世纪和19世纪上半叶的工业技术发展水平根本无法满足涡轮机的生产要求,更重要的是当时工业领域对于新型高速发动机尚未提出十分强烈的需求。在那个年代,工业用和舰用动力装备更青睐于通过机械传动机构直接驱动执行机构的低速蒸汽机。这种蒸汽机不但体形极其庞大,而且功率非常有限。这种情况一直持续到19世纪下半叶,直至薄弱的能源基础逐渐成为发达国家工业技术装备水平快速提高的阻碍,阻碍了海军,特别是军用舰船装备制造业的进一步发展。

19世纪90年代,电机工程技术在工业领域和海军装备制造领域得到广泛应用,这成为促进涡轮机技术快速发展的一个重要因素。机械驱动被电气驱动所取代,电动机的广泛应用和集中供电的快速普及催生了各个工业领域的深刻变革,其中也包括海军装备制造业。高速发电机必须要用高速发动机作为驱动设备来与之相配。为了解决这一难题,科学技术领域一直在持续不断地寻求着各种可行的解决途径。直至19世纪末,活塞式内燃机和蒸汽轮机的首批原型机应运而生。

到了20世纪30年代中期,尽管舰船内燃机和汽轮机装备制造领域取得了斐然的成绩,但是内燃机制造领域的发展水平已经无法满足那个时代对舰船动力装置的需求,这已经成为一个不争的事实。这种现象出现的根本原因在于汽轮机结构有其特殊性,汽轮机虽然结构简单,但却需要配备体形庞大的蒸汽发生装置和辅助维护系统,更致命的问题是这种设备的经济性非常差。当时的汽轮机装置单位质量指标为 $6.8 \sim 8.2$ kg/kW,且机动性差,从慢车到全工况需耗时 $15 \sim 45$ min。与此同时,动力装置制造业虽然认可内燃机的经济性,但也不得不承认内燃机有单机功率低、体形笨重、结构复杂等一系列无法克服的弊端。

这种供需之间的矛盾状况一直延续着,直到燃气轮机横空出世。当燃气轮机在现代舰船动力装置制造领域得到广泛推广和普及以后,上述这些问题才从根本上得以解决。目前,发达国家绝大多数水面舰船都采用燃气轮机作为主动力源。燃气轮机不但可以单独构建燃气轮机动力装置,也可以与柴油机搭配组成联合动力装置。采用复杂循环燃气轮机机组作为动力装置的船只不但可以达到良好的经济性指标,还能获得令人满意的整机功率,可谓鱼与熊掌兼而得之。

燃气轮机拥有一系列突出的优点:经济性高(简单循环 35% ~ 38%),整机功率大(28 000 ~ 37 000 kW),外形尺寸和质量小(燃气轮机机组单位质量 0.45 ~ 3.3 kg/kW),自动化程度和可靠性水平高,结构简单且易于维护,工艺加工性强,便于整机维修,滑油消耗量低(仅相当于柴油机的十分之一左右),且机动性强(达到全工况仅需 1.5 ~ 6 min)。

燃气轮机所具备的这些优越特性是业界众多学者和工程设计人员长期艰苦卓绝不断探索取得的丰硕成果。如今,燃气轮机制造业的发展达到了前所未有的高度,人们终于可以对苏联及全世界工程设计人员及学者在燃气轮机研制方面所做出的巨大贡献做出中肯的评价了。他们所设计和制造的燃气轮机机组在现在甚至可以预见的将来都是无可替代的高效船用动力装置。

1.2　燃气轮机分类及应用领域

根据燃气轮机技术应用领域的不同,可将燃气轮机分为以下几类。

(1)航空燃气轮机;

(2)舰船燃气轮机;

(3)发电及驱动用燃气轮机;

(4)运输工具用燃气轮机。

采用燃气轮机作为动力源的燃气轮机动力装置既可以采用简单循环,也可以采用复杂循环热力过程。下面,我们将对以定压加热布莱顿循环($p = \text{const}$)为基础建造的简单循环和复杂循环燃气轮机进行更为详细的介绍。

依照飞机推进方式的不同,可将当代航空燃气轮机划分为以下几类。

(1)涡轮喷气式燃气轮机;

(2)双涵道涡轮喷气式燃气轮机;

(3)涡轮螺旋桨燃气轮机。

接下来,我们详细介绍一下涡轮喷气式燃气轮机,其简图如图 1.1 所示。涡轮喷气式燃气轮机主要由以下部件组成:进气设备、压气机、燃烧室、驱动涡轮和排气系统。

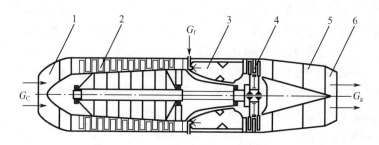

图 1.1　涡轮喷气式燃气轮机简图

1—进气设备;2—压气机;3—燃烧室;4—驱动涡轮;5—加力燃烧室;6—尾喷管

进气设备利用空气速度压头初步提高空气压力,并负责将空气送入压气机。在设计进气设备时应当尽可能减小气流制动导致的压力损失,并确保压气机进口速度场的均匀性。

压气机负责将进气压力提高到计算值。这一增压过程通常伴随着空气温度的大幅提高。

燃烧室为燃料燃烧提供场所。燃料燃烧发生化学反应释放热量,并产生高温高压的燃烧产物。燃烧产物本身就是具有较高势能的做功工质。

驱动涡轮保证燃烧室产生的高品位气体工质膨胀到指定的计算压力。工质的势能在各级驱动涡轮中逐渐转化为动能,然后转化为涡轮轴的机械能。这里需要强调一下涡轮喷气式燃气轮的工作特点,即涡轮喷气式燃气轮机驱动涡轮产生的功率将全部用于驱动压气机。

排气系统由过渡段和尾喷管组成。气体通过过渡段进入尾喷管。过渡段负责调整燃气流场,尽量减小排气损失。气体工质在尾喷管中进一步膨胀,压力降至大气压,流速则在尾喷管出口位置提升到 $550 \sim 650$ m/s。由于流经涡轮喷气式燃气轮机的气流流速大幅提升,使得气流从尾喷管流出时拥有了巨大的反作用力,这一反作用力即喷气推力。该力直接作用于涡轮喷气式燃气轮机构造中的承力构件。

假设排气在尾喷管中完全膨胀至压力为大气压,涡轮喷气式燃气轮机喷气推力可按下式计算:

$$R_{TJE} = G_g \varphi W_R - G_c W_\infty \quad (N \cdot m/s \text{ 或 } W) \tag{1.1}$$

式中　G_g——流经涡轮喷气式燃气轮机涡轮的燃气质量流量;

G_c——流经涡轮喷气式燃气轮机压气机的空气质量流量;

φ——尾喷管能量损失速度系数;

W_∞——涡轮喷气式燃气轮机运动速度;

W_R——假定燃气在涡轮后完全膨胀至压力为大气压条件下的尾喷管气体流出速度。

由此可知,涡轮喷气式燃气轮机既可作为发动机使用,也可作为推进器使用。质量微小的气流在经由尾喷管高速流出时可产生涡轮喷气式燃气轮机巨大的喷气推力。

双涵道涡轮喷气式燃气轮机的内涵道与涡轮喷气式燃气轮机的组成部件基本相同,其简图如图 1.2 所示。双涵道涡轮喷气式燃气轮机的涡轮同时驱动压气机和外涵道风扇。

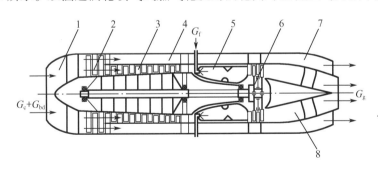

图 1.2　双涵道涡轮喷气式燃气轮机简图

1—进气设备;2—外涵道风扇;3—压气机;4—外涵道环形气道;5—燃烧室;
6—驱动涡轮;7—外涵道排气系统;8—内涵道排气系统

空气经过进气设备进入外涵道风扇。外涵道风扇将压缩到规定压力的空气通过外涵道环形气道送入外涵道排气系统,将另外一部分空气输送给内涵道。在双涵道涡轮喷气式燃气轮机中,外涵道风扇(制造推力)的作用与环形整流罩中的多桨叶空气螺旋桨基本相同。这种风扇螺旋桨与普通的空气螺旋桨不同,风扇螺旋桨的效率在高速运行时相对较高,在低速运行时相对较低。此外,风扇的质量更小,体积更小,且不需要由低转速转子驱动,因此可以不通过减速器直接由动力涡轮带转。

双涵道涡轮喷气式燃气轮机的推力由外涵道推力和内涵道推力叠加而成:

$$R_{\text{DFTJE}} = R_{\text{TJE}} + R_{\text{bd}} \tag{1.2}$$

式中 R_{TJE}——内涵道推力;

R_{bd}——外涵道推力。

假设忽略压气机空气质量流量与驱动涡轮燃气质量流量之差,式(1.1)可改写为

$$R_{\text{TJE}} = G_{\text{c}}(\varphi W_R - W_\infty) \tag{1.3}$$

外涵道推力计算公式可表达为

$$R_{\text{bd}} = G_{\text{bd}}\varphi W_{\text{bd}} - G_{\text{bd}} W_\infty \tag{1.4}$$

式中 G_{bd}——外涵道空气质量流量;

W_{bd}——外涵道尾喷管空气完全膨胀到压力为大气压的理论流速。

将式(1.3)和式(1.4)代入式(1.2),可将双涵道涡轮喷气式燃气轮机推力计算公式改写为

$$R_{\text{DFTJE}} = G_{\text{c}}(\varphi W_R - W_\infty) + G_{\text{bd}}\varphi W_{\text{bd}} - G_{\text{bd}} W_\infty \tag{1.5}$$

我们在计算中引入双涵道涡轮喷气式燃气轮机的双涵道系数 $m = \dfrac{G_{\text{bd}}}{G_{\text{c}}}$。该系数等于外涵道空气质量流量与内涵道涡轮喷气式发动机空气质量流量之比。将 $G_{\text{bd}} = mG_{\text{c}}$ 代入式(1.5),即可得

$$R_{\text{DFTJE}} = G_{\text{c}}\varphi W_R - G_{\text{c}} W_\infty + mG_{\text{c}}\varphi W_{\text{bd}} - mG_{\text{c}} W_\infty$$

经过整理,最终可得

$$R_{\text{DFTJE}} = G_{\text{c}}[\varphi(W_R + mW_{\text{bd}}) - (1 + m)W_\infty] \tag{1.6}$$

鉴于目前已知的双涵道涡轮喷气式燃气轮机结构的双涵道系数 m 通常取 $0.5 \sim 6.0$ 或更高的数值,且整台燃气轮机全部推力的 20% ~70% 可分配给外涵道,故双涵道涡轮喷气式燃气轮机既可作为发动机使用,又可作为推进器使用。

涡轮螺旋桨燃气轮机(简图如图1.3所示)由空气螺旋桨、减速器、进气设备、压气机、燃烧室、涡轮和排气通道组成。

涡轮螺旋桨燃气轮机压气机和燃烧室的工作过程与上文介绍过的涡轮喷气式燃气轮机相同。这两类燃气轮机的区别主要在于膨胀过程。在涡轮螺旋桨燃气轮机中,燃烧室产生的高温高压气体工质在涡轮中膨胀,压力降到大气压,势能完全消耗。涡轮输出的功率一部分用于驱动压气机,剩余的功率经过减速齿轮传动装置(减速器)传递给推进器——空气螺旋桨,用于做功产生推力。

舰船燃气轮机(图1.4为其简图)由进气设备、压气机、燃烧室、驱动涡轮、自由动力涡轮(通常称为动力涡轮)、排气设备、减速器和螺旋桨组成。

此处介绍的舰船燃气轮机压气机和燃烧室的工作过程与上文介绍的涡轮螺旋桨燃气轮机没有区别。两种燃气轮机之间的区别也仅在于膨胀过程。在舰船燃气轮机中,燃烧室产生的高压气体工质能量分别在驱动蜗轮和动力涡轮中逐渐消耗。动力涡轮通过减速器将输出的功率传递给螺旋桨,从而产生推力。

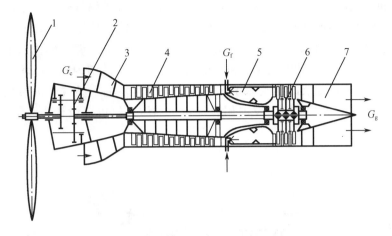

图 1.3 涡轮螺旋桨燃气轮机简图

1—空气螺旋桨;2—减速器;3—进气设备;4—压气机;5—燃烧室;6—涡轮;7—排气通道

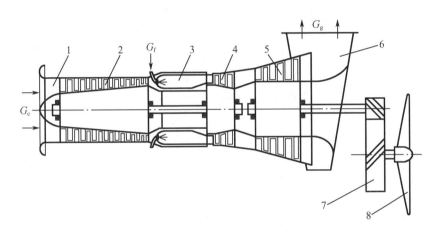

图 1.4 舰船燃气轮机简图

1—进气设备;2—压气机;3—燃烧室;4—驱动涡轮;
5—自由动力涡轮;6—排气设备;7—减速器;8—螺旋桨

舰船燃气轮机通过减速器传递给螺旋桨的功率可以用下式表达。

$$N_{\text{TPE}} = G_{\text{PT}} c_{p_\text{g}} \Delta T_{\text{PT}} \eta_\text{m} \eta_\text{rg} \tag{1.7}$$

式中 G_{PT}——动力涡轮燃气质量流量;

c_{p_g}——动力涡轮燃气实际膨胀过程平均质量定压热容;

ΔT_{PT}——动力涡轮实际温降;

η_m——动力涡轮机械效率;

η_rg——减速器机械效率。

涡轮螺旋桨燃气轮机的螺旋桨以相对较低的速度推动大量的水或者空气,从而形成推力。

发电和驱动用燃气轮机拥有以下特点。

发电用燃气轮机(图1.5为其简图)的运动系统比较简单,由进气设备、压气机、燃烧室,以及压气机驱动涡轮和耗功发电机驱动涡轮组成。发电用燃气轮机转子仅在温度相对较低的两端设置两个轴承支撑。设置在涡轮末级后端的排气扩压段主要用于减少燃气流速损失。陆上电站采用的 100 ~ 150 MW 或者更高功率的发电用燃气轮机基本都采用这样的配置方案。移动电站、浮动电站和模块化电站采用的功率范围为 2.5 ~ 25 MW 的发电用燃气轮机通常采用比较复杂的运动系统布置方案。此类发电用燃气轮机通常采用自由涡轮,然后通过减速器带转发电机。发电用燃气轮机的压气机可以设计为双轴结构,并由不同的涡轮驱动。

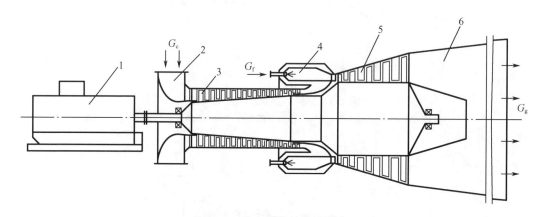

图 1.5 发电用燃气轮机简图

1—发电机;2—进气设备;3—压气机;4—燃烧室;5—涡轮;6—排气扩压段

如果忽略发电用燃气轮机气流流道冷却空气的进排气影响,发电用燃气轮机输出法兰功率可用下式计算。

$$N_{GTE} = (G_t c_{p_g} \Delta T_t - G_c c_{p_c} \Delta T_c) \eta_m \qquad (1.8)$$

式中　　G_t——涡轮燃气质量流量;

　　　　G_c——压气机空气质量流量;

　　　　c_{p_c}——压气机空气平均质量定压热容;

　　　　c_{p_g}——涡轮燃气平均质量定压热容;

　　　　ΔT_c——压气机空气实际温升;

　　　　ΔT_t——涡轮实际温降;

　　　　η_m——发电用燃气轮机机械效率。

驱动用燃气轮机主要用于天然气输送管线驱动离心式压缩机(天然气增压机)。驱动用燃气轮机通常以舰船燃气轮机或者航空燃气轮机为原型进行设计制造。

驱动用燃气轮机的系统和构造与其原型舰船燃气轮机或航空燃气轮机基本相同,热力参数通常低于原型机,以保证能够拥有更长的使用寿命。

运输工具用燃气轮机通常针对不同用途的轮式或履带式运输工具设计,如汽车(包括轻型轿车)、轮式和履带式牵引车、重载自卸卡车、干线客车、拖拉机和坦克。

应该强调的是,由于运输工具用燃气轮机在应用方面有其特殊性,因此必须仔细认真地选择运动系统布置方案。通过采用不同形式的机械传动部件,可大幅拓宽运动系统布置方案的选择面。

目前,最为大家所熟悉的量产运输工具用燃气轮机功率范围为 700 ~ 1 000 kW,主要用于装备美制和俄制坦克。

1.3 应用燃气轮机作为舰船主发动机的选型论证

在选择燃气轮机作为海上舰船主发动机时,通常要特别注意使用对象的最高航速、构造特殊性、用途、推进器预选类型、预计推进功率等基本要素。各项研究成果表明,从上文介绍的各型燃气轮机经济性角度出发,每一型燃气轮机都有一个最适合的航速范围。

已知,推进器输出的推进功率可按下式计算:

$$N_p = Pv_\infty \quad （N \cdot m/s 或 W） \tag{1.9}$$

式中　P——推力,N;

　　　v_∞——航速,m/s。

推进功率与燃气轮机机组的有效功率直接相关。燃气轮机机组减速器输出轴功率计算公式为

$$N_p = N_e\eta_p \tag{1.10}$$

式中　N_e——燃气轮机机组有效功率;

　　　η_p——推进器推进效率。

从式(1.10)可以看出,如果燃气轮机机组有效功率不变,则燃气轮机机组减速器输出轴功率仅取决于推进器的推进效率。

不同类型的推进器推进效率与使用对象的航行速度紧密相关。根据相关文献提供的数据资料,我们可以得出不同类型推进器推进效率与使用对象航行速度的平均关系(图1.6)。对相关文献的研究成果进行分析,结合上文的论述,我们可以得出以下几点结论。

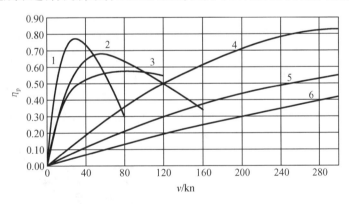

图 1.6　不同类型推进器推进效率与使用对象航行速度的平均关系
1—常规空泡螺旋桨;2—全空泡螺旋桨;3—喷水推进器;4—空气螺旋桨;
5—双涵道涡轮喷气式燃气轮机风扇螺旋桨;6—涡轮喷气式燃气轮机

对于航速为 0~40 kn(1 kn = 1 n mile/h ≈ 1.85 km/h)的排水型船只和水翼艇来说,涡轮螺旋桨燃气轮机与常规空泡螺旋桨的组合能够达到最高的经济性指标,这是因为在航速不超过40 kn 的船只上常规空泡螺旋桨的推进效率可以达到0.7~0.78,超过所有其余类型的推进器。正因如此,所有使用燃气轮机作为动力装置的海军排水型舰船均搭配定距空泡螺旋桨,商用船只亦然,只是最近的商用船只广泛采用的是变距空泡螺旋桨。

对于航速为 40~100 kn 的高速渡船,如双体船、鱼雷快艇、水翼艇等,使用燃气轮机搭

配全空泡螺旋桨或者喷水推进器可以达到最理想的效果。在这个航速范围内,全空泡螺旋桨的推进效率为 0.55 ~ 0.68,超过所有其余类型的推进器,而喷水推进器则拥有无可比拟的运行优势,特别是这种推进器还兼具操舵装置和反推装置的性能。

对于航速超过 100 kn 的气垫船和地效翼艇而言,燃气轮机与空气螺旋桨的组合可以达到最高的推进效率。此外,只要航速不超过 300 kn,空气螺旋桨的推进效率都很高,可以达到 0.80 ~ 0.85。

如果出于某种原因不能使用空气螺旋桨,那么像气垫船和地效翼艇这些航速超过 100 ~ 200 kn 的船只也只能采用双涵道涡轮喷气式燃气轮机作为动力装置。此处需要强调的是,如果为了满足动力推进装置的布局要求或者总体要求必须使用大功率燃气轮机,那么就不得不放弃空气螺旋桨而另寻其他出路。这是因为,燃气轮机功率升高,设计人员就不得不同时增大空气螺旋桨的直径。例如,功率为 22 000 kW 的燃气轮机需要直径约为 15 m 的空气螺旋桨,而已有的工艺技术仅能制造出直径不超过 8 m 的螺旋桨。此外,水滴落在空气螺旋桨的桨叶上对桨叶表面造成的侵蚀也是非常严重的问题。因此,建造于苏联时期的最高航速约为 270 kn 的"鹞"式地效翼艇(MD-160)装备的就是八台双涵道涡轮喷气式燃气轮机。

在所有已知航速范围内,特别是针对海船,涡轮喷气式燃气轮机的经济性都远逊于搭载推进螺旋桨或者空气螺旋桨的涡轮螺旋桨燃气轮机和双涵道涡轮喷气式燃气轮机。因此,在造船工业领域内并不推荐使用涡轮喷气式燃气轮机。

1.4 第一代燃气轮机装置
——20 世纪初燃气轮机装置的设计与制造

1892 年,俄国海军工程机械师 П. Д. 库兹明斯基首次提出方案并实际建造了一台由水冷燃烧室和辐流式涡轮组成的新式发动机,这可以算是舰船燃气轮机建造领域真正意义上的初次尝试。其涡轮结构几乎与当今各种专业文献中记载的容克斯川涡轮没有任何差别,但其时间却比容克斯川兄弟(瑞典,1906 年)的发明早了整整 14 年。

П. Д. 库兹明斯基发明的是定压加热循环发动机。燃料在燃烧室内燃烧产生做功工质。П. Д. 库兹明斯基燃烧室结构如图 1.7 所示,它由内部两个耐高温合金钢制筒体、钢制外壳和保护燃烧室内壁的红铜蛇形管组成。煤油与输送到燃烧室进口的 1.0 MPa 压缩空气混合形成发动机燃料。5.0 MPa 压力水在进入蛇形管后被加热到接近沸点,然后被喷入燃烧室形成汽水混合物。汽水混合物与煤油燃烧产物混合形成的气汽混合气进入涡轮。

П. Д. 库兹明斯基涡轮由机匣、旋转轮盘及动叶片、固定轮盘及导向叶片组成。气汽混合气进入涡轮机匣上的专用通道,由此依次流经导向叶片和动叶片,然后分为两路

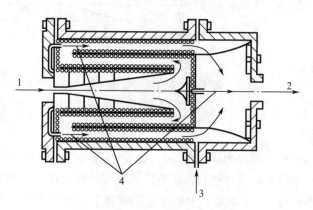

图 1.7　П. Д. 库兹明斯基燃烧室结构

1—空气燃料混合气;2—燃气蒸汽混合气;
3—水;4—汽水混合物

从中心的旋转轮盘两侧到达涡轮中心区域。工质从末级流出时转向,在固定轮盘和末级旋转轮盘上的叶片之间流过,从涡轮中心区域流向边缘。如果改变燃气流动方向,涡轮也相应改变旋转方向,燃气轮机装置从而实现换向倒车。

П. Д. 库兹明斯基按照设计图纸制造了一台燃气轮机装置试验样机,并成功地在快艇上进行了试验。这里我们需要强调,П. Д. 库兹明斯基实际上可以说是找到了那个时代能够成功制造出燃气轮机装置的唯一路径。向煤油燃烧产物注入水蒸气,仅需在水相消耗少量初步压缩功,却可大幅提高整个系统的有效功。整个系统不可回收的损失越大,这种方法的相对效果就越好。П. Д. 库兹明斯基于1900年过世,留下了未竟的事业,这是整个燃气轮机制造业的巨大损失。

20世纪初期,燃气轮机装置的相关研制工作始终以定压加热循环燃气轮机机组的设计工作为中心(即上文所说的 $p = \mathrm{const}$ 循环)。

1900年至1904年,德国工程师施托尔策设计制造了一套新型燃气轮机装置,并在试验样机上完成了相关试验研究工作。施托尔策于1872年为该型燃气轮机装置申请了专利。该燃气轮机装置首次采用了多级轴流式压气机。施托尔策燃气轮机装置如图1.8所示。

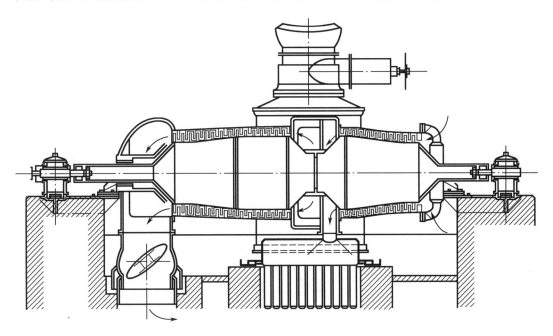

图1.8 施托尔策燃气轮机装置

对于该燃气轮机装置从压气机进入表面式预热器的空气与燃烧产物不发生混合,空气从空气预热器流出后进入多级涡轮。该涡轮在转速达到2 000 r/min时可以输出约150 kW的功率。由于压气机和涡轮的效率过低,整个试验得到的结果非常不理想,该燃气轮机装置甚至在慢车工况下都无法独立运行。施托尔策燃气轮机装置因其构造与现代燃气轮机极其近似而受到关注。

1906年,法国工程师阿芒戈和勒梅尔按照传统模式(压气机、定压燃烧室和涡轮)打造的定压加热循环燃气轮机装置首次在试验中测得了正能量,阿芒戈–勒梅尔燃气轮机装置如图1.9所示。阿芒戈–勒梅尔燃气轮机装置由25级同轴三缸离心式压气机、烟气涡轮及速度级(叶轮直径达950 mm)、以煤油为燃料的喷水降温(720~740 K)燃烧室组成。当转子转速达到4 250 r/min时,压气机耗功约为3 390 kW,有效功率为61 kW,机组整机效率为3%~4%。机组整机效率如此之低,主要是因为压气机和涡轮结构还不完善:涡轮内部效率为70%~75%,而压气机效率仅能达到50%~60%。

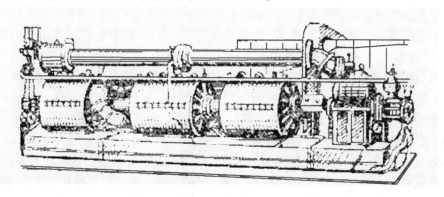

图1.9 阿芒戈－勒梅尔燃气轮机装置

建造定压加热循环(p = const)经济型燃气轮机的初期尝试均以失败告终,这就迫使研究人员不得不寻找新的出路,转而选择定容加热循环,即v = const。

定容加热循环燃气轮机系统简图如图1.10所示。此类燃气轮机装置工作原理可归纳为:循环空气经过空气阀门从压气机进入燃烧室,将燃烧室中剩余的燃烧产物从烟气阀门中排出。当燃烧室充满空气后,燃料阀门开启,燃料进入燃烧室。当空气和燃料充满燃烧室后,所有阀门关闭,点火装置点燃混合气。燃料在封闭空间内燃烧,燃烧室内的温度和压力迅速升高。当燃烧室内的燃烧产物压力达到最大后,烟气阀门开启,烟气经过烟气阀门进入涡轮喷嘴导向器。烟气在涡轮中膨胀到压力为大气压,同时做功带动轴旋转。当烟气从燃烧室流出后,燃烧室的压力降低到压气机压力,空气阀门重新开启,做功过程循环往复。

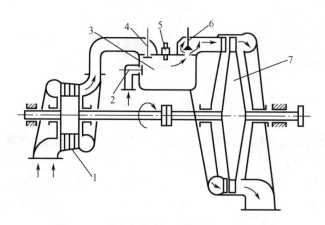

图1.10 定容加热循环燃气轮机系统简图

1—压气机;2—燃料阀门;3—燃烧室;4—空气阀门;5—点火装置;6—烟气阀门;7—涡轮

根据定容加热循环(v = const)燃气轮机装置发明者的预想,此类燃气轮机装置的经济性应当高于当时盛行的定压加热循环(p = const)燃气轮机装置。定容加热循环燃气轮机装置发明者认为,对定容加热循环(v = const)燃气轮机装置,无论是进入燃烧室的空气质量流量和压力水平,还是驱动压气机所消耗的功率均应低于定压加热循环(p = const)燃气轮机装置。

20世纪初期,曾经有人制造过几套定容加热循环(v = const)燃气轮机装置。首套定容加热循环燃气轮机装置的设计制造者是俄罗斯的维克托·维克托罗维奇·卡拉沃金。1908年,卡拉沃金在巴黎对这台装置进行了试验。B.B.卡拉沃金燃气轮机装置燃烧室结构如图1.11所示。燃油和空气形成的混合物通过进气阀进入燃烧室下部。这套燃气轮机装置的构造非常有趣,没有设置压气机部件,仅借助工作气流的惯性使燃烧室充满空气。工作气体要流经狭长的进气管后进入涡轮喷嘴。燃烧室构造中的弹簧负责压紧阀门和阀座,阀门升程调节螺钉则用于调节阀门升程。燃烧室由四个容积为230 cm³的空间组成,每秒钟可以发生39次爆燃,燃气爆燃产生的最大压力可达0.134 MPa。涡轮在转速10 000 r/min时可输出约1.2 kW功率,装置效率不超过2.5%。

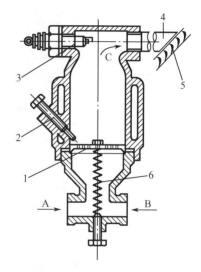

**图1.11　B.B.卡拉沃金燃气轮机
装置燃烧室结构**

1—进气阀;2—阀门升程调节螺钉;
3—点火火花塞;4—进气管;
5—涡轮;6—弹簧;
A—空气;B—燃油;C—燃烧产物

所有了解燃气轮机制造业发展史的人都知道德国工程师霍利兹瓦尔特在1906年至1933年进行的研究工作。1906年至1908年,霍利兹瓦尔特制造的首套燃气轮机装置功率竟然达到了37 kW。这套装置装备了6个燃烧室,进气侧安装了关闭阀,燃烧室出气侧压力达到了0.5~0.7 MPa。

1910年,霍利兹瓦尔特制造出了第二套燃气轮机装置。这套燃气轮机装置功率更大,同样采用立式设计,共装备了10个燃烧室,燃烧室最大压力达到了0.9 MPa,压气机组采用电驱动。该装置的计算功率为735 kW,在试验中实际输出了15 kW功率。

1914年至1927年,霍利兹瓦尔特又先后制造了多套燃气轮机装置。新制造的燃气轮机装置已经全部改为水平布置(图1.12),燃烧室进口空气压力提高到了0.23~0.30 MPa,燃烧室出气侧压力也相应提高到了1.2~1.4 MPa。这些燃气轮机装置的经济性全都没有超过13%。导致燃气轮机装置循环系统内部热能利用效率低下的一个重要因素就是燃烧室的送风时间过长,空气质量流量超过实际需求,涡轮内部通风损失过大。燃烧室送风的另外一个作用就是降低涡轮叶片组的温度。还需要指出的是,霍利兹瓦尔特当时制造的所有装置寿命全都非常短暂。

自1928年起,霍利兹瓦尔特开始致力于设计新型2 000 kW双级涡轮燃气轮机装置,到了1933年,该装置开始投入运行。该燃气轮机装置的燃料系统采用高炉煤气作为工作燃料。据文献记载,该燃气轮机装置压气机增压比π_c = 7,涡轮前燃气温度约为990 K,整机效率达到了20%。

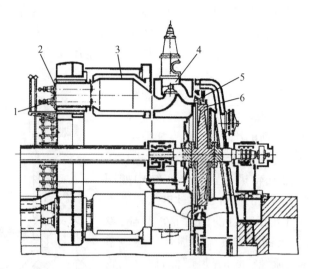

图 1.12　霍利兹瓦尔特水平布置燃气轮机装置

1—空气阀;2—燃料阀;3—燃烧室;4—排气阀;5—涡轮导向器;6—涡轮叶轮

1.5　20 世纪 30 年代燃气轮机装置发展历程
——回归 $p = \mathrm{const}$ 定压加热循环

20 世纪 20 年代左右,之所以定容加热循环燃气轮机的制造数量有所增加,其主要原因可能是当时针对所选定的增压比范围还无法制造出效率足够高的轴流式或者离心式压气机。与此同时,采用定容加热循环($v = \mathrm{const}$)却可以进一步提高燃料在封闭空间内燃烧产生的压力。当时,涡轮机械制造理论研究领域的科技水平相当低,特别是压气机部件,人们曾经一度认定即便定压加热循环发动机能够正常运行工作,也不可能达到理想的涡轮机效率。因此,只有在涡轮机气动力学和强度计算领域拥有了足够的技术储备,特别是压气机部件,对各种燃烧过程系统解决方案进行了透彻的研究,选配出了适合高温环境的材料以后,才能够真正将燃气轮机设计理念转化为现实。

在同一时期,乌克兰哈尔科夫工业学院的教授 B. M. 马科夫斯基证实了断续燃烧的特性非常不稳定,以及燃气轮机工作过程需要持续不断的工质流。B. M. 马科夫斯基将自己的研究成果写成了一部专题论著。该论著于 1920 年完稿,后于 1925 年正式出版。这本专题论著的问世犹如一石激起千层浪,激活了整个苏联涡轮制造界,众多学者和设计人员开始致力于解决定压加热循环燃气轮机制造过程中出现的各种问题。他们建立了燃气轮机实验室,在进行理论研究和试验验证工作的同时,还设计建造了 735 kW 燃气轮机。B. M. 马科夫斯基燃气轮机于 1940 年在哈尔科夫涡轮机厂组装完毕,如图 1.13 所示。

B. M. 马科夫斯基燃气轮机采用的是水冷技术,经过专用蒸发装置加工的冷却水依次流经轴、轮盘和动叶片。所有动叶片内部都设有两个互通的通道用于实现水流强制循环。冷却水从空心轴的另一端排出。1941 年,这台燃气轮机被安装在顿巴斯戈尔洛夫卡地区的一处地下气化矿井,因此该燃气轮机采用地下煤气作为燃料。煤气通过活塞式压缩机送入燃烧室。燃烧所需的空气压力为 0.3 ~ 0.4 MPa。试验结果表明,接入冷却系统,该燃气轮机可在 1 090 K 温度条件下长期运行;断开冷却系统,该燃气轮机可在 870 K 温度条件下长期运行。

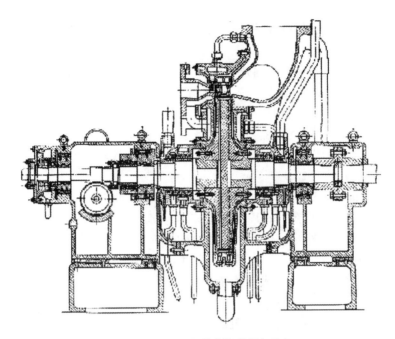

图 1.13　B.M. 马科夫斯基燃气轮机

谈到燃气轮机制造业的发展史,就不能不提及杰出的热力工程学家奥列尔·斯托多拉(1859—1942)。斯托多拉被认为是汽轮机、燃气轮机及其自动调节控制系统设计理论和基础的奠基人。他最著名的论著 *Die Dampf-und Gasturbinen* 于 1924 年出版。

1939 年,瑞士 BBC 公司制造了一台 4 000 kW 燃气轮机,用于纳沙泰尔地下电站。这台燃气轮机采用了定压加热循环(p = const)简单系统设计方案。根据奥列尔·斯托多拉在 1940 年公布的试验数据,该燃气轮机压气机后空气压力为 0.4 MPa,涡轮前燃气温度为 823 K,整机效率达到了 18%。与此同时,其压气机效率为 84.9%,涡轮效率为 88.4%。这台燃气轮机的问世开创了燃气轮机制造业的新纪元。以该燃气轮机成型部件为基础,完全可以通过改造装置系统构造的方式继续提高整机效率,这一点在技术上已经非常明确了。

然而,提到苏联舰船燃气轮机制造业的发展史,就不能不提到博士、教授、工程师、海军上校——格里戈里·伊万诺维奇·佐季科夫(1898—1970)的突出贡献。他在专著《内燃机问题——定压涡轮机》(1933 年出版)和其余一系列论文中深入研究并阐述了燃气轮机热力循环方案对比评估的理论方法,展开讨论了燃气涡轮主要部件冷却效果问题、燃气涡轮通流部分和燃气轮机系统结构合理化问题。佐季科夫以单级燃气涡轮为研究目标完成了这一系列研究工作,充分利用了叶轮后扩压段的出口速度。他认为,这样的结构有助于提高燃气的初始温度,继而提高燃气轮机热力循环的整体效率。他的这些研究成果奠定了后来问世的苏联首台舰船燃气轮机的设计基础,其主要观点的正确性也得到了燃气轮机制造领域技术后续发展的印证。

1935 年至 1941 年,佐季科夫主持设计制造一台试验样机——舰用 2 570 kW 燃气轮机。该燃气轮机预计采用间冷回热循环方案:压气机增压比 π_c = 8,初始燃气温度 1 173 K

（900 ℃），采用离心式双级压气机、单级涡轮搭配扩压段、涡轮叶片水冷。然而，突然爆发的战争中断了所有工作的进程。

1.6 20 世纪四五十年代舰船燃气轮机发展史

20 世纪四五十年代，美国和英国开始积极发展舰船燃气轮机制造业。

1936 年，英国的 Metropolitan Vickers 公司制造出了首台涡轮喷气式燃气轮机。随后，该公司于 1943 年签订了三台舰用 Hatryk 燃气轮机的制造合同。该型燃气轮机额定功率为 1 840 kW，以 F－2 型涡轮喷气式燃气轮机为平台打造。1947 年，G－1 型燃气轮机安装在 MGB－2009 炮艇上。作为推进加速燃气轮机的 G－1 型燃气轮机额定工况燃料消耗率为 0.65 kg/(kW·h)，效率约为 12%。

1948 年，Metropolitan Vickers 公司又得到了四台 G－2 型 3 300 kW 燃气轮机的订货合同。该型燃气轮机将被安装在"Bold"系列高速巡逻艇上作为推进加速发动机。高速巡逻艇整套动力装置由两台燃气轮机和两台柴油机组成，四轴独立运行。G－2 型燃气轮机采用 Beryl 型航改舰涡轮喷气式燃气轮机作为燃气发生器（压气机、燃烧室、压气机驱动涡轮和辅助机构）。1952 年，该型燃气轮机成功通过了舰用动力装置联合试验，额定工况燃料消耗率为 0.49 kg/(kW·h)，效率为 16%。

在这里，我们必须要看重介绍一下英国独创的 RM－60 型燃气轮机的制造经验。1946 年，RR 公司得到了 RM－60 型燃气轮机的设计制造订单。按照计划，该型燃气轮机将用于装备"Grey Goose"炮艇作为全工况推进设备。根据甲方的技术任务书，RM－60 型燃气轮机的额定功率应当达到 4 400 kW，寿命应当达到 1 000 h。为了满足燃气轮机部分工况经济性要求，生产厂家采用了三级增压系统方案，另外还使用了间冷回热技术，安装了两个中间冷却器，并应用了排气回热措施。动力涡轮为中压涡轮。涡轮前燃气温度约为 1 100 K，压气机增压比 $\pi_c = 20$。压气机由 11 级轴流式低压压气机和 2 级离心式高压压气机组成。在这台燃气轮机的设计过程中，RR 公司借鉴了多年来积累的航空燃气轮机设计经验，最终设计出了单位功率质量仅有 1.76 kg/kW 的燃气轮机装置。1954 年，装备了两台 RM－60 型燃气轮机的"Grey Goose"型炮艇开始参加航行试验。在试验过程中，实测最大功率为 3 970 kW，最低燃料消耗率为 0.41 kg/(kW·h)，对应效率约为 20%。该型燃气轮机功率明显不足！如此复杂的循环仅能达到如此之低的效率，原因是在设计过程中犯下了致命的错误：空气在中间冷却器中制冷不够充分，发动机本体气流流道总压损失过大，涡轮各主要部件的冷却空气实际流量超过计算流量，密封空气损失及燃气轮机轴向力卸载损失过大。

需要强调的是，不管是 G－2 型燃气轮机，还是后来具有独创性的 RM－60 型燃气轮机，都只是在军舰上进行了试运行。只有基于 Proteus750 型航空涡轮螺旋桨燃气轮机改型设计的 Proteus 型舰用燃气轮机在北约（北大西洋公约组织）各国的系列鱼雷快艇和导弹快艇上得到了真正意义上的广泛应用。该型舰用燃气轮机功率为 2 650 kW，燃料消耗率为 0.41 kg/(kW·h)，效率为 20%，内置行星减速器，输出转速约为 1 000 r/min。

1954 年开始设计的 G－6 型燃气轮机得到了更为广泛的应用。该型燃气轮机额定功率为 5 500 kW，单级简单循环，13 级压气机增压比 $\pi_c = 5.7$，燃烧室为环管式结构，6 只火焰筒，双级高压涡轮前燃气温度 1 066 K，双级自由动力涡轮的转子转速为 4 900 r/min，燃料消耗率约为 0.42 kg/(kW·h)，效率为 19%。该型燃气轮机多用于建造"County"级导弹驱逐舰和"Tribal"级81型护卫舰的COSAG型燃气-蒸汽联合循环动力装置。COSAG型燃气-蒸汽联合循环动力装置中的汽轮机和燃气轮机联合驱动同一根螺旋桨轴。护卫舰为单轴,驱逐舰则为双轴。

与此同时,研究人员还进行了大量的科研工作,旨在论证民船应用燃气轮机装置的可行性和经济性。英国的科研人员在总装载吨位12 250 t的"Auris"号油船上进行了实船试验。1951年,"Auris"号油船主动力装置四台内燃机中的一台发生了故障。在拆除故障机后,安装了一台功率为956 kW且采用了排气回热技术的单轴燃气轮机。这台安装在油船上的燃气轮机成功运行了20 100 h,其中6 649 h使用的是重油燃料。1956年,该油船采用燃气轮机对主动力装置进行了全面改造。

在改造过程中,首先拆除了剩余的三台内燃机和试验用燃气轮机,之后安装了一台总功率为4 045 kW的燃气轮机。该燃气轮机采用机械联锁式低压涡轮和双级压缩、间冷回热系统方案。该燃气轮机机组排气的热量在回热器后方烟道中的余热蒸汽锅炉中被回收利用,产出的蒸汽被用作200 kW汽轮发电机的做功工质。高压涡轮前的燃气温度为923 K,压气机增压比 $\pi_c = 6.1$。当环境温度为297 K时,计算工况下的燃料消耗率为0.41 kg/(kW·h),效率约为20%。该燃气轮机机组通过Pametrada公司生产的换向减速器实现正倒车换向。此处必须强调一点,这艘改造后的油船一直运行到1960年,直到整船报废。然而,这艘油船之所以会报废,并不是因为燃气轮机发生了故障,而是因为排水量为1 200 t的油船自身的经济性已经无法满足业主的要求,更何况这艘油船的老化现象已经非常严重。直到油船报废为止,该燃气轮机一共运行了5 238 h,运行状态能够满足舰船动力装置的可靠性要求,噪声水平也达到了标准,未出现过振动现象。燃气轮机能够使用重油作为燃料,尽管燃料消耗率远远超过柴油机,但初始建造成本相对较低。

1956年,美国"John Sargent"号运输船下水。"John Sargent"号运输船是经过专门改造的四艘"Liberti"型船只之一。根据美国海事管理局的要求,这四艘船被改造为分别采用四种不同类型的主动力装置,用于研究运输船只最理想的动力系统方案。由GE公司制造的4 400 kW燃气轮机采用了燃气轮机排气回热技术。这台燃气轮机的结构非常特殊,动力涡轮的一级轮盘采用了可转导叶,用于改善燃气轮机部分工况下的工作特性。两个涡轮的轮盘全部采用了双侧空气冷却,涡轮机匣则采用水冷技术。回热器后安装了为全船设备提供蒸汽的余热蒸汽锅炉和170 kW汽轮发电机。运输船通过变距螺旋桨实现正倒车行驶。发动机高压涡轮前燃气温度为1 063 K,压气机增压比 $\pi_c = 4.9$,回热度为0.8。在环境温度32.3 ℃条件下的燃料消耗率为0.322 kg/(kW·h),对应效率约为25%。该燃气轮机共运行了9 700 h,其中7 000 h使用重油作为燃料。该燃气轮机可靠性系数,包括控制系统在内,达到了0.997。

1.7 苏联舰船燃气轮机设计制造最初阶段
——第一代燃气轮机

苏联时期,舰用燃气轮机制造业的奠基人、第一代舰用燃气轮机的设计者——С. Д. 科洛索夫(1904—1975)(图1.14)的名字与乌克兰尼古拉耶夫市的两个燃气轮机制造企业——机械设计苏维埃设计局和曙光南方涡轮机厂的发展历程息息相关。

图1.14 С. Д. 科洛索夫
(1904—1975)

1904年4月1日,苏联舰用燃气轮机制造业奠基人С. Д. 科洛索夫出生在特维尔省鲁奇耶瓦赫村的一个农民家庭。1930年,С. Д. 科洛索夫毕业于莫斯科鲍曼工学院气动力学系,后被分配到扎波罗热航天发动机厂任工程师,曾担任该厂航空技术学校校长一职。自1935年起,С. Д. 科洛索夫开始在沃罗涅日№16航空发动机厂工作。战争爆发后,该厂被紧急迁往喀山。迁到此地后,С. Д. 科洛索夫开始担任量产设计科科长一职,负责组织 В. Я. 克利莫夫 ВК－100 和 ВК－105 型发动机的生产工作。战后,№16航空发动机厂开始生产 РД－20 型涡轮喷气式发动机,并组织筹建了下属的 ОКБ－16 试验设计局。С. Д. 科洛索夫被任命为 ОКБ－16 设计局的行政负责人和技术总设计师。

1948年,ОКБ－16 设计局得到了政府签署的设计任务书,开始着手设计航空涡轮螺旋桨发动机。直到1950年,ТРДВ1 型发动机的设计工作才全部完成。ТРДВ1 型发动机的设计参数:功率为4 125 kW,燃料消耗率为0.5 kg/(kW·h),效率约为16%。№16航空发动机厂负责生产该型发动机的试验样机,而 ОКБ－16 设计局则负责改进调试和试验。

总设计师 Н. Д. 库兹涅佐夫也同时得到了该型发动机的设计制造任务书。此处需要强调的是,与 ОКБ－16 设计局相比,库兹涅佐夫专业设计局拥有更好的试验生产条件,因此更早完成了发动机的调试和飞行试验,并投入生产。ОКБ－16 设计局 ТРДВ1 型发动机的设计制造工作被迫终止。为了将 ОКБ－16 设计局两年来的研究成果保留下来,С. Д. 科洛索夫决定将自己设计的发动机推荐给当时正在主持设计建造试验鱼雷快艇的 П. Г. 戈英吉斯。

1951年,Г. Н. 波格丹诺夫及卡季科夫领导国防部第一中央科学研究院的专家组编制起草了首台 УГТУ－1 型燃气轮机设计建造技术任务书。专家组选择 С. Д. 科洛索夫设计的航空涡轮螺旋桨发动机作为此次设计的原型机。УГТУ－1 型燃气轮机功率为2 940 kW,寿命为100 h,燃料消耗率为0.558 kg/(kW·h),效率约为14%。1952年,由 ТРДВ1 型发动机改型设计而成的 М1 型燃气轮机(图1.15)被正式提交给部门间委员会进行审核。在改型设计过程中,发动机改用柴油作为燃料,装备了进气设备、排气设备和隔热罩壳。设计人员专门为 УГТУ－1 型燃气轮机设计制造了两级功率分配减速器。根据 М1 型燃气轮机台架试验结果,部门间委员会提议将其安装在183型导弹快艇试验艇上进行实船试验。

1953年,УГТУ－1 型燃气轮机装艇完毕。在试验过程中,导弹快艇达到了51 kn(约合95 km/h)的最高航速。导弹快艇国家验收试验结果显示该燃气轮机拥有很高的可靠性,故部门间委员会决定将该型燃气轮机推广应用于快艇量产。在国家验收委员会的验收报告中提到:"如果能够将单台发动机功率继续提升到超过柴油机机组总功率,并继续改善发动机的经济性和使用寿命,确保发动机可全工况运行及倒车换向,燃气轮机在高速快艇上将会拥有很好的应用前景。"

图 1.15　M1 型燃气轮机

与此同时,在 УГТУ－1 型燃气轮机装艇试验的过程中也发现了几个非常重要且亟待解决的问题。例如,需要使用比航空煤油更重的燃油、加工材料需要耐海风和燃料燃烧产物腐蚀、需要保证装置的抗冲击性,等等。解决这些问题的唯一办法就是设计制造出专用的舰船燃气轮机。

由于苏航航空工业部坚决抵制为舰队批量生产燃气轮机,故苏联国家计划委员会提议在重工业部系统内寻找合适的工厂,以确保将来能够完成舰用燃气轮机的批量生产任务。当时相关部门对很多家单位进行了考察,包括喀山压缩机厂、在建的卡鲁加和尼古拉耶夫汽轮机厂。由 С. Д. 科洛索夫领导的委员会对这些厂家进行了细致的调研和考察,在综合考虑了厂家地理位置等诸多因素后,最终选定了位于乌克兰尼古拉耶夫市的涡轮机制造厂。

1954 年 5 月 7 日,苏联部长联席会议签署命令,在南方涡轮机厂基础上建造舰船燃气轮机装置设计和量产基地,并在工厂框架内成立燃气轮机装置专业设计局。С. Д. 科洛索夫被任命为燃气轮机装置专业设计局总设计师。

为泽廖诺多利斯克设计局设计的 159 型猎潜舰量身打造的 M2 型燃气轮机机组是尼古拉耶夫燃气轮机装置专业设计局设计的首台船用燃气轮机机组。M2 型燃气轮机机组(图 1.16)由 11 000 kW 全工况 Д053 型燃气轮机和不可倒车减速器组成,在柴燃联合动力装置中作为加速发动机使用。该型燃气轮机由高低压压气机、环管式燃烧室和自由动力涡轮组成。Д053 型燃气轮机燃料消耗率为 0. 350 kg/(kW·h),效率为 23%。1959 年,首台该型燃气轮机装舰成功。该型燃气轮机的寿命在装舰时已经达到了 750 h,此后被延长至 1 000 h。在当时那个年代,这一数字绝对可以说是一项重大突破,要知道当时的航空燃气轮机寿命仅有 100~300 h。

为满足 204 和 35 型猎潜舰柴燃联合动力装置的需求,基于 Д053 型燃气轮机专门设计了多型燃气轮机:先是功率 11 000 kW、寿命 1 000 h 的 Д2 型燃气轮机(1960 年),然后是功率 13 240 kW、寿命 2 000 h 的 Д3 型燃气轮机(1964 年)。这几型燃气轮机均为加速机,每个机舱布置两台,分别驱动单独布置的压缩机为水力发动机提供压缩空气。水力发动机的螺旋桨由柴油机驱动。Д2 型燃气轮机在 Д053 型燃气轮机基础上改进了低压涡轮。低压涡轮为机械联锁式结构,从低压回路轴输出功率给独立布置的压气机。Д3 型燃气轮机则是在 Д2 型燃气轮机基础上提高了高压涡轮前燃气温度,并在另外几处进行了微调。值得注意的是,设计人员直接将燃气轮机的排气管布置在方形艉中。根据计算统计,这种布置方式使舰船提升了大约 2 kn 航速(204 型艇的最大航速为 36 kn)。

图 1.16   M2 型燃气轮机机组

1957 年,列宁格勒 ЦКБ－53 专业设计局开始设计 61 型反潜舰(舰艇总设计师 Б. И. 库佩茨基),这可以算作当时苏联海军的最新型舰船。61 型反潜舰(图 1.17)与之前的反潜舰有以下两点区别:61 型反潜舰装备了两套"海浪"级对空导弹综合系统,并采用了全工况燃气轮机装置作为舰船主动力装置。61 型反潜舰全长 144 m,总排水量 4 460 t,全速航行最高航速为 35.5 kn。作为其主动力装置的两套 M3 型 26 500 kW 主燃气轮机机组分别布置在艏艉两个机舱内,各自驱动一根螺旋桨。1962 年至 1988 年,共建造了 25 艘该型舰艇,其中的 20 艘由尼古拉耶夫市的 61 公社社员船厂负责建造。

图 1.17   搭载 M3 型燃气轮机机组的 61 型反潜舰

M3 型与 M2 型燃气轮机机组有着本质区别。M3 型燃气轮机机组是作为舰艇主动力装置设计建造的,既要保证舰艇在系泊期间的机动,又要负责舰艇的倒车运行。因此,设计人员选择了双燃气轮机系统方案,即采用两台同型号燃气轮机通过公用的正倒车减速器驱动同一根螺旋桨(图 1.18)。

M3 型燃气轮机机组主机单机功率 13 500 kW,燃料消耗率 0.350 kg/(kW·h),为 M2 型燃气轮机机组的改进型产品(改造系数 1.11)。M3 燃气轮机机组的最初设计寿命为 3 000 h,后被延长至 5 000 h。在设计过程中,设计人员成功地解决了非常复杂的正倒车减速器设计制造问题。设计人员为这型输入功率 27 000 kW、输出轴转速 300 r/min 的正倒车减速器选择了非常复杂但却非常有效的运动系统方案:每台燃气轮机有两路功率输入给减速器,减速器 II 级大齿轮将四路功率分支合并在一起。为了满足减速器的换向要求,设计人员在减速器内安装了摩擦片离合器和液压离合器。1961 年夏,61 型反潜舰"乌克兰共青团员号"正式下水,次年交付海军入列服役。因设计制造 M3 型燃气轮机机组而取得的卓越成就,C.Д.科洛索夫总设计师所带领的主要专家团队被授予列宁勋章。

图 1.18　带底架的 M3 型燃气轮机机组

1.8　第二代苏制燃气轮机设计制造史

1965 年至 1966 年苏联开始设计制造第二代燃气轮机及燃气轮机机组。设计人员进行了大量细致的研究工作,优化了压气机和涡轮的气动性能,降低了排气道损失,在不改变循环参数的条件下将发动机的经济性提高到 300 ~ 326 g/(kW·h),循环效率提高到 25% ~27%,单机功率提高到 13 200 ~ 14 700 kW。为了进一步优化舰船的机动性能,设计人员解决了燃气轮机涡轮倒车问题,这项措施在当时属世界首创。为了延长舰船的航行距离,设计人员在燃气轮机装置中分别设置了巡航燃气轮机和主燃气轮机:巡航燃气轮机用于保证舰船低速战备经济航速,而主燃气轮机则用于保证舰船的全速航行。

这里需要强调一点,在这个阶段苏联舰船燃气轮机设计制造业界的首要任务是提高燃气轮机装置经济性和延长燃气轮机装置寿命。其为了提高燃气轮机装置的经济性,主要采取了以下三方面措施:

(1)优化燃气轮机本体经济性;

(2)优化主燃气轮机机组系统方案,增设巡航发动机;

(3)利用蒸汽余热回收系统回收燃气轮机排气热量。

1961 年,乌克兰苏维埃社会主义共和国部长会议签署命令,将专业设计局从南方涡轮机厂独立出来,定名为机械设计苏维埃设计局。C.Д.科洛索夫(图 1.19)被任命为机械设计苏维埃设计局的第一任总设计师,并兼任行政一把手。机械设计苏维埃设计局的首要任务就是设计建造发动机试验样机,对样机进行调试,并为南方涡轮机厂提供定型图纸文件。南方涡轮机厂则负责按照机械设计苏维埃设计局提交的发动机图纸文件组织安排量产。

1963 年,曾经担任机械设计苏维埃设计局副总设计师的 Я.Х.索洛卡被任命为行政一把手。Я.Х.索洛卡于 1909 年出生在叶卡捷诺斯拉夫省亚历山德罗夫斯克市,1940 年从罗蒙诺索夫莫斯科国立大学机械数学系毕业后就职于莫斯科的 НИИ – 10 科学研究所,后在航空№27 厂担任实验室主任之职。1942 年,他报名参军上了前线。战后,Я.Х.索洛卡在 OKБ – 16 试验设计局从事 ТРДВ – 1 型发动机计算工作。1954 年,他随特派专家组从喀山设计局调往乌克兰尼古拉耶夫南方涡轮机厂,并被任命为发动机计算副总设计师。在 Я.Х.索洛卡的领导下,当时的尼古拉耶夫南方涡轮机厂开始设计制造第二代苏制燃气轮机。

首批第二代苏制燃气轮机的设计应用对象是1134Б型护卫舰预备搭载的 M5 型燃气轮机机组。M5 型燃气轮机机组包括一台单机功率 4 400 kW 的巡航燃气轮机和两台单机功率 14 700 kW 的主燃气轮机。后来,应 1135 型护卫舰(目前还有一艘该型护卫舰"弓箭"号仍在乌克兰海军服役)的需求,又设计建造了 M7 型燃气轮机机组。该型燃气轮机机组包括两台单机功率 4 400 kW 的 M62 型巡航燃气轮机和两台单机功率 14 700 kW 的 M8K 型主燃气轮机。两台燃气轮机均有涡轮倒车功能。巡航燃气轮机的减速器为双速减速器,第一级速度级用于巡

图 1.19　雅科夫·哈纳诺维奇·索罗卡
(1909—1979)

航,而第二级速度级则用于所有燃气轮机联动。为了进一步提高整机经济性,该型燃气轮机机组配备了减速器交叉传动装置,负责在左右弦巡航燃气轮机减速器间交叉分配功率,保证该型燃气轮机机组可以通过一台巡航燃气轮机驱动两根螺旋桨(图 1.20)。

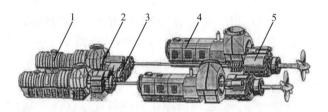

图 1.20　1135 型护卫舰 M7 型燃气轮机装置
1—M62 型巡航燃气轮机;2—PMA－28 巡航燃气轮机减速器;
3—减速器交叉传动装置;4—M8K 型主燃气轮机;5—PM－56 主燃气轮机减速器

关于 M62 型发动机,还有一个非常有趣的故事。最初的 M62 型燃气轮机设计任务书并不是海军直接下达的,而是苏联交通部为设计制造 ГТГ－6000 型内燃机车燃气轮机发电机组而制定的。该机组所用的交流发电机由哈尔科夫涡轮发电机厂设计制造。为了满足该机组的需求,还专门设计了一台功率 4 400 kW 的 ГТ－6 型燃气轮机。然而,由于苏联放弃了这一系列内燃机车的建造计划,因此才在 ГТ－6 型燃气轮机的基础上设计制造出了 M62 型燃气轮机。

就当时那个年代而言,不管是 M5 型还是 M7 型燃气轮机机组,绝对都是世界上独一无二的杰作。这两型燃气轮机首次组合使用了可倒车动力涡轮、双速减速器、交叉传动装置、速动气胎离合器等一系列当时最先进的技术措施。1974 年,因在第二代 M5 型和 M7 型燃气轮机机组设计制造工作中做出的杰出贡献,一大批涡轮机专家、造船工人和海军代表被授予苏联国家奖。

自 1968 年起,维克多·伊万诺维奇·罗曼诺夫开始担任机械设计苏维埃设计局总设计师一职,直到 2002 年卸任。

20 世纪 60 年代,人们对于动力学支撑原理船的关注越来越多,水翼艇和气垫船越来越流行。为了减小艇身质量,这些动力学支撑原理船的艇体全部采用铝合金材料制造,这就对主动力装置提出了极为苛刻的要求。为了满足这些需求,必须设计制造专门的燃气轮机机组,不但其质量及外形尺寸要趋近于航空燃气轮机,而且其还要适应所有高速舰艇的恶

劣使用条件。当时那个阶段,舰船燃气轮机制造业的发展已达到了相当高的水平,业已具备着手完成新型舰船设计制造任务的相关条件。

1970 年,第一艘搭载全新 ДТ - 4 型燃气轮机机组的"鹅喉羚"号 1232 型气垫登陆艇(图 1.21)设计制造完成。该机组包括两台单机功率 13 230 kW 的 ДО75 型轻型燃气轮机和由 18 台行星减速器及直角传动减速器组成的轴系。该轴系共包括 8 型减速器,可将主机功率同时传递给 4 台垫升风机和 4 只变距空气螺旋桨。如果发生紧急故障,该轴系还可以通过一台燃气轮机同时驱动所有垫升风机和空气螺旋桨,以保证正常航行。该型气垫登陆艇的总体设计单位是列宁格勒金刚石中央设计局,而该系列共 20 艘气垫登陆艇的建造单位则是列宁格勒(现在的圣彼得堡)的滨海造船厂。

图 1.21　"鹅喉羚"号 1232 型气垫登陆艇

在这一时期,还有另外一型燃气轮机机组——专门为 1240 型、1145 型和 11451 型水翼艇设计制造的 M10 型燃气轮机机组同样也可称为独一无二的佳品。1976 年,列宁格勒滨海造船厂建造了第一艘"飓风"号 1240 型水翼艇。该艇搭载两套 M10 型燃气轮机机组,分别由 ДО50 型 13 230 kW 燃气轮机、柱式直角传动装置和螺旋桨组成。此后,泽廖诺多利斯克的高尔基造船厂和费奥多西亚的大海生产联合体分别建造了"亚历山大·库纳霍维奇"式 1145 型反潜舰和"索科尔"式 11451 型反潜舰。这些反潜舰的动力装置分别由三套不同型号的 M10 型燃气轮机机组组成。其中,性能最优越的"索科尔"式 11451 型反潜舰动力装置包括两套 M10Д 型 14 700 kW 燃气轮机机组和一套 M16 型 7 350 kW 燃气轮机机组。M10Д 型燃气轮机机组与 M10A 型和 M10Б 型燃气轮机机组的区别在于该型燃气轮机机组的直角传动装置内置了一台巡航双速减速器。

新建气垫船和水翼艇的试运行结果显示,还有一系列特性问题亟待解决,即在 -40 ℃ ~40 ℃ 环境温度下当进气设备大量进水时如何保障燃气轮机的运行可靠性和指标稳定性。

回收排气热量是提高燃气轮机运行经济性的一个重要研究方向。针对这一方向,机械设计科研生产企业、尼古拉耶夫造船学院、列宁格勒造船学院在当时进行了一系列专项研究。研究结果表明,通过蒸汽余热回收系统回收燃气轮机排气热量可将装置在特定功率下的经济性提高 20% ~30%。

20 世纪 70 年代中期,许多国家的海运商船运输领域出现了一种新型水平装卸特种船只。此类船只对动力系统又提出了一些附加要求,包括:

（1）在不增加外形尺寸的前提下提高机组功率，以保证船只能够达到更高的航速；

（2）使用价格较低、品质较差的燃油。

苏联首艘此类大型船只由尼古拉耶夫市的黑海船舶设计中央设计局负责设计（"大西洋"型）。1979年，首艘燃气轮机船"斯米尔诺夫少校号"在尼古拉耶夫黑海造船厂完工。该船排水量36 000 t，船身长227 m，燃气轮机动力装置总功率36 780 kW。船上共安装了两套M25型主燃气轮机机组。燃气轮机主机采用了排气回热技术。M25型主燃气轮机机组由机械设计苏维埃设计局设计，由曙光生产企业生产制造。

每套M25型主燃气轮机机组包括一台ДИ59型正倒车燃气轮机、一台PO25型减速器、一台КУП3100型余热蒸汽发生器、一台ПТУ–2推进汽轮机及与之配套的蒸汽冷凝器和辅机。左舷M25型主燃气轮机机组如图1.22所示。

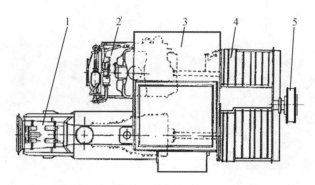

图1.22　左舷M25型主燃气轮机机组
1—燃气轮机；2—汽轮机；3—排气管；4—减速器；5—联轴器

表1.1为M25型主燃气轮机机组主要技术特性指标。

表1.1　M25型主燃气轮机机组主要技术特性指标

正车功率	18 390 kW
燃气轮机功率	14 120 kW
汽轮机功率	4 270 kW
主燃气轮机机组燃料消耗率	≤238 g/(kW·h)
主燃气轮机机组循环效率	≥35.3%
倒车功率	5 740 kW
减速器输出轴转速	130 r/min
机组寿命	100 000 h
燃气轮机大修前寿命	25 000 h

ДИ59型燃气轮机以M8型燃气轮机的燃气发生器为设计原型，兼顾M25型主燃气轮机机组对燃料的要求调整了燃气发生器的结构，提高了燃气轮机高温部件的寿命和可靠性。其主要的改进措施包括：燃烧室火焰筒用ВЖ–98特种耐高温合金作为加工材料；1级、2级和4级涡轮采用浇铸导叶；高压涡轮1级使用冷却效果更为理想的冷却动叶；重新

研制了涡轮动叶和导叶专用保护涂层;专门设计了全新的正倒车三级动力涡轮。

继首艇"斯米尔诺夫少校号"之后,又按照这一设计方案续建三艘,分别为"梅津采夫少校号"(1980 年)、"叶尔莫什金工程师号"(1981 年)和"弗拉基米尔瓦斯利亚耶夫号"(1987年)。这里我们还要强调一点,这几艘船只多年的使用经验证明安装了蒸汽系统的苏制燃气轮机装置运行非常可靠,易于维修,且拥有很高的经济性。

我们还要介绍一下 10 000 吨级"光荣号"攻击型巡洋舰 M21 型巡航燃气轮机机组的使用经验。该型燃气轮机机组同样使用了蒸汽余热回收系统回收燃气轮机排气的热量,所设计的巡航联合循环装置功率为 7 350 kW,小型余热发生器、汽轮机、冷凝器均与巡航燃气轮机共用底架。

1.9　第三代和第四代苏制舰船燃气轮机制造史

20 世纪 60 年代后期,在机械设计科研生产企业的提议及直接参与下,国防部第一中央科学研究院与海军学院及克雷洛夫中央科学研究院联合完成了一系列科学研究工作,旨在探索进一步完善和发展舰船燃气轮机装置的途径与方法。研究发现,为水面舰艇和动力学支撑原理船建造系列通用型发动机——第三代燃气轮机的条件已经具备。

设计目标包括:

(1)将燃气轮机燃料消耗率降低 20% ~25%;

(2)将燃气轮机质量减少 50% ~66%;

(3)大幅减小燃气轮机轴向尺寸。

1971 年,政府发布命令,拟设计三款通用型燃气轮机:

(1)M75 型燃气轮机,功率 3 700 ~4 400 kW;

(2)M70 型燃气轮机,功率 7 350 ~8 800 kW;

(3)M80 型燃气轮机,功率 18 400 ~22 000 kW。

为了满足第三代燃气轮机设计任务书的要求,设计人员必须采取以下技术措施:

(1)在二代燃气轮机基础上将涡轮前燃气温度提高 200 ~250 K,将温度直接提到 1 300 K以上;

(2)将燃气轮机压气机增压比提高到 17 ~20;

(3)全盘重新调整燃气轮机系统方案。

要想达到这些设计目的,首先必须要解决一系列复杂的工程技术难题,包括:制造适合海上环境的耐热、耐腐蚀合金和叶片涂层;设计高效的发动机零部件冷却系统,特别是动叶片冷却系统。20 世纪 70 年代初期,机械设计科研生产企业、国立普罗米修斯中央结构材料研究院与乌克兰科学院联合开发了多种型号高强度合金的基底合金——ЭП - 539 耐腐蚀高温合金。当时开发出来的 ЧС - 70 和 ЧС - 88 铸造合金直到现在还在广泛应用。研究人员还开发出了全新的涡轮叶片保护涂层喷涂设备和工艺,特别是四组分防腐涂层(Co - Cr - Al - Y)和耐高温陶瓷涂层电子射线喷涂技术,并在燃气轮机制造中应用了合金电子束焊和钎焊工艺。与此同时,还针对叶片冷却系统开展了大量系统性的完善工作。设计人员开发和应用的动叶片涡流冷却系统可在叶片金属与高温燃气之间建立 200 K 以上的温差。

1972 年,首艘搭载 M70 型主动力装置的 1206 型"枪乌贼号"气垫登陆艇投入试运行。

其动力装置包括两套 MT70K 型燃气轮机机组,分别由一台 ДК71 型 7 350 kW 燃气轮机和负责向本弦垫升风机及变距空气推进螺旋桨传递功率的减速传动装置组成。费奥多西亚大海船厂先后共建造了 22 艘该型气垫登陆艇。

当时,在该型气垫登陆艇首艇上安装的是工厂编号为 №2 的试验样机。此后,对于 M70 型燃气轮机机组主机的调试和改进工作持续了很长时间,涉及后续建造的 30 台燃气轮机。从这一现象我们大概可以猜到当时军方对于这些燃气轮机订单的紧迫性达到了何种程度。

M70 型燃气轮机与第二代燃气轮机之间有很多结构性的差别,包括:高压涡轮压气机回路转子为双轴承支撑,之所以能够采用这样的布置方式,是因为在发动机低压压气机上方采用了环形回流燃烧室;高压涡轮为单级结构,轮盘外伸悬挂在高压压气机转子后轴颈上;由于高压涡轮级负荷增加,动叶片圆周速度差不多达到了 450 m/s;去掉了高压涡轮支撑环,将低压涡轮改为单级结构;取消了低压压气机与低压涡轮之间内轴上可靠性极低的轴间连接轴承。后期制造的 GTE8000 型燃气轮机如图 1.23 所示。该型燃气轮机为 M70 型燃气轮机机组主机的改型产品(设计于 1979 年)。

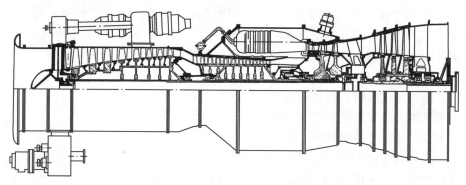

图 1.23　GTE8000 型燃气轮机

通过将涡轮前燃气温度提高到 1 373 K,将压气机增压比增加到 16.6,改善压气机和涡轮气动性能和效率等方法,燃气轮机的经济性得以有效提高。

M90 型燃气轮机的设计方案于 1984 年定型,于 1988 年投入量产。根据 M70 型燃气轮机多年的使用经验,设计人员在 M90 型燃气轮机上应用了多项先进的方案措施,包括:高压涡轮压气机转子的双支撑结构;支撑轴承的弹性滑油阻尼构造;更为有效的燃气轮机高温部件冷却系统;新型的材料和涂层。直到目前还在继续生产的 GTE15000 型燃气轮机(图1.24)就是 M90 型燃气轮机的升级改型产品。

20 世纪 90 年代初期,苏联制定了第四代新型燃气轮机的发展纲要。然而,在苏联解体后苏联国防部撤销了对这项发展纲要的所有拨款。机械设计科研生产企业克服了巨大的困难,终于成功设计制造出了循环效率高达 36%、单机功率为 27 500 kW 的 M80 型燃气轮机。该型燃气轮机压气机增压比达到了 23.6,超过了当时所有舰船燃气轮机的指标。其采用双轴九级压气机(低压压气机和高压压气机)。低压压气机空气质量流量 91 kg/s,首级为超音速级。高压涡轮前燃气温度 1 548 K。高温燃气来自安装了 16 根火焰筒的环管式燃烧室。驱动压气机的涡轮为单级涡轮,叶片采用空气冷却系统。动力涡轮为四级自由涡轮。带滑油阻尼的鼠笼支撑能够有效减小轴承的动载,降低机匣振动水平。该型燃气轮机在轴承滑油腔上安装了气动接触式密封和石墨碳环,这是一种全新的技术方案。迄今为止,GTE25000 型燃气轮机仍在对外生产供货。该型燃气轮机既可用于改造天然气输送管线增压站驱动设备(可为增压站节约 25% ~ 30% 燃料),又可与排气余热锅炉搭配配套电站发电机组。尚处于研发阶段的第四代 ДН - 70 型燃气轮机功率为 10 000 kW,高压涡轮前燃气温度 1 550 K,压气机增压比 $\pi_c = 22$,效率为 36%。

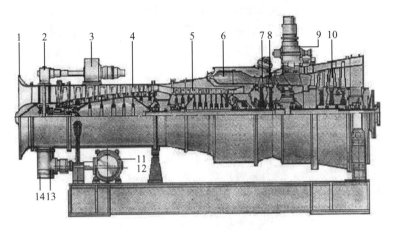

图 1.24   GTE15000 型燃气轮机

1—进气设备;2—前传动箱传动机构;3—上传动箱;4—低压压气机;5—高压压气机;
6—燃烧室;7—高压涡轮;8—低压涡轮;9—正倒车换向机构;10—动力涡轮;
11—启动电机;12—外置传动箱;13—下传动箱;14—滑油附件

1.10   20 世纪 60 年代至 20 世纪 90 年代
国外舰船燃气轮机发展历程

20 世纪 60 年代,美国的 GE 公司和 Pratt & Uittni 公司、英国的 RR 公司等著名企业在舰船燃气轮机制造领域进行了广泛且深入的探索。在这一时期,这些公司所设计的许多型号的燃气轮机都是非常成功的案例。

LM1500 型燃气轮机由 GE 公司打造,以 GE 公司为"幻影"战斗机打造的多款量产 J - 79 型航空涡轮喷气式燃气轮机为原型。LM1500 型燃气轮机的燃气发生器由压气机增压比 $\pi_c = 12$ 的 17 级单轴压气机、由 10 根火焰筒组成的环管式燃烧室和 3 级驱动涡轮组成,涡轮前燃气温度 1 115 K。动力涡轮为单级结构,额定工况 9 200 kW 对应转速 4 950 r/min。环境温度 38 ℃ 对应的发动机燃料消耗率为 0.358 kg/(kW·h),装置效率约为 23.5%。

LM1500 型燃气轮机最初安装在"Denison 号"水翼艇上,之后又与柴油机搭配组成柴燃联合循环装置应用于"Eshvill"级双桨海岸警卫艇。柴燃联合循环装置包括两台 Cummins 公司生产的巡航柴油机和一台同时驱动两根螺旋桨的 PE101 型 LM1500 加速燃气轮机。

1967 年末,美国海军运输部下令建造"V. M. Kallagan 海军上将号"运输艇。该艇排水量 24 000 t,是一艘专门为燃气轮机动力装置设计的快艇。其动力装置采用双轴方案,每台 15 300 kW 功率的 FT - 4A - 2 型燃气轮机通过正倒车双级减速器驱动一根螺旋桨。当动力涡轮转速达到 3 600 r/min 时,螺旋桨转速为 135 r/min,对应的航速可达 26 kn。发动机燃料消耗率为 0.315 kg/(kW·h),动力装置整机效率为 26.6%。后期,FT - 4A - 2 型燃气轮机被 GE 公司制造的 LM2500 型燃气轮机所取代。

FT－4A 型燃气轮机最初由美国 Pratt & Uittni 公司于 1961 年在 J－75 型航空涡轮喷气式燃气轮机基础上设计而成。该母型机曾安装在 F－105 型、F－106 型战斗机和"波音" 707－320 型客机上,经过了实践的长期检验,运行效果良好。FT－4A 型燃气轮机的压气机为双轴结构,总增压比 $\pi_c = 12$,由 8 级低压压气机和 7 级高压压气机组成。低压压气机进口导向器叶片不可转。燃烧室为环管式结构,外壳不可分解拆卸,内设 8 根火焰筒,各有 6 个喷嘴。高压涡轮为单级结构,低压涡轮则为双级结构。在将 J－75 型航空涡轮喷气式燃气轮机改造为 FT－4A 型燃气轮机时,技术人员重新设计了动力涡轮。新设计的动力涡轮通过环形扩压段固定在燃气发生器上。设计人员还为动力涡轮设计了专门的排气扩压段和排气短管,可将燃气流动方向改变 90°。图 1.25 为 20 世纪 60 年代国外舰船应用最广泛的舰船燃气轮机之一——FT－4A－2 型燃气轮机。以该型燃气轮机为基础打造的柴燃动力装置先后装备了 38 艘"Hamilton"级海岸警卫艇。这一系列海岸警卫艇于 1967 年开始动工建造。这些海岸警卫艇的主动力装置均采用双轴方案,每根螺旋桨可由一台 FT－4A－6 型 13 240 kW 燃气轮机和一台 Fairbanks－Morse 公司出产的 2 570 kW 二冲程柴油机分别驱动。其设计方案并未考虑燃气轮机与柴油机同时工作的可能性。

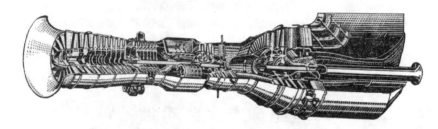

图 1.25　FT－4A－2 型燃气轮机

FT－4A 型燃气轮机的改进型产品还曾被用于建造 Euroliner 型集装箱船。该系列集装箱船由 Raynshtalnord zeeverke 公司在德国建造,共 4 艘。这是一型 28 000 吨级双螺旋桨船,设计时速 26.4 kn。每根螺旋桨轴由一台 FT－4A－12 型 22.21 MW 燃气轮机驱动。这一系列集装箱船的首艇于 1971 年开始服役。

LM2500 型燃气轮机(图 1.26)是 GE 公司生产的所有燃气轮机中应用范围最广的。GE 公司于 1969 年制造出了其首台样机。LM2500 型燃气轮机以 Lockheed 公司 Galaxy C－5 型运输机上搭载的 TF－39 型航空涡轮螺旋桨燃气轮机为设计原型。TF－39 型航空涡轮螺旋桨燃气轮机效率高、寿命长,可启动性更佳。有趣的是,舰船燃气轮机几乎是与航空燃气轮机原型同时问世的。

LM2500 型燃气轮机为简单循环,双轴结构,由燃气发生器和动力涡轮组成。燃气发生器的 16 级压气机增压比 $\pi_c = 18$。进口导向器和前六级导向器采用可转导叶。燃烧室为直流环形结构。高压涡轮有 2 级轮盘,转速为 4 950 ~ 9 800 r/min。动力涡轮为 6 级自由涡轮,转速为 1 000 ~ 3 600 r/min。动力涡轮转子由 6 个轮盘组成,通过螺栓固定,机匣上下两部分水平接合。机匣内为涡轮导向器隔板(2~6 级)。1 级导向器独立于机匣之外。

该型燃气轮机最大的优点是经济性高,效率可达 37.6%,对应功率为 22 800 kW。此外,该型的燃料消耗率(也就是效率)不会随着功率的改变而剧烈变化。功率降低一半,燃料消耗率仅增加 15%,也就是说即便 LM2500 型燃气轮机仅发出 50% 功率,其效率就已经超过了其他公司许多同类型产品额定功率时的效率。在这里我们要重点强调一下,在 LM2500 型燃气轮机上保留使用了 90% 以上的原型机结构部件。燃气发生器的零件全部保留,结构丝毫未动。燃气轮机的运动系统方案也与原型机相同,为单轴方案,搭配自由动力涡轮。上文已经介绍过了,LM2500 型燃气轮机于 1969 年开始用于装备"V. M. Kallagan 海军上将号"运输艇,此后就在美国和其他国家海军中得以推广开来。现如今,人们仍然可以在现实生活中看到 LM2500 型燃气轮机,因为装备了该型燃气轮机的 HSS1500 型高速渡船时至今日仍在服役。

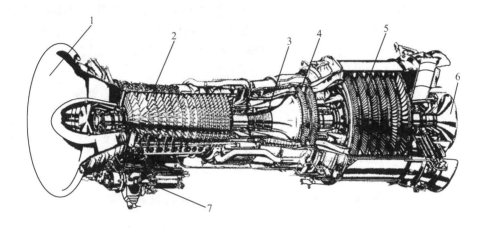

图 1.26　LM2500 型燃气轮机

1—进气设备;2—16 级压气机;3—环形燃烧室;
4—2 级高压涡轮;5—6 级动力涡轮;6—功率输出轴;7—机带传动箱

HSS1500 型高速渡船可以说是最现代的燃气轮机动力装置高速摆渡船。船体长 124 m、宽 40 m,是世界上最大的高速客货两用双体船,可以同时运载 1 500 名乘客和 375 辆轿车,或者 80 辆大客车和 50 辆载重货车。1996 年至 1997 年挪威 Finnyards 公司共建造了三艘 HSS1500 型渡船:"Stena Explorer"号、"Stena Voyager"号和"Stena Discovery"号。

为了保证其主动力装置的运行机动性,设计人员为每个动力单元都配备了一台 LM2500 型主燃气轮机和一台 LM1600 型巡航燃气轮机。主燃气轮机功率为 20.2 MW,巡航燃气轮机功率为 13.07 MW,两个动力单元可为主燃气轮机动力装置提供超过 66 MW 的总功率。在航速不超过 25 kn 的工况下仅启动 LM1600 型巡航燃气轮机。LM2500 型燃气轮机启动后,航速可达 32 kn。四台燃气轮机同时运行,渡船可以达到极限最高航速。这一型渡船的计算最高航速为 42 kn,但是如果在静水水面航行也有可能超过这一计算值,例如 "Stena Explorer"号就曾经开到过 45 ~ 46 kn。

两组主燃气轮机和巡航燃气轮机单元分别安装布置在两个船体内,两组动力单元通过共用的 Maag Propjet HPG – 185/C 型传动装置在两个 160 型 KaMeWa 喷水推进器之间分配功率。设计人员通过双联减速传动装置将 LM2500 型燃气轮机和 LM1600 型燃气轮机动力涡轮输出轴转速分别从 3 600 r/min 和 7 000 r/min 降到喷水推进器的驱动轴转速 452 r/min。

GE 公司研制的 LM1600 型燃气轮机可以算是世界舰船燃气轮机制造领域科技不断进步和发展的最佳典范。1985 年,在德国举办的一次展览会上,该型燃气轮机第一次进入人们的视野。到 1988 年底,作为 LM1600 型燃气轮机燃气发生器设计原型的 F404 型涡轮喷气式燃气轮机已经累计运行超过了 1 500 000 h(1 580 台发动机)。LM1600 型燃气轮机的构造相对比较简单。业界认为,该型燃气轮机赢在压气机级数更少。LM1600 型燃气轮机与 LM2500 型及 LM1500 型燃气轮机相比,最大的区别就在于 LM1600 型燃气轮机采用了双轴压气机和自由动力涡轮格局。低压压气机增压比为 $\pi_c = 4$,仅为 2 级结构。高压压气机为 7 级结构,共有 474 枚动叶片($\pi_c = 5.5$)。LM1600 型燃气轮机压气机总增压比为 22.2,空气质量流量为 45 kg/s,动叶片数量不超过 600 枚。而 LM1500 型燃气轮机的增压比为 11.2,空气质量流量为 69.4 kg/s,动叶片数量接近 1 000 枚。在设计制造 LM1600 型燃气轮机时,为达到所需的空气质量流量而缩减了低压压气机叶片长度,设计了全新的前机匣结构,减小了高压涡轮导向器通流面积,并更换了多个零件的材料和表面涂层。环形燃烧室内装有 18 个喷嘴和 2 个启动组件。

由于高压涡轮前燃气温度非常高,LM1600 型燃气轮机采用了非常发达的冷却系统。低压涡轮和动力涡轮分别从高压压气机 4 级和高压压气机 7 级整流器抽气进行冷却。从高压压气机后抽取的冷却空气经过燃烧室进入涡轮,负责冷却高压涡轮导向叶片、动叶片和单级轮盘。LM1600 型燃气轮机在 15 ℃ 环境温度下的工况见表 1.2。

表 1.2　LM1600 型燃气轮机在 15 ℃ 环境温度下的工况

燃气轮机参数	燃气轮机运行工况		
	额定工况	部分工况	部分工况
燃气轮机功率/kW	13.95	10.93	9.54
燃料消耗率/(kg·kW^{-1}·h^{-1})	0.231	0.245	0.253
高压涡轮前燃气计算温度/K	1 516	1 436	1 400
排气温度/K	1 036	980	952

在本章节的结尾处需要强调一下,发达国家的大型燃气轮机制造公司还研制了许多不同型号的舰船用燃气轮机,因篇幅有限未能加以详细介绍。详细信息可参见参考文献。

课后练习题

1. 简述船舶动力装置制造领域出现燃气轮机的历史前提。
2. 列举燃气轮机与其余类型热力机相比作为船用动力装置的主要优势。
3. 航空燃气轮机如何分类?
4. 简述航空涡轮喷气式燃气轮机工作过程及结构的主要特点。
5. 分析航空双涵道涡轮喷气燃气轮机工作过程及结构的主要特点。
6. 航空涡轮螺旋桨燃气轮机的工作过程和结构有哪些特点?
7. 简述船用燃气轮机机组及其关键部件的结构形式。
8. 发电用燃气轮机机组有哪些结构特点?
9. 论述船用主动力装置所选燃气轮机类型与航速之间的关系。
10. 介绍库兹明燃气轮机装置热力系统和热力过程的主要特性。

11. 简述定压加热循环燃气轮机机组的工作原理。

12. 说明定容加热循环燃气轮机机组的工作原理。

13. 哈尔科夫工业大学的 B. M. 马科夫斯基对苏联国产燃气轮机制造业的发展做过哪些贡献?

14. 简述 20 世纪四五十年代舰船燃气轮机制造领域的发展历程。

15. 第一代苏制舰用燃气轮机机组的参数和结构特性如何?

16. 请说出第二代苏制舰用燃气轮机机组的特性。

17. 请说出第三代和第四代苏制舰用燃气轮机机组的主要特点。

18. 请对比说出 GE 公司制造的 LM2500 型燃气轮机与乌克兰第三代及第四代舰用燃气轮机机组的参数和结构特点。

第2章 船用简单循环燃气轮机机组设计理论及计算方法

2.1 船用简单循环燃气轮机机组及其热力循环过程

在所有技术领域当中,由简单循环燃气轮机和减速器等组成的简单循环燃气轮机机组(图2.1)的应用范围最为广泛。

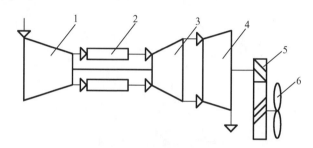

图2.1 简单循环燃气轮机机组
1—压气机;2—燃烧室;3—驱动涡轮;
4—动力涡轮;5—减速器;6—螺旋桨

此类燃气轮机机组中的燃气轮机的热力循环过程通常为定压热力循环过程——"布雷顿循环"。布雷顿循环由两个等熵过程和两个等压过程组成。简单循环燃气轮机机组热力循环如图2.2所示。

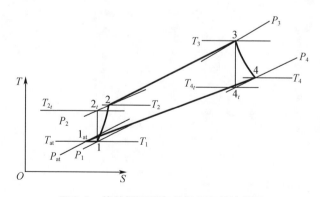

图2.2 简单循环燃气轮机机组热力循环

图2.2中等压线:P_{at}——大气压力;P_1——压气机前空气压力;P_2——压气机后空气压力;P_3——涡轮前燃气压力;P_4——涡轮后燃气压力。燃气轮机的压气机从外部吸入空气,

并完成加压过程。从大气吸入的空气参数为 P_{at}、T_{at}。在加压过程中,空气参数 P_1、T_1 在理论等熵过程中增加到 P_2、T_{2_t},在实际的多变过程中增加到 P_2、T_2。

图 2.2 中,$1_{at}-1$ 过程为燃气轮机压气机进气过程,伴随燃气轮机机组进气设备总压损失。由于实际的增压过程 $1-2$ 伴随有压气机级内能量损失,因此系统实际熵值高于理论值。空气从压气机进入燃烧室,同时喷入燃料。在燃料燃烧过程中,热量几乎是在定压条件下传递给空气($2-3$ 过程)。燃烧室热量传递过程终点的参数 P_3、T_3 代表了燃气轮机涡轮前工质状态。由于燃烧室内损失了一部分总压,因此涡轮前燃气压力 P_3 比燃烧室进口压力低 3%~5%。接下来,工质依次在驱动涡轮和动力涡轮中经历膨胀过程,压力最终降至 P_4。燃气的理论膨胀过程 $3-4_t$ 是等熵过程,而实际膨胀过程 $3-4$ 则为多变过程。燃气膨胀过程的最终参数 P_4、T_4 代表了涡轮后工质状态。驱动涡轮的全部功率皆用于推动压气机转动,而动力涡轮输出的功率才是有效功率,最终通过减速器传递给螺旋桨。$4-1_{at}$ 过程则是一个假定的燃气轮机机组在大气中进行热力循环的闭合过程。

燃气轮机机组效率和比功率是表征燃气轮机机组系统方案和热力循环效率的重要指标。燃气轮机机组效率等于燃气轮机减速器输出法兰的有效能量与燃烧室消耗的全部燃料能量之比。燃气轮机机组比功率等于燃气轮机机组有效功率与燃气轮机压气机(双轴压气机中的低压压气机)每秒空气质量流量之比,即 $N_{esp}=N_e/G_{LPC}$,单位 kW/(kg·s^{-1}) 或者 kJ/kg。这里需要强调一点,现代的简单循环燃气轮机机组循环最高温度 T_3 为 1 100~1 500 K,效率为 30%~37%,比功率 N_{esp} 为 140~280 kW/(kg·s^{-1})。

2.2 简单循环燃气轮机机组热力循环
数学建模和热力计算基本原理

现代的燃气轮机通常采用串联布置的两段压气机——低压压气机和高压压气机。低压压气机与高压压气机分别由低压涡轮和高压涡轮驱动。动力涡轮负责生产有效功。

燃气轮机机组热力循环计算的初始参数是环境空气参数 P_{at}、T_{at}。舰船燃气轮机的进气通过进气道进入通流部分。进气道进口安装了净化滤清设备,用于从压气机进气中除去含有盐分的海水和固体杂质(灰尘、烟灰等)。净化滤清设备和进气道在燃气轮机进口对空气的流动产生巨大的阻力,因此低压压气机进口空气总压 P_1 会明显低于大气压。

总压恢复系数是表征燃气轮机机组气流流道总压损失的定量指标,它等于燃气轮机机组气流流道出口总压与进口总压之比:

$$\nu=\frac{P_{out}^*}{P_{in}^*}$$

燃气轮机机组进气设备的总压恢复系数为

$$\nu_{in}=\frac{P_1}{P_{at}}$$

本书在书写公式时会使用"*"符号表示气流总参数,这是因为燃气轮机机组热力循环和热力系统的热力计算一律使用滞止气流参数。计算中通常取 $\nu_{in}=0.98$~0.99。

接下来,我们会用同样的方法计算燃气轮机机组气流流道其余部件的总压损失。

燃气轮机压气机空气增压多变过程也可以使用等熵过程公式进行模拟。假设 P_1 为工质初始总压(压气机前空气压力),P_2 为工质最终总压(压气机后空气压力),压气机空气理论温升则可以用式(2.1)表示：

$$\Delta T_{c_t} = T_1 \left(\pi_c^{\frac{k_a-1}{k_a}} - 1 \right) \tag{2.1}$$

式中　π_c——压气机增压比，等于 $\dfrac{P_2}{P_1}$；

　　　k_a——空气等熵指数。

压气机出口空气理论温度为

$$T_{2_t} = T_1 + \Delta T_{c_t}$$

燃气轮机通常采用轴流式多级压气机。$\pi_c = 3 \sim 5$ 的压气机通常由 $6 \sim 10$ 级轴流式压气机级串联而成。利用压气机基元级绝热效率，此类压气机空气实际温升可以用式(2.2)计算：

$$\Delta T_c = T_1 \left(\pi_c^{\frac{k_a-1}{k_a \eta_{a_c}}} - 1 \right) \tag{2.2}$$

式中　η_{a_c}——压气机基元级绝热效率。

可以通过绝热效率概念评估燃气轮机轴流式压气机的完善程度。绝热效率等于压气机空气理论温升与压气机空气实际温升之比：

$$\eta_c = \frac{\Delta T_{c_t}}{\Delta T_c} \tag{2.3}$$

将式(2.1)和式(2.2)代入式(2.3)，即可得到式(2.4)。

$$\eta_c = \frac{\pi_c^{\frac{k_a-1}{k_a}} - 1}{\pi_c^{\frac{k_a-1}{k_a \eta_{a_c}}} - 1} \tag{2.4}$$

在进行燃气轮机热力过程计算时，常常需要预先设定压气机绝热效率。此时，将式(2.4)代入式(2.2)得到的新公式更便于计算压气机空气实际温升：

$$\Delta T_c = \frac{T_1 \left(\pi_c^{\frac{k_a-1}{k_a}} - 1 \right)}{\eta_c}$$

在实际压缩过程中，压气机出口的空气温度可以用下式进行计算：

$$T_2 = T_1 + \Delta T_c$$

需要指出的是，空气等熵指数 k_a 是根据理论增压过程的空气平均质量定压热容计算而得的，计算方法见本书2.3节。

$$k_a = \frac{c_{p_a} \Big|_{T_1}^{T_{2_t}}}{c_{p_a} \Big|_{T_1}^{T_{2_t}} - R_a}$$

式中　$c_{p_a} \Big|_{T_1}^{T_{2_t}}$——在 $T_1 \sim T_{2_t}$ 温度范围内空气平均质量定压热容；

　　　R_a——空气气体常数。

压气机后空气压力(工质最终总压)为

$$P_2 = P_1 \pi_c$$

如果燃气轮机有两个压气机，则低压压气机和高压压气机之间过渡段内的总压损失可以用相应的总压恢复系数 ν_c 估算。计算中通常取 $\nu_c = 0.995 \sim 1.000$。

压气机出口空气参数 T_2、P_2 就是燃烧室进口计算参数。燃烧室出口燃气温度 T_3 需要提前设定。式(2.5)用于计算 2 – 3 过程中燃烧室在单位时间(s)内向单位质量(kg)空气输送的热量值。

$$q_{cc} = \dfrac{\left(1 + \dfrac{1}{\alpha L_0}\right) c_{p_g}\Big|_{293}^{T_3} (T_3 - 293) - c_{p_a}\Big|_{293}^{T_2} (T_2 - 293)}{\eta_{cc}} \tag{2.5}$$

式中　$c_{p_a}\Big|_{293}^{T_2}$——在 293 K ~ T_2 温度范围内空气平均质量定压热容;

$c_{p_g}\Big|_{293}^{T_3}$——燃烧室余气系数 α 条件下 293 K ~ T_3 温度范围内空气平均质量定压热容;

η_{cc}——燃烧室燃料燃烧效率,通常取值范围为 0.98 ~ 0.995。

由于在确定烃燃料低热值 H_u 时热量测量过程的终点温度也设为 293 K,因此可以按照低热值通用测量方法来确定公式(2.5)的温度范围。

燃烧室燃料相对流量:

$$g_f = \frac{q_{cc}}{H_u}$$

燃烧室余气系数:

$$\alpha = \frac{1}{g_f L_0} \tag{2.6}$$

式中　L_0——化学当量空气量,即理论上 1 kg 已知组分燃料完全燃烧所需空气量。

由式(2.6)可以看出,α 的物理意义是燃气轮机燃烧室空气流量与燃料完全燃烧所需理论空气量之比。

燃烧室燃气的总压损失可以通过燃烧室总压恢复系数 ν_{cc} 表示。ν_{cc} 与燃气轮机燃烧室的结构相关,在计算中的取值范围如下:

(1)回流燃烧室:0.94 ~ 0.96;

(2)直流燃烧室:0.96 ~ 0.97。

于是,燃烧室出口燃气压力可表示为

$$P_3 = P_2 \nu_{cc}$$

在驱动涡轮和动力涡轮中,初始参数为 P_3、T_3 的燃烧产物经历多变膨胀过程。利用多变膨胀过程公式可以对这一实际膨胀过程进行数值模拟。假设涡轮后燃气压力为 P_4,则可引出涡轮膨胀比:

$$\pi_t = \frac{P_3}{P_4}$$

涡轮理论温降可以利用等熵过程方程求取:

$$\Delta T_{t_t} = T_3 \left(1 - \frac{1}{\pi_t^{\frac{k_g - 1}{k_g}}}\right) \tag{2.7}$$

式中　k_g——燃烧产物等熵指数。

对于理论膨胀过程,涡轮后燃气温度为

$$T_{4_t} = T_3 - \Delta T_{t_t}$$

利用涡轮基元级绝热效率可将涡轮实际温降表示为

$$\Delta T_t = T_3 \left[1 - \frac{1}{\pi_t^{\frac{(k_g - 1)\eta_{a_t}}{k_g}}}\right] \tag{2.8}$$

式中 η_{a_t}——涡轮基元级绝热效率,取值范围为 $0.88 \sim 0.92$。

在实际膨胀过程中,涡轮后燃气温度为

$$T_4 = T_3 - \Delta T_t$$

式(2.7)、式(2.8)中的燃烧产物等熵指数 k_g 可根据理论膨胀过程的燃烧产物平均质量定压热容计算,计算方法见本书 2.3 节。

$$k_g = \frac{c_{p_g}\Big|_{T_{4_t}}^{T_3}}{c_{p_g}\Big|_{T_{4_t}}^{T_3} - R_g} \tag{2.9}$$

式中 $c_{p_g}\Big|_{T_{4_t}}^{T_3}$——在 $T_{4_t} \sim T_3$ 温度范围内燃烧产物平均质量定压热容;

R_g——燃烧产物气体常数。

此处需要强调一点,式(2.9)中的燃烧产物平均质量定压热容 $c_{p_g}\Big|_{T_{4_t}}^{T_3}$ 需根据式(2.6)算得的燃烧室余气系数进行计算。

根据相关设计理论,涡轮绝热效率可以表示为

$$\eta_t = \frac{\Delta T_t}{\Delta T_{t_t}} \tag{2.10}$$

将式(2.7)和式(2.8)代入式(2.10),可得出利用膨胀过程参数计算多级涡轮绝热效率的公式:

$$\eta_t = \frac{1 - \dfrac{1}{\pi_t^{\frac{(k_g-1)\cdot\eta_{a_t}}{k_g}}}}{1 - \dfrac{1}{\pi_t^{\frac{k_g-1}{k_g}}}} \tag{2.11}$$

将式(2.7)代入式(2.10),可得式(2.12)。在个别情况下,利用式(2.12)计算涡轮实际温降更加方便。

$$\Delta T_t = T_3 \left(1 - \frac{1}{\pi_t^{\frac{k_g-1}{k_g}}}\right)\eta_t \tag{2.12}$$

已知 P_3 和 π_t,则涡轮后燃气压力可表示为

$$P_4 = \frac{P_3}{\pi_t}$$

涡轮支撑环通流部分总压损失可利用相应的总压恢复系数 ν_t 表示。单个支撑环的总压恢复系数取值范围一般为 $0.990 \sim 0.995$。

燃气轮机动力涡轮后排气设备总压损失可利用排气管总压恢复系数 ν_{go} 表示。ν_{go} 值可根据排气设备长度和结构取值 $0.96 \sim 0.98$。

在燃气轮机机组热力循环设计计算中,可按下式计算气流流道总压总恢复系数:

$$\Pi\nu_{GTA} = \nu_{in}\nu_c\nu_{cc}\nu_t\nu_{go}$$

此时,可将燃气轮机涡轮总膨胀比计算式表述为

$$\pi_{t_\Sigma} = \Pi\nu_{GTA}\pi_{c_\Sigma}$$

式中 π_{c_Σ}——循环总增压比。

在进行高温燃气轮机机组热力循环计算时,必须要考虑涡轮空气冷却系统产生的附加

能量损失。此外,在进行燃气轮机机组热力循环设计计算时,可用系数 β 表示燃烧室抽气冷却损失。该系数与涡轮叶片冷却无关,通常取值范围为 0.97 ~ 0.99。

对于 T_3 大于 1 120 K 的循环,在计算时必须单独确定压气机后抽气冷却涡轮叶片组的冷却空气相对流量。

目前,业界研究最深入的还是喷嘴叶片和动叶片内部对流空气冷却法。这种方法可将叶片金属温度相对叶片前计算截面燃气流滞止温度降低 250 ~ 350 K。

根据 B. И. 罗卡伊提出的模型,压气机后抽气冷却涡轮叶片的冷却空气相对流量可表示为

$$g_{co} = \frac{G_{co}}{G_{LPC}} = ak_t g_e \beta_t \frac{(n_{co}+1)}{2} \frac{(T_3 - T_p)}{(T_p - T_{co})} \left(\frac{T_3}{T_{co}}\right)^{0.25} \tag{2.13}$$

式中　G_{co}——燃气轮机压气机后抽气总量;

　　　G_{LPC}——燃气轮机低压压气机空气质量流量;

　　　T_p——满足强度要求的涡轮叶片金属温度(涡轮叶片金属强度允许温度),可根据叶片合金牌号和规定寿命取值 1 080 ~ 1 100 K;

　　　T_{co}——冷却空气温度;

　　　k_t——叶环端面冷却系数,取值范围为 1.05 ~ 1.10;

　　　a——折合为真实条件的参数 g_e 折合系数,$T_3 - T_p \leqslant 100$ 取 $a = 1.6 ~ 1.7$,其余情况取 $a = 1.3 ~ 1.4$;

　　　g_e——冷却空气标准流量系数;

　　　n_{co}——叶环列数;

　　　β_t——冷却涡轮流量系数。

式(2.13)中出现的冷却空气标准流量系数 g_e 表征叶片表面温度降低 1 K 且冷却器侧温度升高 1 K 所需空气量,按叶片燃气流量的百分比计算。在进行燃气轮机机组热力循环计算时,g_e 可在 0.020 ~ 0.025 取值。

式(2.13)中出现的叶环列数 n_{co} 计算方法如下。

$$n_{co} = integer \frac{2\lg \dfrac{T_p}{T_3}}{\lg\left[1 - \left(\dfrac{\Delta T}{T}\right)_{st}\right]} \tag{2.14}$$

式中　$\left(\dfrac{\Delta T}{T}\right)_{st}$——涡轮单级相对温降,取值范围为 0.12 ~ 0.16。

此处有一点值得注意,式(2.13)和式(2.14)还可用于进行冷却效果更好的涡轮叶片内腔对流气膜冷却系统的参数计算。此时,g_e 取值范围为 0.018 ~ 0.022。

在进行高温燃气轮机机组热力循环计算时,还必须要考虑冷却空气在进入燃气轮机通流部分后所做的有效功。假设冷却空气仅在涡轮非冷却叶环做有效功,那么首先要计算出燃气轮机涡轮冷却区段的膨胀比:

$$\pi_{t_{co}} = \left(\frac{T_3}{T_p}\right)^{\frac{k_g}{(k_g-1)\eta_{a_t}}}$$

然后计算燃气轮机涡轮非冷却区段的膨胀比:

$$\pi_{t_{n.co}} = \frac{\pi_{t_\Sigma}}{\pi_{t_{co}}}$$

根据参考文献提供的数据,冷却空气进入燃气轮机通流部分后膨胀过程的起始温度可表示为

$$T_{3_{co.a}} = T_{co} + A_{co}(T_p - T_{co}) \qquad (2.15)$$

式中,$A_{co} = 0.4 \sim 0.6$。

请注意,式(2.13)和式(2.15)中的 T_{co} 在取值时应等于压气机通流部分抽气点温度,如果压气机通道采取了冷却措施,则 T_{co} 在取值时则应等于冷却空气计算温度。

假设冷却空气膨胀过程与燃气膨胀过程无关,两个过程独立进行,则冷却空气在燃气轮机涡轮非冷却区段的实际温降为

$$\Delta T_{co.a} = T_{3_{co.a}} \left[1 - \frac{1}{\pi_{t_{n.co}}^{\frac{(k_a-1)\eta_{aco}}{k_a}}} \right]$$

式中 $\eta_{a_{co}}$——冷却空气在燃气轮机涡轮非冷却区段的假想膨胀过程绝热效率,取值范围为 0.5 ~ 0.6。

燃气轮机机组循环内效率等于循环有效能量与燃料在燃烧室内燃烧释放的总能量之比:

$$\eta_i = \frac{q_{us}}{q_{cc}} \qquad (2.16)$$

循环有效能量 q_{us} 等于涡轮总焓降与驱动压气机消耗的能量之差。如果我们综合考虑诸如燃气轮机气流流道抽气(包括涡轮叶片冷却抽气)以及涡轮内部冷却空气反向做功等因素,可得到下式:

$$q_{us} = q_t + q_{co.a} - q_c \qquad (2.17)$$

式中 q_t——涡轮总焓降;

        $q_{co.a}$——涡轮内部冷却空气反向做功;

        q_c——燃气轮机压气机驱动能量。

$$q_t = \left(1 + \frac{1}{\alpha L_0}\right)(\beta - g_{co}) c_{p_g}\Big|_{T_{4_t}}^{T_3} \Delta T_t \qquad (2.18)$$

式中 β——燃气轮机燃烧室流量系数,不考虑涡轮叶片冷却抽气,取值范围为 0.97 ~ 0.99。

$$q_{co.a} = g_{co} c_{p_a}\Big|_{T_{4co.a}}^{T_{3co.a}} \Delta T_{co.a} \qquad (2.19)$$

$$q_c = c_{p_a}\Big|_{T_{at}}^{T_2} \Delta T_c \qquad (2.20)$$

将式(2.18)、式(2.19)和式(2.20)代入式(2.17),可得

$$q_{us} = \left(1 + \frac{1}{\alpha L_0}\right)(\beta - g_{co}) c_{p_g}\Big|_{T_{4_t}}^{T_3} \Delta T_t + g_{co} c_{p_a}\Big|_{T_{4co.a}}^{T_{3co.a}} \Delta T_{co.a} - c_{p_a}\Big|_{T_{at}}^{T_2} \Delta T_c \qquad (2.21)$$

燃气轮机机组内比功率:

$$N_{i_{sp}} = q_{us} \qquad (2.22)$$

将式(2.21)代入式(2.16),便可得出燃气轮机循环内效率计算公式:

$$\eta_i = \frac{\left(1 + \frac{1}{\alpha L_0}\right)(\beta - g_{co}) c_{p_g}\Big|_{T_{4_t}}^{T_3} \Delta T_t + g_{co} c_{p_a}\Big|_{T_{4co.a}}^{T_{3co.a}} \Delta T_{co.a} - c_{p_a}\Big|_{T_{at}}^{T_2} \Delta T_c}{(\beta - g_{co}) q_{cc}} \qquad (2.23)$$

我们在计算中引入涡轮机械效率 η_{m_t},用于计量涡轮机轴承组件的机械能损失,以及燃

气轮机机带附件驱动耗功。此外,在计算中还要单独体现燃气轮机机组减速器的机械能量损失部分,为此我们又引入了减速器机械效率 η_{rg}。可以发现,在燃气轮机机组减速器输出法兰上测得的功率与燃气轮机内功率之间存在一定的数值差,在数值上等于上述机械损失之和。下文我们将该功率定义为燃气轮机机组有效功率 N_{e}。

综上所述,燃气轮机机组比功率计算公式可表示为

$$N_{\mathrm{e}_{\mathrm{sp}}} = N_{\mathrm{i}_{\mathrm{sp}}} \eta_{\mathrm{m_t}} \eta_{\mathrm{rg}}$$

另外,我们还会用到燃气轮机机组有效效率的概念:

$$\eta_{\mathrm{e}} = \eta_{\mathrm{i}} \eta_{\mathrm{m_t}} \eta_{\mathrm{rg}}$$

在进行燃气轮机机组热力循环设计计算时, $\eta_{\mathrm{m_t}}$ 通常取 $0.990 \sim 0.995$。减速器机械效率 η_{rg} 需根据传递功率的大小在 $0.96 \sim 0.98$ 范围内取值。需要注意的是,如果燃气轮机功率较小,则减速器机械效率取低值;反之,如果燃气轮机功率较大,则减速器机械效率取高值。

本书附表 A 为一组指定压气机增压比的简单循环燃气轮机机组系统设计计算算例。计算取低压压气机空气质量流量为 1 kg/s。

2.3　工质热物理性质参数对燃气轮机机组系统和循环计算的影响

根据已知的热力学理论,空气、燃烧产物、水蒸气及其混合物的热容和焓值会因以下变化发生改变:

(1)热力过程中的温度变化;

(2)热力过程中的压力变化;

(3)工质的组成成分变化。

计算表明,只要燃气轮机循环总增压比 π_{c_Σ} 不超过 $50 \sim 60$,开放循环燃气轮机机组可以忽略压力对空气和烃燃料燃烧产物热物理性质(热物性)的影响。

空气和水蒸气都是组成成分不会发生改变的气体,而通常意义的燃气轮机燃料燃烧产物则是一种空气与化学当量燃烧产物按照不同比例组成的混合气体。此外,双工质并联型燃气轮机机组的燃烧产物中还含有大量的过热水蒸气。

烃燃料燃烧产物的热物性同时还与燃料的组成成分——碳和氢的百分比直接相关。附表 B 给出了燃气轮机各种燃料的对比数据、燃料在干燥空气中化学当量燃烧所得产物的热物性。对附表 B 所列数据进行对比可以发现,液态烃燃料燃烧产物特性与一种低热值为 42 915 kJ/kg 的燃料(含碳85.5%,氢14.5%)高度吻合。本书将这种燃料称为标准烃燃料,并在所有液体燃料燃气轮机机组的系统和循环计算中使用这种燃料燃烧产物的热物性(附表 C)。在进行天然气燃料燃气轮机机组计算时,则推荐使用根据参考文献建立的附表 D。

已知,在定压过程中燃气获得的热量可用下式计算:

$$Q = \int_{T_1}^{T_2} c_p \mathrm{d}T = c_p \Big|_{T_1}^{T_2} (T_2 - T_1)$$

式中　T_1、T_2——热力过程的始末温度;

$c_p \Big|_{T_1}^{T_2}$——热力过程燃气平均质量定压热容。

此时,热力过程燃气平均质量定压热容可以用式(2.24)计算:

$$c_p \bigg|_{T_1}^{T_2} = \frac{1}{T_2 - T_1} \int_{T_1}^{T_2} c_p \mathrm{d}T \tag{2.24}$$

在利用计算器手动进行燃气轮机机组系统和循环计算时,由于使用式(2.24)的难度极大,因此还可以用热力过程平均温度计算热力过程燃气平均质量定压热容。

$$T_{\mathrm{av}} = \frac{T_1 + T_2}{2}$$

按照合适的比例根据附表 C 至附表 E 数据在毫米坐标纸上建立图 2.3,并根据求得的 T_{av} 确定热力过程燃气平均质量定压热容。

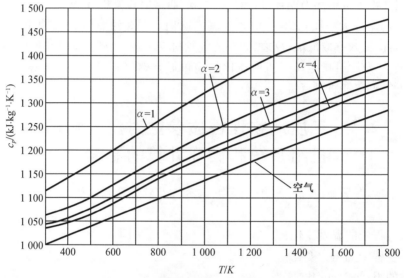

**图 2.3　空气和标准烃燃料燃烧产物平均质量
定压热容与温度的关系曲线图**

如果利用计算机进行计算,则实际燃气质量定压热容与温度的关系应当用 n 次幂多项式求解。计算表明,3 次幂多项式就可以达到足够的计算精度。

$$c_p = A_0 + A_1 T + A_2 T^2 + A_3 T^3 \tag{2.25}$$

将式(2.25)代入式(2.24),即可得出热力过程燃气平均质量定压热容的求解公式:

$$c_p = A_0 + \frac{A_1}{2}(T_2 + T_1) + \frac{A_2}{3}(T_2^2 + T_2 T_1 + T_1^2) + \frac{A_3}{4} \frac{(T_2^4 - T_1^4)}{(T_2 - T_1)} \tag{2.26}$$

在利用式(2.25)和式(2.26)计算空气、水蒸气、标准燃料化学当量燃烧产物和天然气燃料化学当量燃烧产物的实际质量定压热容时需要代入的拟合多项式系数见表 2.1。

表 2.1　拟合多项式系数

工质	A_0	A_1	A_2	A_3
空气	0.944 548	$0.173\ 877 \times 10^{-3}$	0.281×10^{-7}	-0.11×10^{-10}
水蒸气	1.815 69	$0.138\ 99 \times 10^{-5}$	$0.708\ 7 \times 10^{-6}$	-0.2×10^{-9}
标准燃料化学当量燃烧产物	0.967 202	$0.290\ 46 \times 10^{-3}$	$0.447\ 2 \times 10^{-7}$	-0.41×10^{-10}
天然气燃料化学当量燃烧产物	1.034 707	$0.227\ 08 \times 10^{-3}$	$0.119\ 8 \times 10^{-6}$	-0.61×10^{-10}

已知燃烧室余气系数,燃烧产物热容可用下式计算:

$$c_{p_g}\Big|_{T_1}^{T_2} = \frac{c_{p_\alpha}\Big|_{T_1}^{T_2}(1 + L_0) + c_{p_a}\Big|_{T_1}^{T_2}(\alpha - 1)}{(1 + \alpha L_0)} \tag{2.27}$$

式中　$c_{p_\alpha}\Big|_{T_1}^{T_2}$——用式(2.24)求得的化学当量燃烧产物的平均质量定压热容;

　　　$c_{p_a}\Big|_{T_1}^{T_2}$——用式(2.24)求得的空气平均质量定压热容。

已知燃烧室余气系数,燃烧产物的气体常数可用下式计算:

$$R_g = \frac{R_\alpha(1 + L_0) + R_a(\alpha - 1)}{(1 + \alpha L_0)}$$

式中　R_α——化学当量燃烧产物气体常数,按附表 A 取值;

　　　R_a——空气气体常数,取 0.287 04 kJ/(kg·K)。

2.4　船用简单循环燃气轮机机组系统额定功率热力计算

根据本书第 2.2 节的介绍,燃气轮机机组热力循环的工作效率由多个参数共同决定:T_3、T_{at}、η_c、η_t、$\Pi\nu_{GTA}$、η_m、β、g_{co}。这些参数的数值通常都会在燃气轮机机组设计技术任务书中做出明确规定,或者通过某种规定的方法针对给定的初始参数计算得出。仅有一个参数 π_{c_Σ}——循环总增压比是循环优化计算的输出结果。

在计算该参数时,首先在 $\pi_{c_{\Sigma_b}} \sim \pi_{c_{\Sigma_1}}$ 设定几个不同数值,根据附表 A 按照上述方法完成燃气轮机机组热力循环计算,得出效率值,然后根据计算结果建立 $\eta_e = f(\pi_{c_\Sigma})$ 曲线图,燃气轮机机组有效效率与循环总增压比关系曲线图如图 2.4 所示。

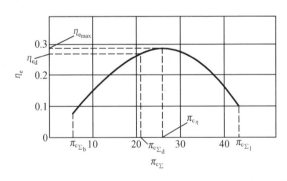

图 2.4　燃气轮机机组有效效率与循环总增压比关系曲线图

燃气轮机机组最大有效效率对应的即为最优循环总增压比 π_{c_η}。循环总增压比设计值 $\pi_{c_{\Sigma_d}}$ 应当小于或者等于 π_{c_η} 值。降低 π_{c_Σ},可以相应减少压气机级数,减小燃气轮机机组外形尺寸和质量,扩大燃气轮机机组压气机单元无喘振工作范围。在 $\pi_{c_{\Sigma_d}} < \pi_{c_\eta}$ 选值时,应当满足以下条件:

$$\delta\eta_e = \frac{\eta_{e_{max}} - \eta_{e_d}}{\eta_{e_{max}}} \leqslant 0.5\% \sim 1.0\%$$

燃气轮机机组额定功率热力计算的目的是确定燃气轮机机组主要部件(压气机、燃烧室和涡轮)工质参数和流量。这些数据后续将用于计算燃气轮机机组质量和外形尺寸,并用于完成关键部件热力气动耦合设计计算。在此阶段,还需要进一步精确计算燃气轮机机组经济性指标和比功率。

接下来以经典的双轴燃气轮机(自由动力涡轮、高压涡轮和低压涡轮)为例,对燃气轮机机组设计计算的主要内容进行介绍。舰船燃气轮机机组结构简图及主要计算截面如图2.5所示。

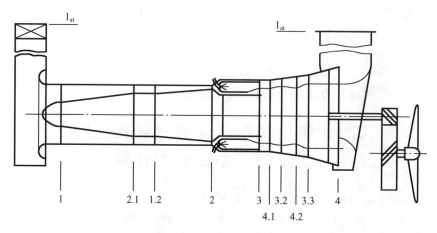

图2.5 舰船燃气轮机机组结构简图及主要计算截面

在热力设计计算中,计算人员要充分考虑燃气轮机通流部分空气和燃气流量的变化情况。为此,我们需要用到压气机、涡轮和燃烧室工质流量系数这一概念。

压气机工质流量系数等于流经第 i 段压气机的空气质量流量 G_{c_i} 和低压压气机空气质量流量 G_{c_1} 之比:

$$\alpha_{c_i} = \frac{G_{c_i}}{G_{c_1}}$$

燃烧室工质流量系数可以用燃烧室空气质量流量 $G_{a_{cc}}$ 与低压压气机空气质量流量 G_{c_1} 之比表示:

$$\alpha_{cc} = \frac{G_{a_{cc}}}{G_{c_1}}$$

驱动涡轮、动力涡轮和排气管的工质流量系数分别为

$$\beta_{t_j} = \frac{G_{t_j}}{G_{c_i}}$$

$$\beta_{PT} = \frac{G_{PT}}{G_{c_1}}$$

$$\beta_{go} = \frac{G_{go}}{G_{c_1}}$$

驱动涡轮工质流量系数 β_{t_j} 等于第 j 段涡轮燃气质量流量 G_{t_j} 与其对应的压气机空气质量流量之比。动力涡轮和排气管的工质流量系数等于各自燃气质量流量与低压压气机空气质量流量之比。

在设计现代燃气轮机机组热力循环系统时,通常都会将循环总增压比 $\pi_{c_{\Sigma_d}}$ 设定为较高

的数值($\pi_{c_{\Sigma d}} = 16 \sim 25$),以保证燃气轮机机组达到较高的经济性指标。所设定的 π_{c_Σ} 通常要通过两个串联布置的轴流式压气机实现,每个压气机的增压比为 $4 \sim 5$。采取这样的设计方案,通常可以保证燃气轮机压气机部件在所有中间运行工况下都能稳定工作,不会发生喘振现象,无须采取专门的防喘措施(如在前几级上安装可转导向器等),从而避免将燃气轮机调节系统和压气机结构设计得过于复杂。如果需要达到更大的 π_{c_Σ} 值,就要将通流部分调节系统设计得更为复杂,在压气机前几级上安装可转导向器,或者将压气机设计为三轴结构。

如采用双轴压气机设计方案,则应保持低压压气机增压比 π_{c_1} 与高压压气机增压比 π_{c_2} 满足 $\pi_{c_1} \geqslant \pi_{c_2}$,且通常需要满足 $\pi_{c_1}/\pi_{c_2} = 1.00 \sim 1.15$。

自由动力涡轮双轴燃气轮机热力循环如图 2.6 所示。图 2.6 所示热力循环包含了气流流道主要的总压损失,并标明了计算截面。图 2.6 中各计算点角标对应的是图 2.5 中的燃气轮机通流部分计算截面。角标中的小数点前数字对应热力循环特性点,1 为压气机进口,2 为压气机出口,3 为涡轮进口,4 为涡轮出口;角标中小数点后数字则对应工质流经的压气机和涡轮序号。

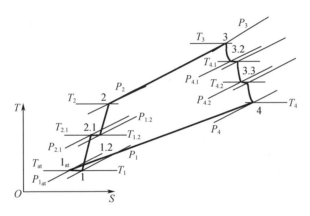

图 2.6 自由动力涡轮双轴燃气轮机热力循环

计算从空气流经的第一个压气机开始,一直到高压压气机出口结束。

在选择高压压气机增压比 π_{c_2} 时,应当充分考虑上述各项条件。如果低压压气机和高压压气机取相同的增压比,则

$$\pi_{c_2} = \sqrt{\pi_{c_\Sigma}}$$

低压压气机增压比:

$$\pi_{c_1} = \frac{\pi_{c_\Sigma}}{\pi_{c_2}}$$

然后,用式(2.28)计算第 i 段压气机绝热效率:

$$\eta_{c_i} = \frac{\pi_{c_i}^{\frac{k_{a_i}-1}{k_{a_i}}} - 1}{\pi_{c_i}^{\frac{k_{a_i}-1}{k_{a_i}\eta_{a_{c_i}}}} - 1} \tag{2.28}$$

式中 $\eta_{a_{c_i}}$——第 i 段压气机基元级绝热效率;

π_{c_i}——第 i 段压气机增压比;

k_{a_i}——第 i 段压气机空气膨胀过程绝热指数,低压压气机可以近似取值 $k_{a_i} = 1.4$,高

压压气机可近似取值 $k_{a_i} = 1.38$。

第 i 段压气机空气实际温升:

$$\Delta T_{c_i} = \frac{T_{1.i}\left(\pi_{c_i}^{\frac{k_{a_i}-1}{k_{a_i}}} - 1\right)}{\eta_{c_i}}$$

第 i 段压气机出口空气温度:

$$T_{2.i} = T_{1.i} + \Delta T_{c_i}$$

计算空气热物性所需的第 i 段压气机增压过程平均温度:

$$T_{av.c_i} = T_{1.i} + \frac{\Delta T_{c_i}\eta_{c_i}}{2}$$

第 i 段压气机热力过程的空气平均质量定压热容:

$$c_{p_{a_i}} = f(T_{av.c_i})$$

可按照公式计算求取,或者按附表 E 或图 2.3 取值。

第 i 段压气机热力过程的绝热指数:

$$k_{a_i} = \frac{c_{p_{a_i}}}{c_{p_{a_i}} - R_a} \tag{2.29}$$

式中,$R_a = 0.287\,04\ \text{kJ/(kg·K)}$,为空气气体常数。

如果在计算过程中发现按照式(2.29)求得的 k_{a_i} 值与一次近似选取的数值偏差超过 0.25%,则应当进行第二次近似计算,代入更准确的 k_{a_i} 值从式(2.28)开始重新计算。

为此,首先需要确定 k_{a_i} 的计算精度:

$$\delta_{c_{a_i}} = \frac{\left|k_{a_i} - k'_{a_i}\right|}{k_{a_i}} \times 100\% \leqslant 0.25\%$$

式中 k'_{a_i}——k_{a_i} 一次近似值。

低压压气机进口空气压力:

$$P_1 = P_{at}\nu_{in}$$

式中,如未设定其余数值,则 $P_{at} = 0.101\,3\ \text{MPa}$。

第 i 段压气机出口空气压力:

$$P_{2.i} = P_{1.i}\pi_{c_i}$$

高压压气机进口空气压力:

$$P_{1.2} = P_{2.1}\nu_c$$

下面初步开始燃气轮机燃烧室参数计算,首先求出燃烧室燃烧过程空气平均质量定压热容:

$$c_{p_a}\Big|_{293}^{T_3} = f(T_{av})$$

以及燃料燃烧产物平均质量定压热容:

$$c_{p_g}\Big|_{293}^{T_3} = f(T_{av}, \alpha = 1)$$

以上两个值可用公式计算,或者按照本书 2.3 节叙述方法参照表格和曲线图取值。

接下来计算燃烧室燃料相对流量,即喷入燃烧室的燃料质量流量与进入燃烧室的空气质量流量之比:

$$g_f = \frac{c_{p_a}\Big|_{293}^{T_3}(T_3 - 293) - c_{p_a}\Big|_{293}^{T_2}(T_2 - 293)}{H_u\eta_{cc} - \left[c_{p_{\alpha=1}}\Big|_{293}^{T_3}(L_0 + 1) - c_{p_a}\Big|_{293}^{T_3}L_0\right](T_3 - 293)}$$

燃烧室余气系数：

$$\alpha = \frac{1}{g_f L_0}$$

燃烧室出口燃气压力：

$$P_3 = P_2 \nu_{cc}$$

进行下一步计算,估算燃气轮机通流部分空气流量系数和燃气流量系数。

高压压气机空气流量系数 α_{c_2} 取决于冷却空气抽气系统方案,取值范围为 $0.98 \sim 1.00$。如取值 0.98,代表自由动力涡轮卸荷腔采用了抽气增压。

参照本书 2.2 节使用的关系式,计算高压压气机后抽气冷却高压涡轮叶片列数：

$$n_{co_1} = \text{integer}\,\frac{2\lg\dfrac{T_p}{T_3}}{\lg\left[1 - \left(\dfrac{\Delta T}{T}\right)_{st}\right]} \tag{2.30}$$

如计算结果 $n_{co_1} \geq 4$,则双级高压涡轮取 $n_{co_1} = 4$,或者,单级高压涡轮取 $n_{co_1} = 2$。计算进行到当前阶段,高压涡轮级数应当已经明确。

高压压气机后抽气冷却高压涡轮叶片的冷却空气相对流量计算方法同本书 2.2 节内容：

$$g_{co_1} = ak_t g_e \beta_{t_1} \frac{(n_{co_1} + 1)}{2}\frac{(T_3 - T_p)}{(T_p - T_{co})}\left(\frac{T_3}{T_{co}}\right)^{0.25} \tag{2.31}$$

式(2.31)中,β_{t_1} 为高压压气机后抽气冷却高压涡轮流量系数,一次近似取值 0.96,如冷却系统未设置空气冷却器用于冷却空气,则 $T_{co} = T_2$。

按同样方法,计算高压压气机后抽气冷却低压涡轮叶片列数：

$$n_{co_2} = \text{integer}\,\frac{2\lg\dfrac{T_p}{T_{3.2}}}{\lg\left[1 - \left(\dfrac{\Delta T}{T}\right)_{st}\right]} \tag{2.32}$$

如计算结果 $n_{co_2} \geq 4$,则双级低压涡轮取 $n_{co_2} = 4$,或者,单级低压涡轮取 $n_{co_2} = 2$。

高压压气机后抽气冷却低压涡轮叶片的冷却空气相对流量：

$$g_{co_2} = ak_t g_e \beta_{t_2} \frac{(n_{co_2} + 1)}{2}\frac{(T_{3.2} - T_p)}{(T_p - T_{co})}\left(\frac{T_{3.2}}{T_{co}}\right)^{0.25} \tag{2.33}$$

式中　β_{t_2}——高压压气机后抽气冷却低压涡轮流量系数,一次近似取值 0.98。

式(2.32)和式(2.33)中,低压涡轮前燃气温度 $T_{3.2}$ 的一次拟合计算公式：

$$T_{3.2} \approx T_3 - 0.9\Delta T_{c_2}$$

在后续计算中,可对该参数值进行精确计算。

燃烧室空气流量系数：

$$\alpha_{cc} = \alpha_{c_2} - g_{co_1} - g_{co_2} - (0.01 \sim 0.02)$$

高压压气机后抽气冷却高压涡轮燃气流量系数：

$$\beta_{t_1} = \frac{(1 + g_f)\alpha_{cc}}{\alpha_{c_2}}$$

高压压气机后抽气冷却低压涡轮燃气流量系数：

$$\beta_{t_2} = \beta_{t_1}\alpha_{c_2} + g_{co_1} + (0.002 \sim 0.008)$$

动力涡轮流量系数：

$$\beta_{t_3} = \beta_{t_2} + g_{co_2} + (0.002 \sim 0.006)$$

排气管流量系数：

$$\beta_{go} = \beta_{t_3} + (0.002 \sim 0.012) \tag{2.34}$$

如动力涡轮内设卸荷腔，则式(2.34)中的回流空气相对流量取较大值。

下一个步骤是计算驱动涡轮参数。

计算燃气热物性所需的 $i.j$ 段压气机 j 段驱动涡轮燃气膨胀过程平均温度：

$$T_{av.t_j} = T_{3.j} - 0.9\frac{\Delta T_{c_{i.j}}}{2\eta_{t_j}} \tag{2.35}$$

式中　η_{t_j}——第 j 段压气机驱动涡轮绝热效率，非冷却涡轮取值范围为 $0.90 \sim 0.91$，冷却单级涡轮取值范围为 $0.86 \sim 0.89$。

涡轮膨胀过程的燃气平均质量定压热容：

$$c_{p_{g_j}} = f(T_{av.t_j}, \alpha)$$

第 j 段压气机驱动涡轮膨胀过程绝热指数：

$$k_{g_j} = \frac{c_{p_{g_j}}}{c_{p_{g_j}} - R_g}$$

在求解第 j 段压气机驱动涡轮实际温降前，应先计算确定出第 j 段涡轮压气机部件的功率平衡系数。

下面，我们将以高压涡轮压气机为例，介绍功率平衡系数的计算公式。高压涡轮压气机的功率平衡方程可以表述为

$$N_{c_2} = N_{t_1} \tag{2.36}$$

式中　N_{c_2}——高压压气机驱动耗功；

　　　N_{t_1}——高压涡轮输出功率。

将式(2.36)左右两侧展开，即可得到新的式子：

$$G_{c_2}c_{p_{a_2}}\Delta T_{c_2} = G_{t_1}c_{p_{g_1}}\Delta T_{t_1}\eta_{m_1}$$

式中　η_{m_1}——高压涡轮压气机机械效率，取值范围为 $0.990 \sim 0.995$。

整理该式，可得

$$\Delta T_{t_1} = \frac{G_{c_2}c_{p_{a_2}}}{G_{t_1}c_{p_{g_1}}\eta_{m_1}}\Delta T_{c_2}$$

因 $G_{t_1}/G_{c_2} = \beta_{t_1}$，故上述式子最终可改写为

$$\Delta T_{t_1} = \frac{c_{p_{a_2}}}{\beta_{t_1}c_{p_{g_1}}\eta_{m_1}}\Delta T_{c_2} \tag{2.37}$$

从式(2.37)中可分离出高压涡轮压气机功率平衡系数：

$$C_2 = \frac{c_{p_{a_2}}}{\beta_{t_1}c_{p_{g_1}}\eta_{m_1}} \tag{2.38}$$

已知第 j 段涡轮压气机部件的功率平衡系数,则可用下式计算出第 j 段压气机驱动涡轮实际温降:

$$\Delta T_{t_j} = C_j \Delta T_{c_{i,j}}$$

如需考虑从抽气冷却涡轮叶片进入通流部分的冷却空气,可利用涡轮出口混合方程计算第 j 段压气机驱动涡轮后燃气温度:

$$T_{4.j} = \frac{\alpha_{c_{i,j}} \beta_{t_j}}{(\alpha_{c_{i,j}} \beta_{t_j} + g_{co_j})}(T_{3.j} - \Delta T_{t_j}) + \frac{c_{p_a} \Big|^{T_{4.j}'} g_{co_j} T_{co}}{c_{p_g} \Big|^{T_{4.j}'} (\alpha_{c_{i,j}} \beta_{t_j} + g_{co_j})}$$

式中 $c_{p_a}\Big|^{T_{4.j}'}$ 和 $c_{p_g}\Big|^{T_{4.j}'}$ ——分别为空气和燃烧产物实际质量定压热容。

$$T_{4.j}' = T_{3.j} - \Delta T_{t_j}$$

第 j 段压气机驱动涡轮膨胀比:

$$\pi_{t_j} = \left(\frac{T_{3.j}\eta_{t_j}}{T_{3.j}\eta_{t_j} - \Delta T_{t_j}}\right)^{\frac{k_{g_j}}{k_{g_j}-1}}$$

式中 ΔT_{t_j} ——第 j 段压气机驱动涡轮实际温降。

第 j 段压气机驱动涡轮前燃气压力:

$$P_{3.j} = P_{4.j-1}\nu_{t_{j-1}}$$

式中 $\nu_{t_{j-1}}$ ——第 $(j-1)$ 段压气机驱动涡轮支撑环总压恢复系数,取值范围为 $0.995 \sim 1.000$。

第 j 段压气机驱动涡轮后燃气压力:

$$P_{4.j} = \frac{P_{3.j}}{\pi_{t_j}}$$

下面介绍动力涡轮燃气参数计算方法。

动力涡轮前燃气压力:

$$P_{3.3} = P_{4.2}\nu_{t_2}$$

式中 ν_{t_2} ——低压涡轮支撑环总压恢复系数,取值范围为 $0.990 \sim 0.995$。

动力涡轮后燃气压力:

$$P_4 = \frac{P_{at}}{\nu_{go}\nu_{t_3}}$$

动力涡轮膨胀比:

$$\pi_{t_3} = \frac{P_{3.3}}{P_4}$$

初步近似计算求得动力涡轮燃气膨胀过程平均温度:

$$T_{av.t_3} = T_{3.3} - \frac{\Delta T_{c_1} + \Delta T_{c_2}}{4} \tag{2.39}$$

式中, $T_{3.3} = T_{4.2}$,为动力涡轮前燃气温度。

动力涡轮燃气膨胀过程平均质量定压热容:

$$c_{p_{g_3}} = f(T_{av.t_3}, \alpha) \tag{2.40}$$

动力涡轮燃气膨胀过程等熵指数:

$$k_{g_3} = \frac{c_{p_{g_3}}}{c_{p_{g_3}} - R_g}$$

动力涡轮实际温降：

$$\Delta T_{t_3} = T_{3.3}\left(1 - \frac{1}{\pi_{t_3}^{\frac{k_{g_3}-1}{k_{g_3}}}}\right)\eta_{t_3}$$

式中　η_{t_3}——动力涡轮绝热效率（按总参数计算），取值范围为 0.900 ~ 0.925。

动力涡轮后燃气温度：

$$T_4 = T_{3.3} - \Delta T_{t_3}$$

下一步，需要进一步验算动力涡轮燃气膨胀过程平均温度值：

$$T_{\text{av.}t_3} = T_{3.3} - \frac{\Delta T_{t_3}}{2\eta_{t_3}} \tag{2.41}$$

如式（2.41）计算结果与式（2.39）计算结果偏差超过 10 K，需返回式（2.40），代入新的 $T_{\text{av.}t_3}$ 值，重新进行计算。

按燃气轮机进口条件折算的燃气轮机比功率：

$$N_{\text{spGTE}} = c_{p_{g_3}}\Delta T_{t_3}\beta_{t_3}\eta_{m_3}\nu_{\text{in}}$$

下一步，需要计算燃气轮机机组工质流量。

按燃气轮机进口条件折算的低压压气机空气流量（详见本书第 8 章）：

$$G_{c_{1\text{re}}} = \frac{N_e}{N_{\text{spGTE}}\eta_{\text{rg}}}$$

低压压气机空气流量：

$$G_{c_1} = G_{c_{1\text{re}}}\nu_{\text{in}}$$

高压压气机空气流量：

$$G_{c_2} = G_{c_1}\alpha_{c_2}$$

燃烧室空气流量：

$$G_{a_{\text{cc}}} = G_{c_1}\alpha_{\text{cc}}$$

每小时燃料消耗量：

$$G_{f_h} = g_f G_{a_{\text{cc}}} \times 3\,600 \quad (\text{kg/h})$$

高压压气机后抽气冷却第 j 段涡轮叶片抽气量：

$$G_{c_{o_j}} = G_{c_1}g_{c_{o_j}}$$

第 j 段压气机驱动涡轮燃气流量：

$$G_{t_j} = G_{c_{i.j}}\beta_{t_j}$$

动力涡轮燃气流量：

$$G_{t_3} = G_{c_1}\beta_{t_3}$$

排气管燃气流量：

$$G_{\text{go}} = G_{c_1}\beta_{\text{go}}$$

燃气轮机机组燃料消耗率：

$$C_{N_e} = \frac{G_{f_h}}{N_e} \quad (\text{kg} \cdot \text{kW}^{-1} \cdot \text{h}^{-1})$$

燃气轮机机组有效效率：

$$\eta_e = \frac{3\,600}{C_{N_e}H_u}$$

附表 F 为简单循环燃气轮机机组额定工况热力系统参数计算,以搭配自由动力涡轮的高低压双轴燃气轮机为例。

2.5 简单循环燃气轮机机组参数研究

在选择和论证燃气轮机机组循环方式及热力系统结构时,设计人员应当充分理解各参数对燃气轮机机组系统和循环最终效率指标的影响。

燃气轮机机组系统和循环的主要效率指标包括:燃气轮机机组有效效率、燃气轮机机组比功率和燃气轮机压气机优化空气增压比。

研究表明,下列机组循环热力参数对上述效率指标的影响最大:

(1)燃气轮机涡轮前燃气初温 T_3;

(2)计算环境温度 T_{at};

(3)燃气轮机循环总增压比 π_{c_Σ}。

此外,还有一些能够影响和决定燃气轮机内部热力过程的重要因素:

(1)压气机和涡轮绝热效率:通过基元级绝热效率——决定各部件通流部分完善程度的参数来表示;

(2)燃气轮机机组气流流道总压损失:通过燃气轮机机组气流流道总压总恢复系数 $\Pi\nu_{GTA}$ 来表示;

(3)燃气轮机涡轮和减速器机械损失:分别通过 η_m 和 η_{rg} 来表示;

(4)燃烧室燃料燃烧效率:通过 η_{cc} 表示;

(5)高温燃气轮机冷却系统损失:由涡轮叶片金属强度允许温度 T_p、冷却空气标准流量系数 g_e 决定,整体上与冷却空气数量相关。

前面已经导出简单循环燃气轮机机组循环效率计算公式:

$$\eta_e = \frac{q_t + q_{co} - q_c}{(\beta - g_{co})q_{cc}}\eta_m\eta_{rg} \tag{2.42}$$

以及比功率计算公式:

$$N_{e_{sp}} = (q_t + q_{co} - q_c)\eta_m\eta_{rg} \tag{2.43}$$

接下来,我们再次对导出的公式进行代入和整理,可得出燃气轮机涡轮有效能量计算公式:

$$q_t = \left(1 + \frac{1}{\alpha L_0}\right)(\beta - g_{co})c_{p_{g_t}}T_3\left[1 - \frac{1}{(\Pi\nu_{GTE}\pi_{c_\Sigma})^{\frac{k-1}{k}\eta_{a_t}}}\right]$$

返回循环继续做功的冷却空气压缩耗能:

$$q_{co} = g_{co}c_{p_{a.co}}\Delta T_{co.a}$$

燃气轮机压气机驱动耗能:

$$q_c = c_{p_{a_c}}T_{at}\left(\pi_{c_\Sigma}^{\frac{k_a-1}{k_a\eta_{a_c}}} - 1\right)$$

燃气轮机燃烧室单位热输入量:

$$q_{cc} = \frac{\left(1 + \frac{1}{\alpha L_0}\right)c_{p_g}\Big|_{293}^{T_3}(T_3 - 293) - c_{p_a}\Big|_{293}^{T_2}T_{at}\pi_{c_\Sigma}^{\frac{k_a-1}{k_a\eta_{a_c}}} + c_{p_a}\Big|_{293}^{T_2}293}{\eta_{cc}} \tag{2.44}$$

其中，$T_2 = T_{at} + T_{at} \left(\pi_{c_\Sigma}^{\frac{k_a-1}{k_a \eta_{ac}}} - 1 \right) = T_{at} \pi_{c_\Sigma}^{\frac{k_a-1}{k_a \eta_{ac}}}$。

将参数 q_t, q_{co}, q_c 代入式(2.43)，可得

$$N_{e_{sp}} = \left\{ \left(1 + \frac{1}{\alpha L_0} \right) (\beta - g_{co}) c_{p_{g_t}} T_3 \times \left[1 - \frac{1}{(\Pi \nu_{GTA} \pi_{c_\Sigma})^{\frac{k-1}{k} \eta_{a_t}}} \right] + \right.$$

$$\left. g_{co} c_{p_{a.co}} \Delta T_{co.a} - c_{p_{ac}} T_{at} \left(\pi_{c_\Sigma}^{\frac{k_a-1}{k_a \eta_{ac}}} - 1 \right) \right\} \eta_m \eta_{rg} \qquad (2.45)$$

将式(2.44)和式(2.45)代入式(2.42)，可导出热力循环基本参数对效率影响程度的分析公式：

$$\eta_e = \left\{ \left(1 + \frac{1}{\alpha L_0} \right) (\beta - g_{co}) c_{p_{g_t}} T_3 \left[1 - \frac{1}{(\Pi \nu_{GTA} \pi_{c_\Sigma})^{\frac{k-1}{k} \eta_{a_t}}} \right] + \right.$$

$$\left. g_{co} c_{p_{a.co}} \Delta T_{co.a} - c_{p_{ac}} T_{at} \left(\pi_{c_\Sigma}^{\frac{k_a-1}{k_a \eta_{ac}}} - 1 \right) \right\} \eta_m \eta_{rg} \eta_{cc} \bigg/$$

$$\left\{ \left(1 + \frac{1}{\alpha L_0} \right) c_{p_g} \bigg|_{293}^{T_3} (T_3 - 293) - c_{p_a} \bigg|_{293}^{T_2} T_{at} \pi_{c_\Sigma}^{\frac{k_a-1}{k_a \eta_{ac}}} + c_{p_a} \bigg|_{293}^{T_2} 293 \right\} \qquad (2.46)$$

首先，我们仔细研究一下燃气轮机机组循环总增压比对机组优化参数和效率指标的影响。通过分析式(2.45)和式(2.46)可以看出，在其余条件不变的情况下，燃气轮机机组效率和比功率随循环总增压比变化的规律非常复杂。

关系曲线 $\eta_e = f(\pi_{c_\Sigma})$ 和 $N_{e_{sp}} = f(\pi_{c_\Sigma})$ 均呈抛物线形，当 $f(\pi_{c_\Sigma}) \approx 1$ 时曲线从 0 开始上升并逐渐达到最大值，其后下降并逐渐回归到 0，燃气轮机机组效率和比功率与循环总增压比关系曲线图如图 2.7 所示。

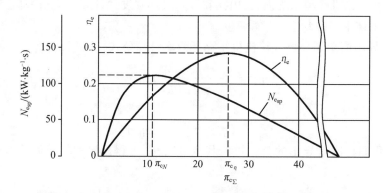

图 2.7 燃气轮机机组效率和比功率与循环总增压比关系曲线图

在 T_3、T_{at}、η_{ac}、η_{a_t} 等参数均保持不变的条件下，存在特定的 π_{c_Σ} 值分别与最大效率和比功率对应，我们将之称为 π_{c_η} 和 π_{cN}。通常情况下，$\pi_{cN} \ll \pi_{c_\eta}$，即 π_{c_η} 数值更大。在实际循环过程理论研究中，这个参数被列为一项支配参数。实际上，该参数的绝对值决定了这个循环方案的技术可行性。这里需要强调一下，假设其余指标均相等，设计人员更倾向于选择 π_{c_η} 值较小的循环，因为这样的循环结构更简单、更易于调节。此外，还需要注意，在现代通用的双轴燃气轮机构造中，π_{c_Σ} 值通常保持在 24~25 水平。如果要达到更大的增压比，就需要将压气机构造设计得更为复杂，如在压气机前几级都采用可转导向器，或是将压气机设计为采用三段式增压系统方案。

接下来,我们继续分析式(2.45)和式(2.46),研究一下 T_3 对循环优化参数和效率指标的影响。有一点非常清楚,随着 T_3 升高,燃气轮机涡轮做功,即式(2.45)的第一项不断增加,比功率也随之不断提高。但是,T_3 对循环效率的影响尚不明晰,因为输入燃烧室的热量,即式(2.46)的分母也会随之增加。然而,数值分析结果表明,系统的有效功实际呈上升趋势,因此循环效率也同样随之提高。

图2.8为燃气轮机机组循环效率和比功率与 π_{c_Σ} 和 T_3 关系曲线图,给出了其余条件保持不变的情况下效率和比功率随 T_3 的变化趋势。图2.8相关数据均取自于燃气轮机机组系统 ISO 条件计算结果,反映了当代燃气轮机的基本发展水平。从图2.8中给出的关系曲线可以看出,随着 T_3 的升高,优化增压比 π_{c_η} 和 π_{c_N} 同样呈上升趋势。

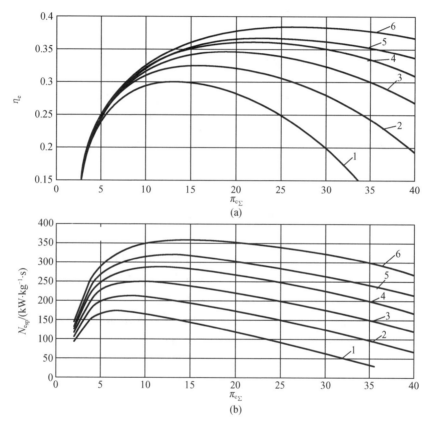

图2.8 燃气轮机机组效率和比功率与 π_{c_Σ} 和 T_3 关系曲线图

1—1 100 K;2—1 200 K;3—1 300 K;4—1 400 K;5—1 500 K;6—1 600 K

在研究时发现,T_3 越高,关系曲线 $\eta_e = f(\pi_{c_\Sigma})$ 越平缓。因此,在设计燃气轮机时,我们就可以根据这一规律在远小于 π_{c_η} 值的区间选取 π_{c_Σ} 计算值。如此一来,我们就可以得到高于优化点的燃气轮机机组比功率,从而减小机组的质量和外形尺寸。

下一步,我们研究一下环境温度计算值对燃气轮机机组循环优化参数和效率的影响。对我们已知的机组效率和比功率计算公式进行分析,我们可以发现这样一个规律,即 T_{at} 计算值越低,比功率越高。出现这种现象的主要原因是燃气轮机压气机驱动能耗会随着温度 T_{at} 的降低而降低。我们发现,如果效率公式分子增大,其分母(燃气轮机燃烧室热输入量)

也随之增大。但计算结果表明,分子增加的幅度更大,因此效率随之提高。图2.9为燃气轮机机组循环效率和比功率与 T_{at} 关系曲线图,显示了在其余条件保持不变的情况下效率和比功率随 T_{at} 变化的规律。

我们还发现,改变 T_{at} 给循环效率和比功率带来的影响程度明显超过 T_3 做同等程度变化所产生的影响。例如,如果 T_{at} 从300 K降低到270 K,即降低30 K,效率会提高11.6% ~ 12.5%。然而,假设 T_3 从1 100 K升高到1 130 K,即同样升高30 K,效率仅能提高1.4%。假设我们研究的是 T_{at} 和 T_3 都按相同百分比发生变化,T_{at} 降低10%能够给效率带来11.6% ~ 12.5% 的增益,而 T_3 在1 100 K的基础上提高10%却仅能将效率提高8.7%。同时还应该强调一点,T_{at} 计算值越低,燃气轮机机组循环总增压比优化值就越高。

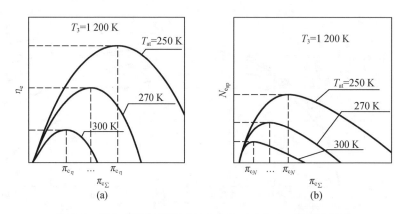

图2.9 燃气轮机机组循环效率和比功率与 T_{at} 关系曲线图

下面,我们要一起研究一下燃气轮机机组涡轮冷却损失对机组循环优化参数和工作效率的影响。在设计燃气轮机机组和选择 T_3 时,设计人员还要考虑燃气轮机涡轮叶片寿命、叶片材料和叶片冷却系统工作效果等因素的影响。

当 T_3 远超过涡轮叶片金属强度允许温度 T_p 时,开放式涡轮叶环冷却系统在工作过程中造成的损失就开始显现出来。目前,业界普遍采用的涡轮叶片内部对流冷却系统可将叶片工作时的金属温度相对叶片表面气流滞止温度降低300 ~ 400 K。然而,T_3 设计温度的选择并非只取决于这一项指标。实际上,只要给定参数 g_e(冷却空气流量系数)和 T_p,就决定了一个冷却系统的冷却效果。每一个冷却系统都存在一个边界温度值 T_{3_b}。只要燃气初温 T_3 不超过这个边界值,循环效率就会随着温度 T_3 的升高而不断提高。当 T_3 温度达到边界温度后,循环效率达到最高值。此后,继续增加温度,效率反而会逐渐降低(图2.10),这是因为在选定叶环冷却系统之后随着计算燃气初温 T_3 的升高,从燃气轮机压气机后抽取的冷却空气数量也不断增加,而这些冷却空气没有参与涡轮做功。此外,还要注意一点,那就是冷却空气进入涡轮后造成涡轮通流部分损失增加,同样也会使燃气轮机冷却涡轮效率略有降低。对燃气轮机循环效率和比功率计算公式进行分析,同样也可以得出这一结论,随着冷却抽气量的增加涡轮输出的有效功会明显减少。此处应当注意,越邻近边界温度,关系曲线 $\eta_e = f(T_3)$ 的斜率越小。只要掌握了这一规律,我们在设计燃气轮机时就可以将 T_3 设计温度设定在小于边界温度值的区间内,这样既可以降低燃气初温,又不会对循环效率造成过多损失。我们可以肯定的是,随着涡轮叶片金属持久强度允许温度的升高,边界温度也相应提高。

此外,还应当注意另外一点,采用冷却涡轮叶环的燃气轮机循环优化增压比低于非冷却燃气轮机。

接下来,我们要继续研究涡轮和压气机效率对燃气轮机机组循环优化参数和工作效率的影响。涡轮和压气机效率取决于部件内部各基元级效率,我们在前面的章节已经对两者之间的相关性表达式做过研究。我们对代入这些相关性表达式得到的燃气轮机机组循环比功率和效率计算式(2.45)和式(2.46)进行了分析。分析结果表明,若要燃气轮机循环达到最大效率和比功率,首先要保证各基元级都达到最大效率值,详见图2.11。

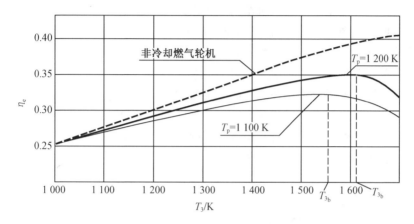

图 2.10 不同 T_p 条件下燃气轮机极限效率与温度 T_3 关系曲线图

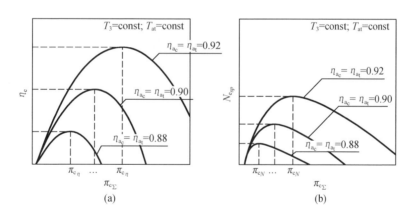

图 2.11 燃气轮机机组效率和比功率与机组基元级效率关系曲线图

式(2.45)和式(2.46)计算结果显示,η_{a_c}参数增加1%,燃气轮机循环效率平均提高2.0% ~ 2.5%。同样,η_{a_t}参数增加1%,循环效率增加幅度略低,为1.6% ~ 2.2%。如果η_{a_c}和η_{a_t}各增加1%,燃气轮机机组循环比功率的平均增幅同样保持在1.6% ~ 1.8%的水平。

由图2.11可以看出,随着η_{a_c}和η_{a_t}参数绝对值的提高,燃气轮机机组循环增压比的优化值也相应增加。

最后,我们通过对式(2.45)和式(2.46)的分析可以看出总压损失、机械损失等因素对燃气轮机机组循环优化参数和工作效率的影响。降低涡轮和减速器的机械效率,以及减小燃烧室的燃烧效率,均会造成机组循环效率和比功率等比例降低。

增加机组气流流道总压损失,机组的循环效率和比功率会随之降低。损失每增加1%,效率和比功率会相应降低0.7%~0.8%。

机械损失和燃料燃烧效率不会对循环增压比优化值产生影响,而总压损失则会对增压比产生微弱影响。损失增加,机组循环效率和比功率会随之降低。

课后练习题

1. 简述简单循环船用燃气轮机机组的热力循环过程。

2. 介绍简单循环燃气轮机机组增压过程数学建模和热力计算的主要方法。

3. 在简单循环燃气轮机机组热力循环计算阶段如何估算热输入量和余气系数?

4. 介绍简单循环燃气轮机机组膨胀过程数学建模和热力计算的主要方法。

5. 说明高温燃气轮机热力循环计算的主要特点。

6. 在燃气轮机机组热力系统和热力循环计算中如何考虑工质热物性的影响?

7. 阐述简单循环船用燃气轮机机组额定工况热力系统设计计算的主要目的和阶段。

8. 说明在船用燃气轮机机组热力系统设计计算中如何考虑燃气轮机气流流道工质流量的变化因素。

9. 如何对简单循环燃气轮机机组进行参数研究?

10. 阐述燃气轮机机组循环总增压比对机组优化参数和效率指标的影响。

11. 涡轮前燃气计算温度对燃气轮机机组循环优化参数和效率指标有哪些影响?

12. 说明环境计算温度对燃气轮机机组循环优化参数和效率指标的影响。

13. 分析涡轮和压气机效率对燃气轮机机组循环优化参数和效率指标的影响。

14. 说明燃气轮机冷却损失对燃气轮机机组循环优化参数和效率指标的影响。

第3章 船用复杂循环燃气轮机机组设计理论及计算方法

3.1 船用复杂循环燃气轮机机组

前文已经介绍过,在现有的热力循环工作温度条件下,简单循环燃气轮机机组经济性较差。为了进一步提高燃气轮机机组的效率和比功率,燃气轮机制造领域的专家尝试通过各种方法不断改造燃气轮机机组的系统结构和热力循环。

现在比较通用的燃气轮机机组系统和循环改造方法包括:

(1)膨胀过程燃气再热;

(2)增压过程空气间冷;

(3)燃气轮机排气回热;

(4)基于蒸汽余热回收系统,建立燃气–蒸汽联合循环,回收燃气轮机机组排气热量;

(5)建立双工质并联型燃气–蒸汽联合循环,回收燃气轮机机组排气热量。

接下来,我们会将这几种改造燃气轮机机组系统和循环的方法作为建立复杂循环燃气轮机机组的基本方法。根据我们的分析,以下几种已经在实践中得到实际应用的循环系统方案最具发展前景:

(1)间冷再热式燃气轮机机组;

(2)间冷回热式燃气轮机机组;

(3)燃气–蒸汽联合循环燃气轮机机组;

(4)再热式燃气–蒸汽联合循环燃气轮机机组;

(5)双工质并联型燃气–蒸汽联合循环燃气轮机机组。

当然,在设计建造燃气轮机机组时,也可以尝试将其余改造方式加以组合,但往往是得不偿失。如果所选系统方案过于复杂,所带来的效率增益又非常有限,那么这种复杂系统方案就会因为实施技术难度过大而被放弃。不管在任何时候,在决定选用何种复杂循环系统方案之前,必须要先进行对比参数研究,从而衡量效率增益与技术难度、设备质量及外形尺寸之间的得与失。

假设在燃气轮机机组的系统中另外增设一个燃烧室,有可能大幅提高燃气轮机机组比功率,并使机组效率略微提高。再热式燃气轮机机组系统方案如图3.1所示。

如果选用这种方案,我们可以将燃气流经的第一个燃烧室称为主燃烧室,而将燃气流经的第二个燃烧室称为再热燃烧室。再热燃烧室通常布置在涡轮后。如果仅考虑结构因素,最理想的方案是将再热燃烧室布置在燃气发生器与自由涡轮之间,然而再热燃烧室布置在驱动涡轮之间也是完全可行的方案,采取这样的布置方案是追求循环最大效率的最理想途径。

利用 $T-S$ 坐标系描述再热式燃气轮机机组热力循环,如图3.2所示。

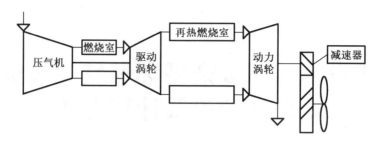

图 3.1　再热式燃气轮机机组系统方案

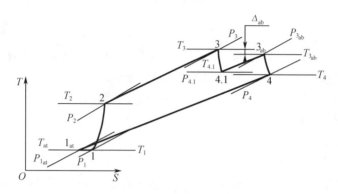

图 3.2　再热式燃气轮机机组热力循环

再热式燃气轮机机组与前面研究过的简单循环燃气轮机机组之间存在着极大的区别。再热式燃气轮机机组循环内的膨胀过程分级完成。3 - 4.1 过程为燃气在再热燃烧室前涡轮内的多变膨胀过程。4.1 - 3$_{ab}$ 过程为再热燃烧室加热过程,此过程终点 3$_{ab}$ 的参数为 T_{3ab}、P_{3ab}。3$_{ab}$ - 4 过程为燃气在燃气轮机涡轮内继续膨胀的多变过程,燃气最终膨胀到压力为排气管进口压力,最终参数为 T_4、P_4。主燃烧室的燃烧产物在再热燃烧室内再次加热,最终温度可以等于循环最高温度,即 $T_{3ab} = T_3$,或者 T_{3ab} 比 T_3 低 Δ_{ab},Δ_{ab} 即 T_3 欠热度。

如果按照简单循环燃气轮机机组参数标准,将燃气初温 T_3 定在 1 100 ~ 1 400 K,则再热式燃气轮机机组的比功率可以达到 180 ~ 250 kW/(kg·s^{-1}),其效率也比简单循环燃气轮机机组高 1.0% ~ 1.5%。

前面已经介绍过,提高燃气轮机机组比功率和效率的另外一个方法就是在增压过程中引入空气中间冷却环节。为达到这一目的,在结构上只需另外安装一个表面式中间空气冷却器,用海水循环冷却空气。间冷式燃气轮机机组系统方案如图 3.3 所示。

从第 1 段压气机流出的高温空气进入中间空气冷却器,经过冷却后的低温空气进入第 2 段压气机。间冷式燃气轮机机组热力循环如图 3.4 所示。

间冷式燃气轮机机组与简单循环燃气轮机机组的区别在于间冷式燃气轮机机组压气机中的空气增压过程分阶段完成。从图 3.4 中可以看出,1 - 2.1 过程为中间空气冷却器之前的第 1 段压气机空气多变增压过程,点 2.1 的参数为该过程最终参数:$T_{2.1}$、$P_{2.1}$。2.1 - 1.2 过程则反映了空气在中间空气冷却器中的冷却过程。冷却过程结束后的空气温度 $T_{1.2}$ 在数值上等于循环初始温度 T_{at},或者比 T_{at} 高 Δ_{ac},Δ_{ac} 即 T_{at} 欠冷度。

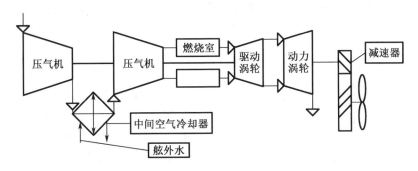

图 3.3　间冷式燃气轮机机组系统方案

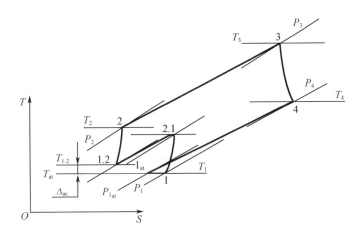

图 3.4　间冷式燃气轮机机组热力循环

因为空气冷却器热传导表面和设备其余部件存在总压损失,所以第 2 段压气机进口空气压力 $P_{1.2}$ 低于 $P_{2.1}$。1.2 - 2 过程为中间空气冷却器后第 2 段压气机内的空气多变增压过程。间冷式燃气轮机机组的其余过程则与简单循环燃气轮机机组相同。

为了对比不同的燃气轮机机组系统方案效果,在这里同样将间冷式燃气轮机燃气初温 T_3 范围定为 1 100 ~ 1 400 K。在该区间内,间冷式燃气轮机机组的效率可以达到 32% ~ 38% ,而比功率可以达到 180 ~ 300 kW/$(kg \cdot s^{-1})$。

燃气轮机机组,特别是原有涡轮和压气机效率都不高的机组,可在系统方案中增加换热器。空气从压气机进入换热器,被燃气轮机排气的余热加热后进入燃烧室,这样可大幅提高循环的热效率。此类换热器称为"热量再生器"(近几年也开始使用术语"回热器")。回热式燃气轮机机组系统方案如图 3.5 所示。

如图 3.5 所示,空气从压气机直接进入换热器(回热器)。回热器的换热部件通常为管式或者板式结构。以管式回热器为例,空气在换热管内流动,管外为动力涡轮排出的尾气。加热后的空气进入燃烧室,而经过冷却的尾气则排入大气。

通过图 3.6,我们可对回热式燃气轮机机组的热力循环过程有所了解。参数为 T_2、P_2(点 2)的空气从压气机流出,进入回热器,在 2 - 2r 过程中加热到温度 T_{2r}。

燃烧室前空气压力 $P_{2r} < P_2$,二者差值为回热器空气侧总压损失。2_r - 3 过程为空气在燃烧室内加热到计算温度 T_3 的加热过程。参数为 T_4、P_4(点 4)的燃气从动力涡轮流出,进

入回热器换热矩阵,在 4 - 5 过程中被回热器内空气冷却至温度 T_5。回热器后燃气压力 $P_5 < P_4$,二者差值为回换器燃气侧总压损失。5 - 1 过程为循环在大气中的假想闭合过程。

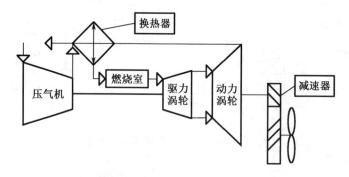

图 3.5　回热式燃气轮机机组系统方案

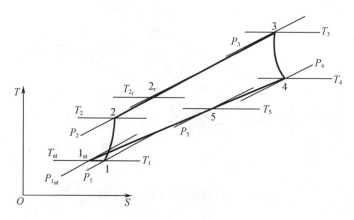

图 3.6　回热式燃气轮机机组热力循环

实现回热循环的基本前提是 $T_4 \gg T_2$。此外,受到回热器尺寸的限制,还要满足 $T_{2_r} < T_4$ 和 $T_5 > T_2$ 两项条件。回热度是回热循环最重要的特性,同时也是回热循环最重要的效能指标,其计算公式为

$$r = \frac{T_{2_r} - T_2}{T_4 - T_2} \tag{3.1}$$

从式(3.1)中可以看出,回热度即空气在回热器中实际温升与最大可能温升的比值。此处的最大可能温升是指空气在换热表面积无穷大的回热器中加热时升高的温度值。

假设回热度 $r = 0.75$,在选定的燃气初温 T_3 范围 1 100 ~ 1 400 K,回热式燃气轮机机组效率可以达到34% ~ 40%,而比功率则可以达到150 ~ 280 kW/(kg·s^{-1})。与简单循环燃气轮机机组相比,回热式燃气轮机机组效率之所以有如此显著的提高,主要是因为其利用燃气轮机排气热量加热空气节约了 2 - 2$_r$ 过程所需的燃料数量。

从提高燃气轮机机组经济性和比功率角度出发,最为理想的方案应该是将布莱顿循环与朗肯循环相结合,即通过燃气 - 蒸汽联合循环充分利用燃气轮机的排气热量。燃气 - 蒸汽联合联循环燃气轮机机组系统方案如图3.7所示。

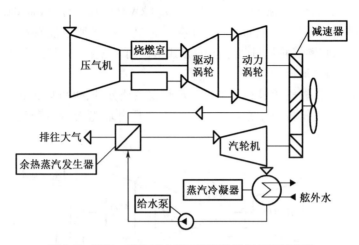

图3.7 燃气-蒸汽联合循环燃气轮机机组系统方案

燃气-蒸汽联合循环燃气轮机机组基于简单循环燃气轮机机组建造而成。燃气轮机的排气进入余热蒸汽发生器,产生参数较低的过热蒸汽。过热蒸汽进入汽轮机做功并驱动其与燃气轮机共用的减速器。汽轮机乏汽则排入蒸汽冷凝器,被海水冷却后凝结成冷凝水。蒸汽循环过程就此完结。生成的冷凝水通过给水泵重新进入余热蒸汽发生器。

为了更加直观,我们在同一个 $T-S$ 坐标系中同时给出燃气-蒸汽联合循环两种工质的热力循环。燃气-蒸汽联合循环燃气轮机燃气轮机机组热力循环如图3.8所示。

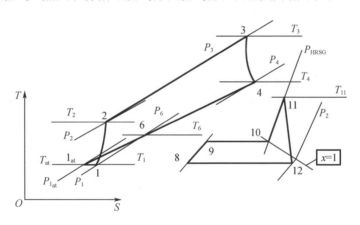

图3.8 燃气-蒸汽联合循环燃气轮机机组热力循环

此处所介绍的燃气-蒸汽联合循环燃气轮机机组中同时发生两个不同的循环过程——布莱顿循环和朗肯循环。燃气-蒸汽联合循环与简单循环之间的区别就在于图3.8中的4-6过程和6-1过程。在前一过程中,燃气轮机排气在余热蒸汽发生器中冷却到 T_6。而后一过程则是循环在大气中的假想闭合过程。在汽水循环过程中,依次发生以下热力过程:8-9过程,即水在余热蒸汽发生器中加热沸腾过程(点9);9-10过程(等温线),即水在余热蒸汽发生器中定压蒸发过程;10-11过程(等压线),即蒸汽过热过程;11-12过程,即蒸汽在汽轮机中多变膨胀过程;12-8过程,即蒸汽在汽轮机中等温凝结过程。

在选定的燃气初温 T_3 范围1 100~1 400 K,燃气-蒸汽联合循环燃气轮机机组效率可

以达到 $36\% \sim 45\%$ ，而比功率则可以达到 $180 \sim 330 \ kW/(kg \cdot s^{-1})$ 。与简单循环燃气轮机机组相比，我们所研究的燃气－蒸汽联合循环燃气轮机机组之所以能够达到如此之高的效率，是因为其通过回收燃气轮机排气余热的方式最高可将整机功率提高 25% ，而整个过程不需要在汽轮机中额外消耗燃料。

即使不在结构上将燃气轮机和汽轮机余热回收系统分开，也可以将布莱顿循环和朗肯循环结合在同一个燃气轮机机组系统方案中。双工质并联型燃气－蒸汽联合循环燃气轮机机组系统方案如图 3.9 所示。

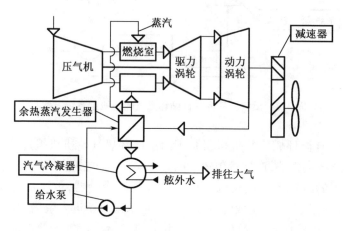

图 3.9　双工质并联型燃气－蒸汽联合循环
燃气轮机机组系统方案

双工质并联型燃气－蒸汽联合循环机组的设计原理：在简单循环燃气轮机机组基础上，余热蒸汽发生器利用燃气轮机排气热量产生蒸汽注入燃烧室，使燃烧室内形成蒸汽和燃气的混合气。输入燃烧室的蒸汽通常为过热蒸汽，代替了部分二次空气。形成的混合气接下来在驱动涡轮和动力涡轮中膨胀做功，然后经过余热蒸汽发生器，将部分热量输送给工质，最后进入汽气冷凝器。汽气冷凝器为常压容器，采用海水循环冷却。在汽气冷凝器中，进入循环的绝大部分水重新凝结后通过给水泵回到余热蒸汽发生器，而脱去绝大部分水分的燃烧产物被排入大气。

双工质并联型燃气－蒸汽联合循环燃气轮机机组热力循环如图 3.10 所示。在绘制此类热力循环时，比较简便的方法是将联合循环过程假定分成两个独立的循环——燃气－空气循环和蒸汽－水循环。

为了更加直观地展示出向燃烧室注入蒸汽时双工质并联型燃气－蒸汽联合循环燃气轮机机组气流流道内的热力参数变化情况，我们充分考虑了混合气两种不同组分——燃气和蒸汽分压变化的因素。在整个热力循环中，依次发生了以下过程：

1－2——燃气轮机压气机空气增压过程；

2－12——燃烧室空气加热并产生燃烧产物的过程，加热过程的最终温度 $T_{12} \gg T_3$ ；

12－3_g——燃烧产物与蒸汽混合并冷却至计算初温 T_3 ；

3_g－4_g——混合气中的燃烧产物在涡轮内的膨胀过程；

4_g－6_g——混合气中的燃气在余热蒸汽发生器中冷却至 T_6 的冷却过程；

6_g－7_g－8_g——混合气中的燃气在汽气冷凝器中的冷却过程；

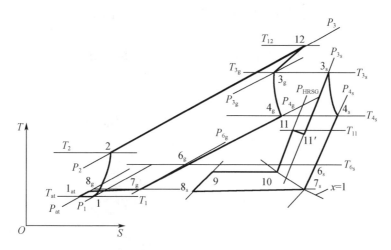

图 3.10 双工质并联型燃气 - 蒸汽联合循环燃气轮机机组热力循环

$8_g - 1_{at}$——循环在大气中的假想闭合过程;

$8_s - 9$——水在余热蒸汽发生器中的加热沸腾过程;

$9 - 10$——水在余热蒸汽发生器中的蒸发过程;

$10 - 11$——蒸汽在余热蒸汽发生器中的过热过程;

$11 - 11'$——蒸汽喷入燃烧室;

$11' - 3_s$——蒸汽在燃烧室内与燃烧产物混合,继续过热过程;

$3_s - 4_s$——混合气中的蒸汽在燃气轮机涡轮中的膨胀做功过程;

$4_s - 6_s$——混合气中的蒸汽在余热蒸汽发生器中的冷却过程;

$6_s - 7_s$——混合气中的蒸汽在汽气冷凝器中凝结之前的冷却过程;

$7_s - 8_s$——混合气中的蒸汽在汽气冷凝器中的凝结过程。

在选定的燃气初温 T_3 范围 1 100 ~ 1 400 K,双工质并联型燃气 - 蒸汽联合循环机组效率可达 35% ~ 46%,比功率可达 250 ~ 500 kW/(kg·s^{-1})。双工质并联型燃气 - 蒸汽联合循环燃气轮机机组之所以能够拥有如此之高的效能指标,是因为燃气轮机排气热量被深度回收利用,且蒸汽 - 水循环中的蒸汽获得了更高的初温。

3.2   回热式燃气轮机机组参数计算

上文已经介绍过,回收利用燃气轮机排气热量是提高燃气轮机循环效能的一个有效方法。在实际应用中,通过在燃气轮机排气道上安装专用换热器——回热器即可实现这一目的。在回热器中,输入燃烧室的空气先经过燃气轮机排气加热,如图 3.5 所示。回热式燃气轮机机组热力循环如图 3.6 所示。

由于燃气轮机机组新增的回热器会大幅提高气流流道的总压损失,因此在燃气轮机机组系统和循环计算中,需要增加回热器燃气侧和空气侧总压恢复系数 $\nu_{r.g}$、$\nu_{r.a}$,以体现损失增加的程度。因此,回热式燃气轮机机组热力循环总压总恢复系数应当为

$$\Pi\nu_r = \nu_{in}\nu_c\nu_{r.a}\nu_{cc}\nu_t\nu_{r.g}\nu_{go} \tag{3.2}$$

计算时可取 $\nu_{r.g} = 0.95 \sim 0.97$、$\nu_{r.a} = 0.96 \sim 0.98$。

根据回热度计算公式式(3.1)可计算出燃烧室进口空气温度:

$$T_{2_r} = T_2 + r(T_4 - T_2) \tag{3.3}$$

在进行燃气轮机机组循环设计计算时,可根据回热器热平衡方程计算回热器后排气温度。在计算中,还需要考虑另外一个因素,即需从回热器前抽气冷却燃气轮机高温部件。综合考虑上述因素,可以得到下式:

$$G_{a_{cc}} c_{p_a}(T_{2_r} - T_2) = G_g c_{p_g}(T_4 - T_5) \tag{3.4}$$

将空气和燃气质量流量计算公式代入式(3.4):

$$G_{c_1}(\beta - g_{co}) c_{p_a}(T_{2_r} - T_2) = G_{c_1}\left(1 + \frac{1}{\alpha L_0}\right) c_{p_g}(T_4 - T_5)$$

约去等式两侧 G_{c_1},可以得到燃气轮机低压压气机单位流量(1 kg/s)空气计算公式:

$$(\beta - g_{co}) c_{p_a}(T_{2_r} - T_2) = \left(1 + \frac{1}{\alpha L_0}\right) c_{p_g}(T_4 - T_5) \tag{3.5}$$

根据式(3.5),回热器后燃气温度则可用式(3.6)计算:

$$T_5 = T_4 - \frac{(\beta - g_{co}) c_{p_a}}{\left(1 + \dfrac{1}{\alpha L_0}\right) c_{p_g}}(T_{2_r} - T_2) \tag{3.6}$$

回热式燃气轮机机组热力系统校核计算需要充分考虑燃气轮机机组气流流道内部工质流量的变化情况。将空气和燃气质量流量计算公式代入式(3.4),可得

$$\alpha_{cc} G_{c_1} c_{p_a}(T_{2_r} - T_2) = \beta_{go} G_{c_1} c_{p_g}(T_4 - T_5)$$

进行整理,可得回热器后燃气温度计算公式:

$$T_5 = T_4 - \frac{\alpha_{cc} c_{p_a}}{\beta_{go} c_{p_g}}(T_{2_r} - T_2) \tag{3.7}$$

若考虑回热器空气侧总压损失,燃烧室进口空气压力为

$$P_{2_r} = P_2 \nu_{r.a} \tag{3.8}$$

高压涡轮前燃气压力:

$$P_3 = P_2 \nu_{r.a} \nu_{cc} \tag{3.9}$$

动力涡轮后燃气压力:

$$P_4 = \frac{P_{at}}{\nu_{r.g} \nu_{go} \nu_t} \tag{3.10}$$

计算时应取 $\nu_{go} = 0.98 \sim 0.99$,因部分气流流道空间被回热器占用,故回热式燃气轮机机组排气设备损失应略低于简单循环燃气轮机机组。

利用附表 A 和附表 F 所列方法,参照式(3.2)至式(3.10)进行回热式燃气轮机机组系统和循环实际参数计算。

接下来,我们将对回热度选择方法进行比较详细的介绍。研究表明,若其余条件相同,回热度越高,回热式燃气轮机机组热力循环效率就越高。

假设高压涡轮前燃气温度不变($T_3 = 1\,300$ K),回热式燃气轮机机组循环效率与回热度 r 和循环总增压比 $\pi_{c\Sigma}$ 的关系曲线图如图3.11所示。总压损失产生的影响可通过参数 $\nu_{r.g} = \nu_{r.a} = 0.97$ 体现。计算表明,回热度越高,循环总增压比 $\pi_{c\Sigma}$ 越小。回热式燃气轮机机组比功率与回热度 r 之间无直接关联,但因回热式燃气轮机机组气流流道内总压损失增加而略有降低。

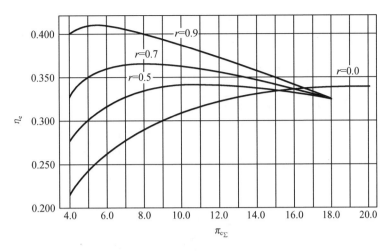

图 3.11 回热式燃气轮机机组循环效率与回热度 r 和循环增压比 π_{c_η} 的关系曲线图

针对选定的循环温度范围,图 3.12 给出了回热式燃气轮机机组可能达到的循环效率水平。图 3.12 所示的回热式燃气轮机机组和简单循环燃气轮机机组循环效率曲线均针对最优循环总增压比而建。计算取回热度等于 0.85。

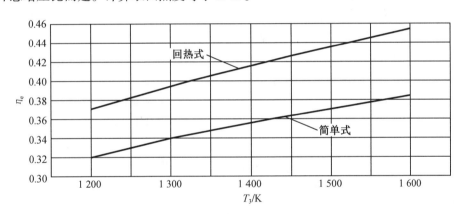

图 3.12 回热式燃气轮机机组与简单循环燃气轮机机组循环效率对比图

对我们所关注的选定的燃气初温 T_3 范围内的曲线进行分析,结果表明:回热式燃气轮机机组系统效率可以达到 37% ~ 45%。综上所述,在选定的燃气初温 T_3 范围 1 200 ~ 1 600 K 内,采用排气回热措施可使燃气轮机机组的循环效率增益 15.4% ~ 18.5%。

根据 Г. Г. 扎罗多教授的研究数据,回热度与回热器相对加热表面积紧密相关。回热器相对加热表面积计算公式:

$$\overline{F} = \frac{F_r}{N_{GTA}} \quad (m^2/kW) \tag{3.11}$$

该参数为回热器换热面积与回热式燃气轮机机组有效功率之比。应当注意的是,提高回热度设计值,回热器相对加热表面积也随之增加,二者关系曲线如图 3.13 所示。

以 GTU – 20 装置回热器为例,此类采用板式换热矩阵的回热器的回热度与回热器相对加热表面积关系曲线特征点为

（1）$r = 0.50$，$\overline{F} = 0.133 \ \text{m}^2/\text{kW}$；

（2）$r = 0.75$，$\overline{F} = 0.475 \ \text{m}^2/\text{kW}$；

（3）$r = 0.90$，$\overline{F} = 1.780 \ \text{m}^2/\text{kW}$。

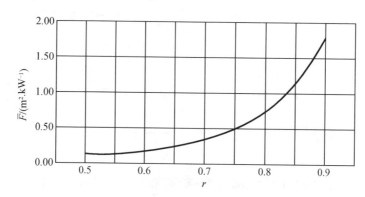

图 3.13　回热度与回热器相对加热表面积关系曲线图

从图 3.13 中可以看出，回热度越高，回热器相对加热表面积越大。回热器相对加热表面积数值逐渐趋近于无穷大，曲线也无限逼近 $r = 1$。图 3.13 中 $r = 1$ 线是一条假想的虚拟线，所对应的回热器相对加热表面积为无穷大。需要指出的是，回热器质量与换热面积成正比。我们以上文提到的 GTU - 20 装置回热器为例进行说明。GTU - 20 装置包括两台 8 700 kW 燃气轮机机组。回热器质量为 20 t，回热度计算值取 $r = 0.75$。假设 $r = 0.5$，回热器质量为 6 t；$r = 0.90$，回热器质量则为 75 t。此外，还需要考虑另外一点，提高回热度计算值，回热器换热面积会相应增加，回热器内部燃气侧和空气侧流体阻力也会随之增大，涡轮可用焓降也会随之降低，如此反而会对循环效率产生负面影响。综上所述，可以确定一点，回热器回热度计算值取值不应当超过 0.80 ~ 0.85。

前面已经介绍过，对于部件效率相对较低、燃气初温相对不高的燃气轮机机组，在循环内增设回热环节有非常好的效果。此外，回热式循环更适用于运输工具用燃气轮机和小功率燃气轮机。回热式燃气轮机机组在船用燃气轮机装置制造领域也有着非常好的前景。最好的证明就是英国 RR 公司制造的 WR - 21 型船用燃气轮机机组。该型机组功率 25 250 kW，间冷回热式，效率高达 42.4%。该公司拟在 2020 年前为实现美国海军军舰改造计划而制造 100 台该型燃气轮机机组。

3.3　间冷式燃气轮机机组参数计算

正如前面介绍过的，在增压过程中对空气进行中间冷却，也是提高燃气轮机机组循环效率的一种有效手段。有人认为船用动力装置只能安装一个中间空气冷却器，如图 3.3 所示。之所以有这样的数量限制，大概是因为若继续增加中间空气冷却器的数量，一方面所能带来的效率和比功率增益非常有限，另一方面会使系统结构变得过于复杂，可谓得不偿失。

如果对第 1 段压气机后空气进行冷却，第 2 段压气机驱动耗功就会随之降低，机组的有效功就会相应增加。然而，由于燃烧室进口空气温度也会随之降低，因此必须相应增大燃烧室燃料质量流量,以保证燃气轮机涡轮前燃气温度达到计算值。

压气机空气冷却器前后增压比配比方案会对燃气轮机机组功率增益与燃烧室补燃燃料数量之间的比例关系产生直接影响。因此,根据给定的增压比配比方案就可以确定出对应的效率和比功率。空气增压比配比方案可以通过压气机配功参数来表示。而所谓的压气机配功参数就是空气冷却器前压气机空气实际温升与未安装空气冷却器的压气机空气总温升之比:

$$K_{ac} = \frac{\Delta T_{c_1}}{\Delta T_c}$$

间冷式燃气轮机机组系统方案的相关研究结果表明,在不改变机组循环总增压比的条件下,机组最大效率与最大比功率所对应的压气机配功参数不同。

能够保证燃气轮机机组达到最大效率的压气机配功优化参数(用 K_{ac_η} 表示)计算方程为

$$\frac{\partial \eta_e}{\partial K_{ac}} = 0$$

能够保证燃气轮机机组循环达到最大比功率的压气机配功优化参数(用 K_{ac_N} 表示)为

$$\frac{\partial Ne_{sp}}{\partial K_{ac}} = 0$$

无论是以上两种情况中的哪一种情况,空气冷却器前的燃气轮机第1段压气机空气温升优化值均用下式计算:

$$\Delta T_{c_1} = K_{ac} \Delta T_c$$

而同一段压气机空气增压比优化值的计算公式则为

$$\pi_{c_1} = \left(1 + \frac{\Delta T_{c_1}}{T_1}\right)^{\frac{k_a \eta_{ac}}{k_a - 1}} \tag{3.12}$$

空气冷却器后第2段压气机增压比为

$$\pi_{c_2} = \frac{\pi_{c_\Sigma}}{\pi_{c_1}} \tag{3.13}$$

在进行燃气轮机机组参数计算时,需要根据燃气轮机压气机出口空气温度降低程度计算燃烧室燃料增加量。计算方法如下。

首先,计算空气冷却器后第2段压气机空气温升:

$$\Delta T_{c2ac} = (T_{at} + \Delta_{ac})\left(\pi_{c_2}^{\frac{k_a - 1}{k_a \eta_{ac}}} - 1\right) \tag{3.14}$$

然后,计算燃烧室进口空气温度:

$$T_{2ac} = T_{at} + \Delta_{ac} + \Delta T_{c2ac} \tag{3.15}$$

接下来,在间冷式燃气轮机机组参数计算中必须要考虑系统内增加的空气冷却器在空气增压过程中额外造成的流道总压损失,因此需要引入空气冷却器总压恢复系数 ν_{ac}。根据蜗壳式进气设备中的压力损失情况,可在 $0.96 \sim 0.98$ 选取空气冷却器总压恢复系数 ν_{ac}。此时,燃气轮机机组气流流道总压恢复总系数计算公式为

$$\Pi\nu_{co} = \nu_{in}\nu_{ac}\nu_c\nu_{cc}\nu_t\nu_{go} \tag{3.16}$$

在循环设计计算阶段,间冷式燃气轮机机组比功率可用以下公式计算:

$$N_{e_{sp}} = \left[\left(1 + \frac{1}{\alpha L_0}\right)(\beta - g_{co})c_{p_g}\Delta T_t + g_{co}c_{p_{a.co}}\Delta T_{co.a} - \right.$$

$$\left. c_{p_a}(\Delta T_{c_1} + \Delta T_{c_{2ac}}) \right] \eta_m \eta_{rg} \tag{3.17}$$

间冷式燃气轮机机组效率：

$$\eta_e = \frac{N_{e_{sp}}}{(\beta - g_{co})q_{cc}} \tag{3.18}$$

式中　q_{cc}——温度 T_{2ac}（用式(3.15)求取）条件下的燃气轮机燃烧室单位热输入量。

图 3.14 可以大致反映出几个基于 UGT15000 型燃气轮机建造或者改造的机组可能达到的经济性和比功率水平。计算采用 ISO 条件。

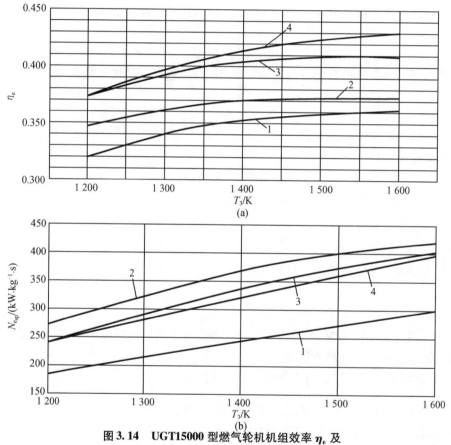

图 3.14　UGT15000 型燃气轮机机组效率 η_e 及

比功率 $N_{e_{sp}}$ 与温度 T_3 关系曲线图

1—简单循环燃气轮机机组；2—间冷式燃气轮机机组 $\pi_{c_\Sigma} = 19.6$；

3—间冷式燃气轮机机组 $\pi_{c_\Sigma} = 30$；4—间冷式燃气轮机机组 $\pi_{c_\Sigma} = opt$

计算结果表明，在规定的 T_3 温度范围内，间冷式燃气轮机机组效率增益可达 16.7% ~ 18.5%，而最大比功率增益则平均为 28% ~ 32%。实际效率可达 37.3% ~ 42.9%，而比功率则为 240 ~ 400 kW/(kg/s)，对应循环优化总增压比 32（对应 $T_3 = 1\,200$ K）~ 60（对应 $T_3 = 1\,600$ K）。

图 3.15 所示关系曲线图为中间空气冷却器欠冷度对间冷式燃气轮机机组效率和比功

率影响。计算对象为 UGT15000 型三段式压气机改进型燃气轮机（$\pi_{c_\Sigma} = 30$）。分析表明，机组效率和比功率与该参数设计取值关系非常紧密。取 $\Delta_{ac} = 5°$ 时，间冷式燃气轮机机组循环效率可提高 13.3% ~ 17.2%，比功率平均可提高 30.0% ~ 35.0%。同理，取 $\Delta_{ac} = 35°$ 时，效率增益降为 10.0% ~ 11.5%，而比功率增益则平均降为 19.7% ~ 26.0%。由此我们可以得出一个结论，在设计燃气轮机机组时，应当根据冷却器冷却介质参数和类型将空气冷却器欠冷度尽可能取为最小值。例如，针对船用燃气轮机装置，如 $T_{at} = 288$ K，空气冷却器采用温度同为 288 K 的海水作为冷却介质，则 Δ_{ac} 可取 $5°~9°$。

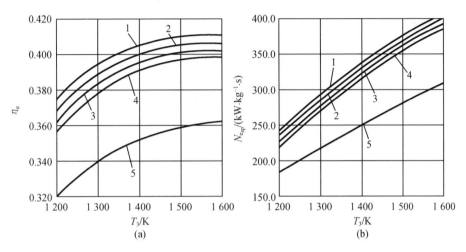

图 3.15 中间空气冷却器欠冷度对间冷式
燃气轮机机组效率和比功率影响

1—$\Delta_{ac} = 50°$；2—$\Delta_{ac} = 150°$；3—$\Delta_{ac} = 250°$；4—$\Delta_{ac} = 350°$；5—简单循环燃气轮机机组

下面，继续介绍一下间冷式燃气轮机机组热力系统校核计算的基本特点。

大家应该还记得，上文已经介绍过，间冷循环的特点是优化增压比较高。绝大多数苏制第三代和第四代燃气轮机都采用相同的系统方案：双轴涡轮压气机部件，π_{c_Σ} 不超过 25，搭配自由动力涡轮。空气冷却器在气流流道内的安装位置有两种方案：高低压压气机之间或者低压压气机内部。如果选用第二种方案，则燃气轮机的压气机至少应当分为 3 段：低压压气机、中压压气机和高压压气机。为了保持涡轮数量不变，第二种方案中的低压涡轮需要同时驱动低压压气机和中压压气机。在这样的系统方案中，第 1 段压气机的增压比相对较低，通常为 2.7 ~ 3.5。鉴于每一段压气机的增压比都不大，因此完全可以将循环总增压比 π_{c_Σ} 提高到 30 以上。

在建立燃气轮机机组热力系统校核计算数学模型时，我们通常会在上文介绍过的简单循环燃气轮机机组模型基础上进行部分调整。

首先，如果空气冷却器布置在由低压涡轮同时驱动的低压压气机和中压压气机之间，则需在涡轮压气机计算中将系统调整为三段式结构。根据给定的 K_{ac} 计算值，计算低压压气机空气实际温升：

$$\Delta T_{c1.1} = K_{ac} T_1 \left(\pi_{c_\Sigma}^{\frac{k_a-1}{k_a \eta_{ac}}} - 1 \right) \tag{3.19}$$

计算低压压气机增压比：

$$\pi_{c_1} = \left(1 + \frac{\Delta T_{c_1}}{T_1}\right)^{\frac{k_{a_1}\eta_{ac}}{k_{a_1}-1}} \tag{3.20}$$

中压压气机和高压压气机的增压比可根据给定的高压涡轮负荷分配,或者直接取同一数值。如果中、高压压气机增压比取同一数值,则:

$$\pi_{c_2} = \pi_{c_3} = \sqrt{\frac{\pi_{c_\Sigma}}{\pi_{c_1}}} \tag{3.21}$$

接下来,按照已知公式计算低压压气机其余参数:η_{c_1},P_1,$T_{2.1}$。

中压压气机前空气压力:

$$P_{1.2} = P_{2.1}\nu_{ac} \tag{3.22}$$

中压压气机实际空气温升:

$$\Delta T_{c_2} = (T_{at} + \Delta_{ac})\frac{(\pi_{c2}^{\frac{k_{a_2}-1}{k_{a_2}\eta_{ac}}} - 1)}{\eta_{c_2}} \tag{3.23}$$

式中　η_{c_2}——中压压气机绝热效率(按通用方法初步计算);

　　　k_{a_2}——中压压气机热力过程等熵指数。

中压压气机出口空气温度和高压压气机进口空气温度:

$$T_{2.2} = T_{1.3} = T_{at} + \Delta_{ac} + \Delta T_{c_2} \tag{3.24}$$

中压压气机出口空气压力:

$$P_{2.2} = P_{1.2}\pi_{c_2} \tag{3.25}$$

高压压气机进口空气压力:

$$P_{1.3} = P_{2.2}\nu_c \tag{3.26}$$

此后,根据已知公式计算高压压气机其余参数:η_{c_3}、P_2、T_2、ΔT_{c_3}。

三段式燃气轮机涡轮计算的特殊性主要源于该型燃气轮机的低压涡轮需要同时驱动低压压气机和中压压气机两个部件的结构特性。低压涡轮的实际温降可按下式计算:

$$\Delta T_{t_2} = \frac{c_{p_{a_1}}}{\beta_{t_2}c_{p_{g_2}}\eta_{m_2}}\Delta T_{c_2} + \frac{\alpha_{c_2}c_{p_{a_2}}}{\beta_{t_2}c_{p_{g_2}}\eta_{m_2}}\Delta T_{c_1} \tag{3.27}$$

最后,我们需要强调一下,如果将中间冷却与其余复杂循环方式结合使用,则应当根据机组具体热力系统优化任务的条件分别计算求取参数 K_{ac_η} 和 K_{ac_N}。

在实际完成间冷式燃气轮机机组系统和循环计算时,应当将附表 A 和附表 F 方法与式(3.12)至式(3.27)结合使用。

3.4　再热式燃气轮机机组参数计算

上文已经介绍过,在膨胀过程中进行燃气再热,可以作为提高燃气轮机机组比功率的一种手段。然而,如果将再热与其余复杂循环方式结合使用,例如间冷与再热循环,或者再热与燃气 – 蒸汽联合循环,则可能会使循环运行效率得到更大幅度的提高。有人认为,船用动力装置只能安装一个再热燃烧室,如图 3.1 所示。之所以有这样的数量限制,大概是因为继续增加再热燃烧室的数量不仅不能大幅提高机组比功率,反而会使整个系统结构过于复杂。

再热式燃气轮机机组循环研究成果表明,再热燃烧室前、后的涡轮膨胀比存在一个特定的优化比例关系。如果膨胀比达到优化比例,则循环可以达到最大效率,或者最大比功率。

我们在计算中利用涡轮配功参数来确定燃气轮机机组再热燃烧室在膨胀气流流道中的最佳安装位置:

$$K_{ab} = \frac{\Delta T_{t_1}}{\Delta T_t} \tag{3.28}$$

该参数为再热燃烧室前涡轮实际温降与相同条件($\pi_{c_{\Sigma}}$、T_3 和 $\Pi\nu_{GTA}$)下的简单循环燃气轮机机组涡轮实际温降之比。

在计算再热式燃气轮机机组气流流道总压总恢复系数时,需要将再热燃烧室的总压损失考虑在内。再热燃烧室的总压损失通常可以利用附加系数 ν_{ccigh} 予以表示,一般推荐根据再热燃烧室类型在 0.95 ~ 0.97 范围内取值。此时,可以得到下式:

$$\Pi\nu_{GTA} = \nu_{in}\nu_c\nu_{bcc}\nu_t\nu_{ccigh}\nu_{go} \tag{3.29}$$

如需追求机组循环效率最大,可用下式计算涡轮配功参数:

$$\frac{\partial \eta_e}{\partial K_{ab}} = 0 \tag{3.30}$$

式(3.30)的解 K_{ab_η} 即对应燃气轮机机组循环最大效率。

如需追求机组循环比功率最大,则可用下式计算涡轮配功参数优化值:

$$\frac{\partial N_{e_{sp}}}{\partial K_{ab}} = 0 \tag{3.31}$$

式(3.31)的解 K_{ab_N} 即对应燃气轮机机组循环最大比功率。

求解式(3.30)或者式(3.31),利用式(3.28)解出燃气轮机再热燃烧室前涡轮温降优化值:

$$\Delta T_{t_1} = K_{ab}T_3\left(1 - \frac{1}{\pi_{t_\Sigma}^{\frac{k_g-1}{k_g}\eta_{a_t}}}\right) \tag{3.32}$$

然后,求出再热燃烧室前涡轮燃气膨胀比优化值:

$$\pi_{t_1} = \left(\frac{T_3}{T_3 - \Delta T_{t_1}}\right)^{\frac{k_g}{(k_g-1)\eta_{a_t}}} \tag{3.33}$$

涡轮后、再热燃烧室前燃气温度:

$$T_{4.1} = T_3 - \Delta T_{t_1} \tag{3.34}$$

再热燃烧室单位热输入量:

$$q_{ccigh} = \frac{\left(1 + \frac{1}{\alpha_2 L_0}\right)c_{p_{g_2}}\Big|_{293}^{T_{3ab}}(T_{3ab} - 293) - c_{p_{g_1}}\Big|_{293}^{T_{4.1}}(T_{4.1} - 293)}{\eta_{ccigh}} \tag{3.35}$$

式中 $c_{p_{g_1}}\Big|_{293}^{T_{4.1}}, c_{p_{g_2}}\Big|_{293}^{T_{3ab}}$——燃烧产物在规定温度范围内的平均质量定压热容,分别针对 α_1 和 α_2 计算;

α_1、α_2——主燃烧室和再热燃烧室余气系数;

η_{ccigh}——再热燃烧室燃烧效率。

根据计算选取的再热燃烧室燃气 T_3 欠热度 Δ_{ab} 计算再热燃烧室出口燃气温度:

$$T_{3ab} = T_3 - \Delta_{ab} \tag{3.36}$$

在进行热力计算时,可在 0 ~ 250 K 范围内选取再热燃烧室燃气 T_3 欠热度。

接下来,需要根据已知公式计算,或者根据结构要求选定主燃烧室后涡轮冷却叶栅数

量 n_{co_1} 和再热燃烧室后涡轮冷却叶栅数量 n_{co_2}。另外，还要根据已知公式计算出高压压气机后抽气冷却主燃烧室后涡轮叶片的空气相对流量 g_{co_1} 和冷却再热燃烧室后涡轮叶片的空气相对流量 g_{co_2}。

再热燃烧室余气系数：

$$\alpha_2 = \frac{H_u}{(q_{bcc} + q_{ccigh})L_0} \tag{3.37}$$

式中 q_{bcc}——主燃烧室热输入量。

再热燃烧室后膨胀比：

$$\pi_{t_2} = \frac{\pi_{c_\Sigma}\Pi\nu_{GTA}}{\pi_{t_1}} \tag{3.38}$$

再热燃烧室后涡轮实际温降：

$$\Delta T_{t_2} = T_{3_{ab}}\left(1 - \frac{1}{\pi_{t_\Sigma}^{\frac{k_g-1}{k_g}\eta_{a_t}}}\right) \tag{3.39}$$

再热式燃气轮机机组比功率：

$$
\begin{aligned}
N_{e_{sp}} = \Big[&\left(1 + \frac{1}{\alpha_1 L_0}\right)(\beta - g_{co_1} - g_{co_2})c_{p_{g_1}}\Delta T_{t_1} + \\
&\left(1 + \frac{1}{\alpha_2 L_0}\right)(\beta - g_{co_2})c_{p_{g_2}}\Delta T_{t_2} + g_{co_1}c_{p_{a.co}}\Delta T_{g_{co_1}} + \\
&g_{co_2}c_{p_{a.co}}\Delta T_{a_{co_2}} - c_{p_a}\Delta T_{c_1}\Big]\eta_m\eta_{rg} \tag{3.40}
\end{aligned}
$$

再热式燃气轮机机组效率：

$$\eta_e = \frac{N_{e_{sp}}}{(\beta - g_{co_1} - g_{co_1})q_{bcc} + \left(1 + \frac{1}{\alpha_1 L_0}\right)(\beta - g_{co_2})q_{ccigh}} \tag{3.41}$$

如图 3.16 所示，在选定燃气初温 T_3 范围 1 200～1 600 K 内，再热式燃气轮机机组效率最大值为 33%～37%，全程低于简单循环燃气轮机机组。而且，T_3 越高，效率损失越大。

图 3.17 为再热式燃气轮机机组最大效率对应比功率。从图 3.17 中可以看出，在规定燃气初温 T_3 范围 1 200～1 600 K，机组比功率从 230 kW/(kg/s)提高到了 385 kW/(kg/s)。但是需要注意一点，随着 Δ_{ab} 增大，机组比功率逐渐降低。当 Δ_{ab} 达到 200 K 时，比功率水平几乎已经与简单循环燃气轮机机组持平。

仔细对再热式燃气轮机机组热力系统校核计算特点进行分析，就可以发现，实际上"涡轮内置燃烧室"方案已经可以说是被彻底摒弃了，因为这种系统方案结构过于复杂。因此，我们在此后的研究中会排除这种结构方案，建议将再热燃烧室布置在燃气轮机涡轮之间。

首先，需要依次计算出高压涡轮、低压涡轮和动力涡轮（如果再热燃烧室布置在动力涡轮前）冷却空气流量。然后，根据计算结果计算出主燃烧室、再热燃烧室、燃气轮机各个涡轮和排气设备流量系数。

例如，假设高、低压涡轮从高压压气机后抽气冷却，再热燃烧室布置在动力涡轮之前的回热器后侧，动力涡轮从低压涡轮后抽气冷却，按照这种方案建造的双轴燃气轮机流量系数计算公式如下。

高压压气机流量系数：

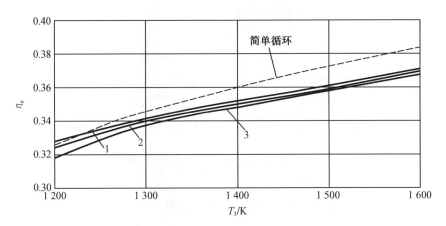

图 3.16 再热式燃气轮机机组效率

$1—\Delta_{ab} = 0°; 2—\Delta_{ab} = 100°; 3—\Delta_{ab} = 200°$

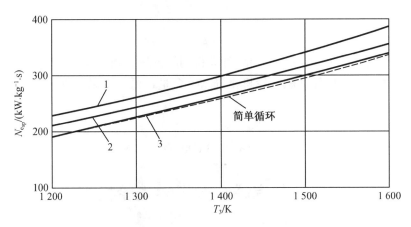

图 3.17 再热式燃气轮机机组最大效率对应比功率

$1—\Delta_{ab} = 0°; 2—\Delta_{ab} = 100°; 3—\Delta_{ab} = 200°$

$$\alpha_{c_2} = (0.98 \sim 1.00) - g_{co_3}$$

主燃烧室流量系数：

$$\alpha_{bcc} = \alpha_{c_2} - g_{co_1} - g_{co_2} - (0.01 \sim 0.02)$$

高压涡轮流量系数：

$$\beta_{t_1} = \frac{(1 + g_{f_{bcc}})\alpha_{bcc}}{\alpha_{c_2}}$$

式中 $g_{f_{bcc}}$——主燃烧室燃料相对消耗量,按通用方法计算。

低压涡轮流量系数：

$$\beta_{t_2} = \beta_{t_1}\alpha_{c_2} + g_{co_1} + (0.002 \sim 0.008)$$

再热燃烧室流量系数：

$$\alpha_{ccigh} = \beta_{t_2} + g_{co_2} + (0.002 \sim 0.006)$$

动力涡轮流量系数：

$$\beta_{t_3} = (1 + g_{f_{ccigh}})\beta_{t_2}$$

式中　$g_{f_{ccigh}}$——再热燃烧室燃料相对消耗量。

排气设备流量系数:

$$\beta_{go} = \beta_{t_3} + g_{co_2} + (0.002 \sim 0.012)$$

再热燃烧室燃料相对消耗量:

$$g_{f_{ccigh}} = \frac{c_{p_g}\Big|_{293}^{T_{3ab}}(T_{3ab}-293) - c_{p_g}\Big|_{293}^{T_{4.2}}(T_{4.2}-293)}{H_u\eta_{ccigh} - \left[c_{p_{g_{\alpha=1}}}\Big|_{293}^{T_{3ab}}(L_0+1) - c_{p_a}\Big|_{293}^{T_{3ab}}L_0 \right](T_{3ab}-293)} \tag{3.42}$$

式中　$c_{p_g}\Big|_{293}^{T_{3ab}}, c_{p_g}\Big|_{293}^{T_{4.2}}$——燃烧产物在规定温度范围内的平均质量定压热容,按主燃烧室余

　　　　气系数 α_1 计算。

根据主燃烧室空气流量计算发动机总燃料相对消耗量:

$$g_{f_\Sigma} = g_{f_{bcc}} + \frac{\alpha_{ccigh}}{\alpha_{bcc}} g_{f_{ccigh}}$$

再热燃烧室余气系数:

$$\alpha_2 = \frac{1}{g_{f_\Sigma}L_0} \tag{3.43}$$

在计算时还需要注意,按照式(3.43)计算得到的再热燃烧室余气系数不应当小于1.7,因为只有在此条件下才能保证燃气轮机排气 NO_x 含量最低。如果计算结果 $\alpha_2 < 1.7$,需降低 T_{3ab} 计算取值,然后重新计算。

燃气轮机机组每小时燃料消耗量:

$$G_{f_h} = g_{f_\Sigma}\alpha_{cc}G_{c_1}3\ 600 \quad (kg/h)$$

3.5　单压燃气–蒸汽联合循环燃气轮机机组参数计算

前面已经介绍过,近几年来造船业和发电领域已普遍认可燃气–蒸汽联合循环燃气轮机机组最具发展前景。本书3.1节已经详细介绍过船用单压燃气–蒸汽联合循环燃气轮机机组的系统方案和热力循环。接下来,我们要详细研究一下单压燃气–蒸汽联合循环燃气轮机机组热力系统计算简图。图3.18为单压燃气–蒸汽联合循环燃气轮机机组单压蒸汽余热回收系统方案图。

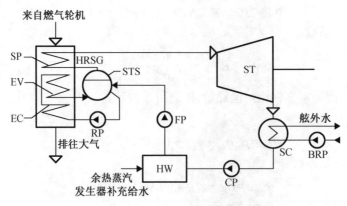

图 3.18　单压燃气–蒸汽联合循环燃气轮机机组
单压蒸汽余热回收系统方案图

燃气轮机排气进入余热蒸汽发生器,沿排气进程依次流经蒸汽过热管束、蒸发管束和节热管束。蒸汽余热回收系统利用燃气轮机排气的剩余能量在余热蒸汽发生器中产生蒸汽。给水系统设有热井,但并未设置除氧器,主要是因为蒸汽余热回收系蒸汽发生器产生的蒸汽参数相对较低。需要强调一点,蒸汽发生器分离器中的蒸汽压力通常取 0.8 ~ 2.5 MPa,而蒸汽过热器温度通常取 520 ~ 670 K。余热蒸汽发生器的过热蒸汽蒸发量通常为燃气轮机空气流量的 8% ~ 16%。循环水通过循环水泵强制循环,循环倍率 1.2 ~ 1.8。所谓"循环倍率",即为循环泵流量与余热蒸汽发生器蒸发量之比。汽轮机在运行过程中存在过度热膨胀现象。冷凝器蒸汽计算压力通常取在 0.005 ~ 0.01 MPa。冷凝器通过主循环泵打海水循环,冷却倍率通常取 70 ~ 100。此处用到的"冷却倍率"为主循环泵流量与冷凝器进汽量的比值。系统采用凝水泵将冷凝器中的凝水送入热井,然后通过给水泵将水从热井送入分离器。

对单压燃气 – 蒸汽联合循环燃气轮机机组循环过程进行的参数研究表明,为了保证蒸汽余热回收系统的汽轮机比功率与燃气 – 蒸汽联合循环效率同时达到最大值,余热蒸汽发生器分离器中的蒸汽压力 P_{HRSG} 必须通过特定方法选取并设定为最优值。这个最优压力值首先取决于余热蒸汽发生器进口燃气温度,即 T_4,详见图 3.8。此外,P_{HRSG} 优化值还与所选冷凝器蒸汽压力 P_Z,以及余热蒸汽发生器蒸发面后最大温降 ΔT_{EV} 密切相关。在计算中,通常取 $\Delta T_{EV} = 15° ~ 40°$。余热蒸汽发生器分离器中的蒸汽压力优化值与所选蒸汽过热温度相关性较弱。

此类蒸汽余热回收系统研究成果表明,只有根据余热蒸汽发生器分离器蒸汽压力按广义参数选取蒸汽过热温度,蒸汽余热回收循环才能达到最大效率。只有汽轮机达到最大效率,冷凝器也达到设定的最终压力,才能保证汽轮机蒸汽实际膨胀过程终点的干度 x_{min} 达到预先设定的最小值(图 3.8 点 12)。由此,可得

$$P_{HRSG_{opt}} = f(T_4, \Delta T_{EV}, P_Z)$$

此时,蒸汽过热温度优化值为

$$T_{ss_{opt}} = f(P_{HRSG}, \eta_t, x_{min}, P_Z)$$

学生在完成课程作业和进行毕业设计时,可参照上述建议,利用乌克兰国立造船大学涡轮教研室制作的诺模图(详见图 3.19 和 3.20)选择单压蒸汽余热回收系统参数。

图 3.19 和图 3.20 为蒸汽余热回收系统参数的优化成果。蒸汽余热回收系统的余热蒸汽发生器采用无除氧给水系统,循环水的除氧过程在冷凝器中完成。如果在给水中添加防腐剂,余热蒸汽发生器分离器蒸汽压力取值可小于或等于 3.0 MPa。

操作方法如下:首先根据图 3.19 针对已知余热蒸汽发生器前燃气温度 T_4 选择余热蒸汽发生器分离器蒸汽优化压力,设定 P_Z 和 ΔT_{EV} 的值,然后利用图 3.20 选择蒸汽过热优化温度。$P_{HRSG} = 1.6$ MPa, $\eta_t = 0.725$, $x_{min} = 0.925$, $P_Z = 0.007\ 5$ MPa,取 $T_{ss} = 570$ K。

进行燃气 – 蒸汽联合循环燃气轮机机组循环设计计算的目的是确定燃气轮机和蒸汽余热回收系统优化参数。设计计算共分为两个阶段。

第一阶段:根据所取压气机总增压比 π_{c_Σ},按照附录 A 所列方法进行简单循环燃气轮机机组方案计算。在进行方案计算时,鉴于系统将会增设余热蒸汽发生器,因此需适度提高燃气轮机机组气流流道总压损失。计算所需的余热蒸汽发生器总压恢复系数应当取 $\nu_{HRSG} = (0.94 ~ 0.97)$。然后,计算单压燃气 – 蒸汽联合循环燃气轮机机组循环总压总恢复系数:

$$\Pi\nu_{GTA} = \nu_{in}\nu_c\nu_{cc}\nu_t\nu_{HRSG}\nu_{go}$$

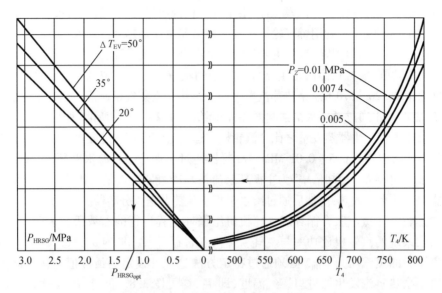

图 3.19　蒸汽余热回收系统单压余热蒸汽发生器优化蒸汽压力参考诺模图

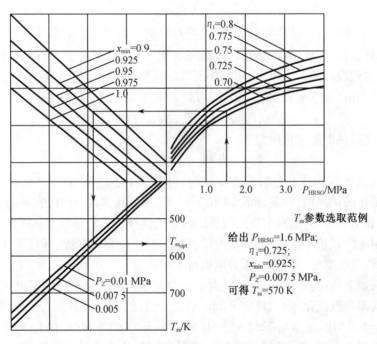

图 3.20　蒸汽余热回收系统单压余热蒸汽发生器
优化蒸汽过热温度参考诺模图

　　第二阶段:燃气–蒸汽联合循环燃气轮机机组第二阶段计算实为第一阶段附录 A 的后续计算。

　　可回收热量等于燃气轮机排气焓值:

$$q_u = (1 - \eta_e)(\beta - g_{co})q_{cc}$$

　　余热蒸汽发生器蒸汽优化压力可根据图 3.19 确定:

$$P_{HRSG} = f(T_4, \Delta T_{EV}, P_Z)$$

由水蒸气相关参数决定的蒸汽过热温度可根据诺模图 3.20 求取:

$$T_{ss} = f(P_{HRSG}, \eta_t, x_{min}, P_Z)$$

请注意,在进行计算时蒸汽最小允许干度建议在 0.95 ~ 0.98 范围内取值。

在计算时需要注意,无除氧余热蒸汽发生器分离器的水蒸气压力不应当超过 3.0 MPa,而蒸汽过热温度不应当超过 690 K。此外,还要核算是否满足以下条件:

$$(T_4 - T_{ss}) \geqslant 40° \sim 50°$$

根据水和水蒸气热力参数表,确定后续计算所需参数值:

h_{ss}——过热蒸汽焓值(P_{HRSG} 和 T_{ss});

h_{ws}——饱和水焓值(P_{HRSG});

T_{ws}——饱和水温度(P_{HRSG});

T_{fw}——热井至蒸汽分离器给水温度,在 P_Z 压力下比饱和温度低 2° ~ 4°;

h_{fw}——给水焓值(P_Z 和 T_{fw})。

余热蒸汽发生器蒸发管束后燃气温度:

$$T_{EV} = T_{ws} + \Delta T_{EV}$$

余热蒸汽发生器过热蒸汽相对蒸发量 g_{ss},等于余热蒸汽发生器产出蒸汽量与低压压气机空气流量之比,可利用余热蒸汽发生器蒸发管束和蒸汽过热管束热平衡方程求取:

$$G_{ss}(h_{ss} - h_{ws}) = G_g c_{p_g}\Big|_{T_{EV}}^{T_4}(T_4 - T_{EV}) \tag{3.44}$$

在当前计算阶段,可取燃气轮机燃气流量等于燃烧室输入空气和燃料流量之和,故有

$$G_g = G_a + G_f = G_{c_1} + g_f G_{c_1} = \Big(1 + \frac{1}{\alpha L_0}\Big)G_{c_1}$$

将此式代入式(3.44),可得

$$g_{ss}G_{c_1}(h_{ss} - h_{ws}) = \Big(1 + \frac{1}{\alpha L_0}\Big)G_{c_1} c_{p_g}\Big|_{T_{EV}}^{T_4}(T_4 - T_{EV}) \tag{3.45}$$

将式(3.45)左右两侧同时约去 G_{c_1},随即得到余热蒸汽发生器过热蒸汽相对蒸发量计算表达式:

$$g_{ss} = \frac{\Big(1 + \frac{1}{\alpha L_0}\Big)c_{p_g}\Big|_{T_{EV}}^{T_4}(T_4 - T_{EV})}{(h_{ss} - h_{ws})}$$

余热蒸汽发生器后排气温度可根据节热管束热平衡方程计算:

$$G_{ss}(h_{ws} - h_{fw}) = G_g c_{p_g}\Big|_{T_6}^{T_{EV}}(T_{EV} - T_6) \tag{3.46}$$

按照上文介绍的方法将所需式子代入式(3.46),然后在式子左右两侧同时约去 G_{c_1},可得

$$g_{ss}(h_{ws} - h_{fw}) = \Big(1 + \frac{1}{\alpha L_0}\Big)c_{p_g}\Big|_{T_6}^{T_{EV}}(T_{EV} - T_6)$$

最终,由上式可以得出余热蒸汽发生器后排气温度计算公式:

$$T_6 = T_{EV} - \frac{g_{ss}(h_{ws} - h_{fw})}{\Big(1 + \frac{1}{\alpha L_0}\Big)c_{p_g}\Big|_{T_6}^{T_{EV}}} \tag{3.47}$$

可以看出,在使用式(3.47)进行计算之前,首先需要初步设定 T_6,一次近似取值

$430 \sim 450 \text{ K}$,必要时进行二次近似,然后算出 $c_{p_g} \Big|_{T_6}^{T_{EV}}$。

余热蒸汽发生器热量利用率:

$$\eta_{HRSG} = \frac{\left(1 + \dfrac{1}{\alpha L_0}\right) c_{p_g} \Big|_{T_6}^{T_4} (T_4 - T_6)}{q_u}$$

在计算汽轮机喷嘴前蒸汽压力时,需要考虑余热蒸汽发生器蒸汽过热器、蒸汽管道和汽轮机调车机构的总压损失:

$$P_{3_s} = P_{HRSG} \nu_{ss} \nu_{s_2}$$

式中　ν_{ss}——总压恢复系数,代表蒸汽从分离器出口到余热蒸汽发生器出口之间压力损失情况,计算取值范围 $0.94 \sim 0.96$;

　　　ν_{s_2}——蒸汽从余热蒸汽发生器出口到汽轮机喷嘴导向器进口之间的总压恢复系数,计算取值范围 $0.95 \sim 0.96$。

在水及蒸汽 $H-S$ 图上建立汽轮机蒸汽膨胀过程线,确定汽轮机蒸汽从参数 P_{3_s}、h_{ss} 到冷凝器压力 P_Z 的理论(等熵)膨胀过程终点焓值 h_{r_a}。图 3.21 为单压蒸汽余热回收系统汽轮机蒸汽理论膨胀过程图。

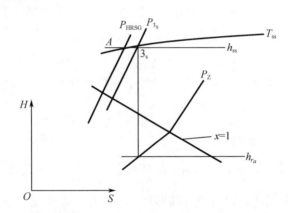

图 3.21　单压蒸汽余热回收系统汽轮机蒸汽理论膨胀过程图

首先找到等压线 P_{HRSG} 与等温线 T_{ss} 交点,确定该点为 A 点,即蒸汽余热回收系统内部蒸汽膨胀过程起点,然后经过 A 点引出一条等焓线 h_{ss} 与等压线 P_{3_s} 相交在点 3_s,即为汽轮机蒸汽膨胀过程起点。其余如图 3.21 所示。

接下来,便可按照下式计算蒸汽余热回收系统效率,它等于汽轮机有效输出能量与可用回收热量之比:

$$\overline{\eta} = \frac{(h_{ss} - h_{r_a})}{(h_{ss} - h_{fw})} \eta_t \eta_{HRSG}$$

式中　η_t——蒸汽余热回收系统汽轮机内效率,计算取值范围 $0.72 \sim 0.80$。

燃气 - 蒸汽联合循环效率:

$$\eta_{e_u} = \eta_e + (1 - \eta_e) \overline{\eta}$$

式中　η_e——第一阶段计算得到的简单循环燃气轮机机组循环效率。

燃气 - 蒸汽联合循环比功率:

$$N_{sp_u} = N_{sp} \frac{\eta_{e_u}}{\eta_e}$$

式中 N_{sp}——第一阶段计算得到的简单循环燃气轮机机组循环比功率。

根据计算结果建立燃气－蒸汽联合循环效率与循环总压总增压比关系曲线图,并将其作为燃气－蒸汽联合循环燃气轮机机组中的燃气轮机参数设计选值依据。图 3.22 为燃气轮机机组循环效率关系曲线图。

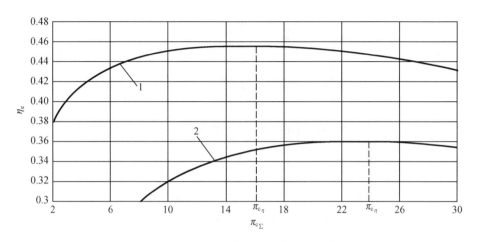

图 3.22 燃气轮机机组循环效率关系曲线图
1—单压燃气－蒸汽联合循环燃气轮机机组;2—简单循环燃气轮机机组

可根据图 3.22 选择燃气轮机机组额定工况热力系统校核计算所需的循环总增压比计算值。若在图 3.22 上同时呈现第一阶段计算得到的简单循环燃气轮机机组循环效率曲线,则可发现:在增加燃气轮机排气蒸汽余热回收系统后燃气轮机机组循环增压比优化值大幅降低。

根据图 3.23 和 3.24 所示计算结果,仔细分析燃气－蒸汽联合循环燃气轮机机组系统热力学特性,我们应当承认,如果联合循环压气机优化增压比能够在简单循环燃气轮机机组基础上降低 16% ~ 25%,那么 T_3 在 1 200 ~ 1 600 K 温度范围内的循环效率完全有可能从 38.5% 提高到 46.2%,而比功率则可能从 248 kW/(kg·s^{-1}) 提高到 424 kW/(kg·s^{-1})。

综上所述,从图 3.23 和图 3.24 中可以看出,如果利用单压蒸汽余热回收系统回收燃气轮机排气热量,可将燃气轮机机组循环效率提高 18.4% ~ 20.4%,比功率提高 27.3% ~ 31.4%。

单压燃气－蒸汽联合循环热力系统校核计算可分为三个阶段。

第一阶段:根据上述方法计算出燃气轮机主要热力参数,求出比功率。在进行计算时,为考虑增设余热蒸汽发生器对机组气流流道总压损失的影响,在计算中增加总压恢复系数 ν_{HRSG}。增加总压恢复系数后,应相应调整燃气轮机动力涡轮背压计算公式:

$$P_4 = \frac{P_{at}}{\nu_{go} \nu_{HRSG}}。$$

第二阶段:计算出蒸汽余热回收系统主要热力参数和单位参数,求出汽轮机比功率和蒸汽余热回收系统泵附件驱动功率。计算步骤如下。

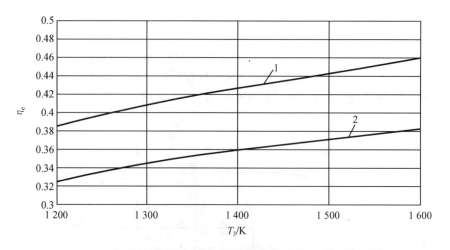

图 3.23　燃气轮机机组循环效率与燃气温度 T_3 关系曲线图

1—单压燃气－蒸汽联合循环燃气轮机机组；2—简单循环燃气轮机机组

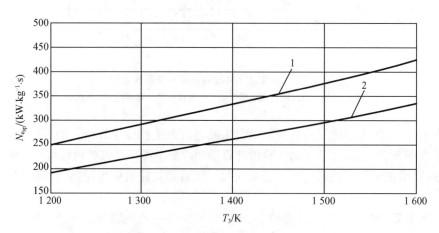

图 3.24　燃气轮机机组循环比功率与燃气温度 T_3 关系曲线图

1—单压燃气－蒸汽联合循环燃气轮机机组；2—简单循环燃气轮机机组

计算余热蒸汽发生器分离器蒸汽压力优化值：

$$P_{\mathrm{HRSG}} = f(T_4, \Delta T_{\mathrm{EV}}, P_Z)$$

根据相关参数按照上文介绍的方法计算过热蒸汽温度：

$$T_{\mathrm{ss}} = f(P_{\mathrm{HRSG}}, \eta_{\mathrm{t}}, x_{\min}, P_Z)$$

利用水和蒸汽热力参数表，确定后续计算所需参数：

h_{ss}——过热蒸汽焓值（P_{HRSG} 和 T_{ss}）；

h_{ws}——饱和水焓值（P_{HRSG}）；

T_{ws}——饱和水温度（P_{HRSG}）；

T_{fw}——从热井进入余热蒸汽分离器的给水温度，取值比 P_Z 压力下的饱和温度低 2°～4°；

h_{fw}——给水焓值（P_Z 和 T_{fw}）。

余热蒸汽发生器节热管束出口水温取值通常比 P_{HRSG} 下的沸点低 15°～25°，因此：

$$T_{\mathrm{w2ec}} = T_{\mathrm{ws}} - \Delta T_{\mathrm{unec}}$$

式中 ΔT_{unec}——余热蒸汽发生器节热管束水沸点温差。

在 $T_{w_{2ec}}$ 下,节热器出口水焓值 $h_{w_{2ec}}$ 计算压力:

$$P_{w_{2ec}} = \frac{P_{HRSG}}{\nu_{ec}}$$

式中 ν_{ec}——余热蒸汽发生器节热管束水侧流体损失系数,计算取值范围 $0.97 \sim 0.98$。

余热蒸汽发生器过热蒸汽相对蒸发量可按余热蒸汽发生器蒸发管束和蒸汽过热管束热平衡方程计算。在计算蒸发量时,假设机组未从余热蒸汽发生器分离器抽取饱和蒸汽。此时:

$$G_{ss}(h_{ss} - h_{ws}) + G_{wec}(h_{ws} - h_{w_{2ec}}) = G_{HRSG} c_{p_g} \Big|_{T_{EV}}^{T_4} (T_4 - T_{EV}) \tag{3.48}$$

在计算公式(3.48)时,为求出余热蒸汽发生器节热管束循环泵的循环水量 G_{wec},首先需要确定出余热蒸汽发生器循环水循环倍率,循环倍率等于循环泵流量与余热蒸汽发生器蒸发量之比:

$$k_{cir} = \frac{G_{wec}}{G_{ss}}$$

式中 G_{ss}——余热蒸汽发生器过热蒸汽蒸发量。

在进行计算时,余热蒸汽发生器循环水循环倍率 k_{cir} 取值范围通常为 $1.2 \sim 1.8$。

在式(3.48)中,我们利用燃气轮机低压压气机进口空气流量表示流经余热蒸汽发生器的燃气流量,并增加溢流系数 β_{fo}(取值范围 $0.980 \sim 0.995$)用于表示余热蒸汽发生器中会有一小部分燃气通过蒸发管束,于是:

$$G_{HRSG} = G_{c_1} \beta_{fo} \beta_{go}$$

将上式代入式(3.48),可得

$$G_{ss}(h_{ss} - h_{ws}) + k_{cir} G_{ss}(h_{ws} - h_{w_{2ec}}) = G_{c_1} \beta_{fo} \beta_{go} c_{p_g} \Big|_{T_{EV}}^{T_4} (T_4 - T_{EV}) \tag{3.49}$$

将式(3.49)左右两侧同时除以 G_{c_1},可得

$$g_{ss}(h_{ss} - h_{ws}) + k_{cir} g_{ss}(h_{ws} - h_{w_{2ec}}) = \beta_{fo} \beta_{go} c_{p_g} \Big|_{T_{EV}}^{T_4} (T_4 - T_{EV})$$

经过整理,便可得出余热蒸汽发生器过热蒸汽相对蒸发量计算公式:

$$g_{ss} = \frac{\beta_{fo} \beta_{go} c_{p_g} \Big|_{T_{EV}}^{T_4} (T_4 - T_{EV})}{(h_{ss} - h_{ws}) + k_{cir}(h_{ws} - h_{w_{2ec}})}$$

利用节热管束热平衡方程可计算出余热蒸汽发生器后排气温度:

$$G_{wec}(h_{w_{2ec}} - h_{w_{1ec}}) = G_{HRSG} c_{p_g} \Big|_{T_6}^{T_{EV}} (T_{EV} - T_6)$$

代入相关公式,可得

$$k_{cir} G_{c_1} g_{ss}(h_{w_{2ec}} - h_{w_{1ec}}) = G_{c_1} \beta_{fo} \beta_{go} c_{p_g} \Big|_{T_6}^{T_{EV}} (T_{EV} - T_6)$$

令上式左右两侧同时除以 G_{c_1},最终整理可得:

$$T_6 = T_{EV} - \frac{k_{cir} g_{ss}(h_{w_{2ec}} - h_{w_{1ec}})}{\beta_{fo} \beta_{go} c_{p_g} \Big|_{T_6}^{T_{EV}}}$$

给水从热井输入余热蒸汽发生器蒸汽分离器。节热器进口给水焓值 $h_{w_{1ec}}$ 可按蒸汽分离器热平衡方程计算。

单压余热回收系统蒸汽分离器热通量图如图 3.25。

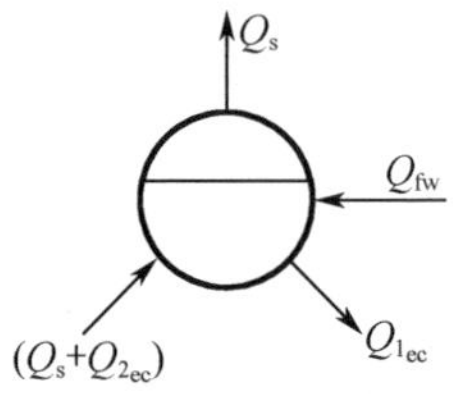

图 3.25 包括以下内容。

经由饱和蒸汽从蒸汽分离器输出或者输入的热量：

$$Q_s = G_s h_{sat}$$

式中　h_{sat}——P_{HRSG} 下，饱和蒸汽焓值。

经由给水从热井输入蒸汽分离器的热量：

$$Q_{fw} = G_s h_{fw}$$

经由循环水从蒸汽分离器输入节热管束的热量：

$$Q_{1ec} = G_{wec} h_{w1ec} = k_{cir} G_s h_{w1ec}$$

经由循环水从节热管束输入蒸汽分离器的热量：

$$Q_{2ec} = (G_{wec} - G_s) h_{ws} = (k_{cir} G_s - G_s) h_{ws} = (k_{cir} - 1) G_s h_{ws}$$

此时，蒸汽分离器热平衡方程表达式为

$$Q_{fw} + Q_{2ec} + Q_s = Q_s + Q_{1ec}$$

代入上述式子：

$$G_s h_{fw} + (k_{cir} - 1) G_s h_{ws} = k_{cir} G_s h_{w1ec}$$

最终可得

$$h_{w1ec} = \frac{h_{fw}}{k_{cir}} + \frac{(k_{cir} - 1)}{k_{cir}} h_{ws}$$

汽轮机喷嘴前蒸汽压力可参照燃气轮机机组热力循环设计计算方法求取：

$$P_{3_s} = P_{HRSG} \nu_{ss} \nu_{s_2}$$

可参照热力循环设计计算方法，通过建立蒸汽膨胀过程 $H - S$ 图的方式确定汽轮机内部等熵膨胀过程终点的蒸汽焓值 h_{r_a}。

折合到燃气轮机机组进口条件的汽轮机比功率为

$$N_{sp_{st}} = (g_{ss} - g_{sr})(1 - \delta_{ss})(h_{ss} - h_{r_a}) \eta_t \eta_{m_t} \nu_{in}$$

式中　g_{sr}——燃气轮机机组额定工况下船用电站汽轮发电机用过热蒸汽相对抽汽量；

　　　δ_{ss}——蒸汽余热回收系统自用相对抽汽量，包括：汽轮机端部汽封漏气、冷凝器气流喷射抽气器抽汽等，取值范围 0.01 ~ 0.02；

　　　η_{m_t}——汽轮机机械效率，取值范围 0.98 ~ 0.995。

余热蒸汽发生器循环泵耗功（泵功率对应燃气轮机低压压气机空气流量）：

$$N_{sp_{rp}} = 1.001\,25 \frac{g_{ss} k_{cir} \left(\dfrac{P_{HRSG}}{\nu_{eev}} - P_{HRSG} \right)}{\eta_{rp}} \quad \left(\frac{kW}{kg/s} \right)$$

式中　ν_{eev}——余热蒸汽发生器蒸发管束和节热管束水侧流体损失系数，取值范围 0.86 ~ 0.92；

　　　η_{rp}——循环泵液压部件效率，离心式循环泵取值范围 0.5 ~ 0.6；

　　　P_{HRSG}——余热蒸汽发生器分离器蒸汽压力，MPa。

余热蒸汽发生器给水泵耗功：

$$N_{sp_{fp}} = 1.001\,25 \cdot \frac{g_{ss}(P_{HRSG} - P_{at})}{\eta_{fp}} \quad \left(\frac{kW}{kg/s} \right)$$

式中　P_{at}——大气压，MPa；

　　　η_{fp}——给水泵液压部件效率，取值范围 0.5 ~ 0.6。

凝水泵耗功：

图 3.25　单压蒸汽余热回收系统蒸汽分离器热通量图

$$N_{\text{sp}_{\text{cp}}} = 1.001\,25\,\frac{g_{\text{ss}}(P_{\text{at}} - P_Z)}{\eta_{\text{cp}}} \quad \left(\frac{\text{kW}}{\text{kg/s}}\right)$$

式中　P_Z——蒸汽余热回收系统冷凝器蒸汽压力,MPa;

　　　η_{cp}——凝水泵液压部件效率,取值范围 0.5~0.6。

蒸汽余热回收系统主循环泵耗功:

$$N_{\text{sp}_{\text{BRP}}} = 1.001\,25\,\frac{g_{\text{ss}}K_{\text{con}}\Delta P_{\text{BRP}}}{\eta_{\text{BRP}}} \quad \left(\frac{\text{kW}}{\text{kg/s}}\right)$$

式中　K_{con}——冷凝器冷却倍率,即主循环泵流量与冷凝器进汽流量之比,取值范围为
　　　　　70~100;

　　　ΔP_{BRP}——主循环泵扬程,冷凝器强制冷却系统取值范围为 0.09~0.10 MPa;

　　　η_{BRP}——主循环泵液压部件效率,取值范围 0.5~0.6。

蒸汽余热回收系统所有泵附件总耗功:

$$\sum N_{\text{sp}_{\text{p}}} = N_{\text{sp}_{\text{rp}}} + N_{\text{sp}_{\text{fp}}} + N_{\text{sp}_{\text{cp}}} + N_{\text{sp}_{\text{BRP}}}$$

第三阶段:确定燃气-蒸汽联合循环热力系统参数,并计算出燃气轮机、汽轮机、余热蒸汽发生器和冷凝器各主要部件工质流量。计算步骤如下。

燃气-蒸汽联合循环燃气轮机机组比功率:

$$N_{\text{sp}_{\text{u}}} = N_{\text{sp}_{\text{GTA}}} + N_{\text{sp}_{\text{st}}}$$

燃气轮机低压压气机按燃气轮机进口条件折合空气流量:

$$G_{\text{c}_{1\text{re}}} = \frac{N_{\text{e}}}{N_{\text{sp}_{\text{u}}}\eta_{\text{rg}}}$$

根据上文介绍的燃气轮机热力系统校核计算方法,计算得出燃气轮机气流流道各计算截面的空气和燃气流量,并确定燃气轮机每小时燃料消耗量。

余热蒸汽发生器过热蒸汽蒸发量:

$$G_{\text{s}} = g_{\text{ss}}G_{\text{c}_1}$$

汽轮机蒸汽流量:

$$G_{\text{ST}} = (g_{\text{ss}} - g_{\text{sr}})(1 - \delta_{\text{ss}})G_{\text{c}_1}$$

余热蒸汽发生器燃气流量:

$$G_{\text{g}_{\text{HRSG}}} = \beta_{\text{go}}G_{\text{c}_1}$$

燃气-蒸汽联合循环燃气轮机功率:

$$N_{\text{GTE}} = N_{\text{sp}_{\text{GTE}}}G_{\text{c}_1}$$

燃气-蒸汽联合循环汽轮机功率:

$$N_{\text{st}} = N_{\text{sp}_{\text{st}}}G_{\text{c}_1}$$

余热蒸汽发生器循环泵耗功:

$$N_{\text{rp}} = N_{\text{sp}_{\text{rp}}}G_{\text{c}_1}$$

给水泵耗功:

$$N_{\text{fp}} = N_{\text{sp}_{\text{fp}}}G_{\text{c}_1}$$

凝水泵耗功:

$$N_{\text{cp}} = N_{\text{sp}_{\text{cp}}}G_{\text{c}_1}$$

冷凝器主循环泵耗功:

$$N_{BRP} = N_{sp_{BRP}} G_{c_1}$$

包含燃气轮机装置自有设备耗能在内的单压燃气 – 蒸汽联合循环燃气轮机机组燃料消耗率:

$$C_{N_e} = \frac{G_{f_h}}{N_e - \sum N_{sp_p} G_{c_1}}$$

单压燃气 – 蒸汽联合循环燃气轮机机组效率:

$$\eta_e = \frac{3600}{H_u C_{N_e}}$$

3.6 双压燃气 – 蒸汽联合循环燃气轮机机组参数计算

采用结构更为复杂的燃气 – 蒸汽联合循环系统,例如基于双压余热蒸汽发生器的蒸汽余热回收系统,可进一步提高燃气 – 蒸汽联合循环燃气轮机机组的运行经济性和效率。

图 3.26 为双压燃气 – 蒸汽联合循环燃气轮机机组双压蒸汽余热回收系统系统方案图。

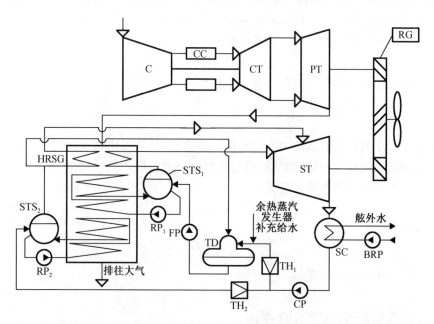

图 3.26　双压燃气 – 蒸汽联合循环燃气轮机机组双压蒸汽余热回收系统系统方案图

双压蒸汽余热回收系统采用的是高低压两路余热蒸汽发生器。高压回路蒸汽参数可以达到 5.0 ~ 6.0 MPa,蒸汽过热温度为 700 ~ 780 K。低压回路蒸汽优化参数为 0.17 ~ 0.30 MPa,其蒸汽过热温度可以等于高压回路新蒸汽温度,或者比高压回路新蒸汽温度低 50 ~ 100 K。高压回路相对蒸发量为燃气轮机低压压气机空气流量的 6% ~ 12%,低压回路相对蒸发量占空气流量的 3% ~ 4%。

为保证蒸汽余热回收系统达到最大热效率,余热蒸汽发生器管束可按以下方案布置:沿余热蒸汽发生器气相流道,首先布置高低压回路蒸汽过热管束,其后为高压回路蒸发管束和节热管束,最后为低压回路的蒸发管束和节热管束。

高低压回路分别配置单独的蒸汽分离器（STS_1 和 STS_2）及循环泵（RP_1 和 RP_2）。由于低压回路蒸汽参数较低,低压回路对给水含氧量没有严格的规定和要求,因此可直接从冷凝器向低压蒸汽分离器供水。

高压回路给水系统的给水应先在高温除氧器中经过初步除氧处理后再进入高压回路。当高压回路蒸汽压力高于 2.4 ~ 3.0 MPa 时,鉴于高压系统对给水含氧量要求比较严格,余热蒸汽发生器就需要采用这样的给水系统。船用汽轮机制造领域最通用的混合式高温除氧器通常从汽轮机抽汽为给水加热。而我们研究的双压蒸汽余热回收系统直接从低压回路蒸汽分离器抽取蒸汽为给水加热除氧,这样可简化汽轮机汽缸结构。由于除氧器的工作压力通常设定为 0.109 8 MPa,因此采用此类除氧器抽气方案可将蒸汽有效功的损失降到最低。鉴于除氧器内部存水空间较大,该系统不需要单独设置热井,直接向除氧器供水,并由除氧器为余热蒸汽发生器补水。

在单缸汽轮机系统中,低压过热蒸汽通常直接送入中间级。如果采用效率更高的双缸汽轮机,则可以在高低压缸之间分配焓降,并选择适当的低压回路蒸汽压力,将高压涡轮后蒸汽全部导入蒸汽过热器,使之与低压回路蒸汽混合后注入低压涡轮汽缸。

图 3.27($T – S$ 坐标图)所示为双压燃气 – 蒸汽联合循环燃气轮机机组热力循环图。该系统采用单缸汽轮机,蒸汽在低压回路中过热至高压回路温度。此处需要强调一点,此类燃气轮机机组朗肯循环比单压蒸汽余热回收系统复杂得多。下面我们就来逐一介绍一下该系统的热力循环过程:

（8 – 9）——低压回路节热管束和蒸发管束水加热沸腾过程;

（8 – 9′）——高压回路节热管束和蒸发管束水加热沸腾过程;

（9 – 10）——低压回路汽化过程;

（9 – 10′）——高压回路汽化过程;

（10′ – 3_{s_1}）——高压回路蒸汽过热过程;

（3_{s_1} – 11）——蒸汽在汽轮机前段中间补汽前的多变膨胀过程（压力 P_{sp_2}）;

（10 – 13）——低压回路蒸汽过热过程;

（11 – 3_{s_2}）——蒸汽在汽轮机中段与低压回路过热蒸汽混合时的假定加热过程;

（3_{s_2} – 12）——蒸汽在汽轮机中段中间补汽后的多变膨胀过程（至压力 P_z）;

（12 – 8）——汽轮机蒸汽冷凝过程;

（10 – 14 – 15）——低压蒸汽分离器饱和抽汽在高温除氧器中的冷却和凝结过程。

余热蒸汽发生器高低压回路蒸汽分离器优化压力与下列参数之间存在函数关系:

$$P_{STS_i} = f(T_4, \Delta T_{EV_1}, \Delta T_{EV_2}, P_z, \eta_t)$$

式中　ΔT_{EV_1}——余热蒸汽发生器高压回路加热汽化表面最低温度位差,取 15° ~ 30°;

　　　ΔT_{EV_2}——余热蒸汽发生器低压回路加热汽化表面最低温度位差,取 15° ~ 30°。

遗憾的是,我们针对双压蒸汽余热回收系统开展的全面研究工作尚未完成,因此在此无法像单压蒸汽余热回收系统一样提供非常详尽而确实的建议。但是,我们针对蒸汽余热回收系统进行了大量细致的研究,如图 3.28 所示。因此,在必要时我们完全可以根据这些研究成果选取出适当的计算压力值 P_{STS_1} 和 P_{STS_2}。我们建议将图 3.28 所取数值 ±15 % 区间定为参数变化范围,然后针对多个蒸汽余热回收系统方案分别进行计算,以便对所选参数值进行精确计算。

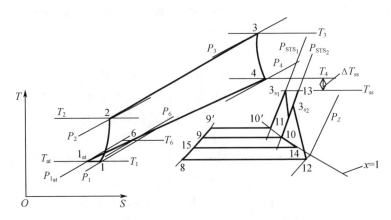

图 3.27 基于双压蒸汽余热回收系统的燃气－蒸汽联合循环
燃气轮机机组热力循环图

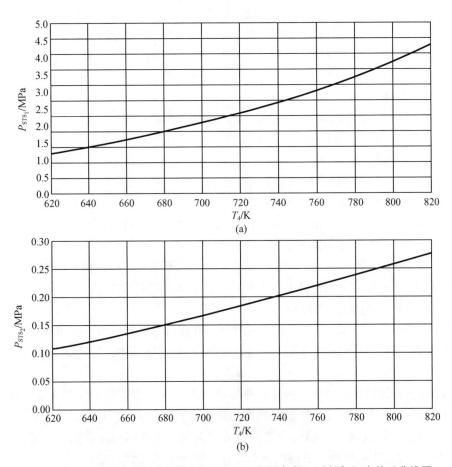

图 3.28 双压蒸汽余热回收系统蒸汽优化压力与燃气轮机后燃气温度关系曲线图
（a）高压分离器；（b）低压分离器

此处所列相关数据是蒸汽余热回收系统的优化成果。系统基本参数：$\Delta T_{EV_1} = 20°$；
$\Delta T_{EV_2} = 20°$；$P_Z = 0.006\ 9$；$\eta_t = 0.80$。

　　进行双压燃气－蒸汽联合循环燃气轮机机组热力循环设计计算的目的是确定燃气轮机和蒸汽余热回收系统优化参数。计算共分为两个阶段。

　　第一阶段:按照上文方法针对选取的压气机总增压比完成简单循环燃气轮机机组方案计算。在方案计算过程中,为考虑燃气轮机机组气流流道总压损失的影响,引入了余热蒸汽发生器总压恢复系数,计算取值范围 $\nu_{\mathrm{HRSG}} = (0.94 \sim 0.96)$。因此,燃气－蒸汽联合循环机组中的燃气轮机机组循环总压总恢复系数:

$$\Pi\nu_{\mathrm{GTA}} = \nu_{\mathrm{in}}\nu_{\mathrm{c}}\nu_{\mathrm{cc}}\nu_{\mathrm{t}}\nu_{\mathrm{HRSG}}\nu_{\mathrm{go}}$$

　　第二阶段:燃气－蒸汽联合循环计算,为第一阶段计算表的后续计算。

　　燃气轮机排气焓值:

$$q_{\mathrm{u}} = (1 - \eta_{\mathrm{e}})(\beta - g_{\mathrm{co}})q_{\mathrm{cc}}$$

　　根据余热蒸汽发生器蒸汽过热器所取温度位差情况,将双压蒸汽余热回收系统的蒸汽过热温度取为最大值,即:

$$T_{\mathrm{ss}} = T_4 - \Delta T_{\mathrm{ss}}$$

式中,ΔT_{ss} 计算取最小值 $30° \sim 50°$。需要强调的是,余热蒸汽发生器的蒸汽过热温度取值不应当超过 680 K。

　　接下来,根据水及蒸汽热力参数表确定出后续计算所需参数数值:

h_{ss}——过热蒸汽焓值(P_{ss_1} 和 T_{ss});

h_{ws_1}——高压分离器沸水焓值(P_{STS_1});

h_{ws_2}——低压分离器沸水焓值(P_{STS_2});

h_{sat_1}——高压分离器饱和蒸汽焓值(P_{STS_1});

h_{sat_2}——低压分离器饱和蒸汽焓值(P_{STS_2});

T_{ws_1}——高压分离器沸水温度(P_{STS_1});

T_{ws_2}——低压分离器沸水温度(P_{STS_2});

T_{fw}——冷凝器至高温除氧器给水温度,取值低于饱和温度 $2 \sim 4$ K(压力 P_{Z});

h_{fw}——给水焓值(P_{Z} 和 T_{fw})。

　　余热蒸汽发生器高压回路蒸发管束后燃气温度:

$$T_{\mathrm{EV}_1} = T_{\mathrm{ws}_1} + \Delta T_{\mathrm{EV}_1}$$

　　根据高压回路蒸发管束和高低压回路蒸汽过热管束的热平衡方程,计算确定余热蒸汽发生器高压回路过热蒸汽相对蒸发量 g_{ss_1}:

$$G_{\mathrm{ss}_1}(h_{\mathrm{ss}} - h_{\mathrm{ws}_1}) + G_{\mathrm{ss}_2}(h_{\mathrm{ss}} - h_{\mathrm{sat}_2}) = G_{\mathrm{g}}c_{p_{\mathrm{g}}}\Big|_{T_{\mathrm{EV}}}^{T_4}(T_4 - T_{\mathrm{EV}_1}) \tag{3.50}$$

　　在当前计算阶段,可取燃气轮机燃气流量等于燃烧室进气和燃料供给量总和,因此可按以下表达式计算:

$$G_{\mathrm{g}} = G_{\mathrm{a}} + G_{\mathrm{f}} = G_{\mathrm{c}_1} + g_{\mathrm{f}}G_{\mathrm{c}_1} = \Big(1 + \frac{1}{\alpha L_0}\Big)G_{\mathrm{c}_1}$$

　　将所需参数代入式(3.50),可得

$$g_{\mathrm{ss}_1}G_{\mathrm{c}_1}(h_{\mathrm{ss}} - h_{\mathrm{ws}_1}) + g_{\mathrm{ss}_2}G_{\mathrm{c}_1}(h_{\mathrm{ss}} - h_{\mathrm{sat}_2}) = \Big(1 + \frac{1}{\alpha L_0}\Big)G_{\mathrm{c}_1}c_{p_{\mathrm{g}}}\Big|_{T_{\mathrm{EV}}}^{T_4}(T_4 - T_{\mathrm{EV}_1})$$

　　令式子左右两侧同时约去 G_{c_1},最终可以整理得出余热蒸汽发生器高压回路过热蒸汽相对蒸发量计算表达式:

$$g_{ss_1} = \frac{\left(1 + \dfrac{1}{\alpha L_0}\right)c_{p_g}\Big|_{T_{EV_1}}^{T_4}(T_4 - T_{EV_1}) - g_{ss_2}(h_{ss} - h_{sat_2})}{(h_{ss} - h_{ws_1})}$$

鉴于低压回路过热蒸汽相对蒸发量 g_{ss_2} 尚为未知量，在计算时可选取一次近似值 $0.03 \sim 0.04$，故本计算仅能取得近似结果。

在当前计算阶段暂不考虑高温除氧器抽汽，假设给水从冷凝器直接进入高低压回路蒸汽分离器，余热蒸汽发生器低压回路蒸发管束进口气体温度可按高压回路节热管束热平衡方程计算，表达式如下：

$$G_{ss_1}(h_{ws_1} - h_{fw}) = G_g c_{p_g}\Big|_{T_5}^{T_{EV_1}}(T_{EV_1} - T_5) \tag{3.51}$$

按上文方法将所需参数表达式代入式(3.51)，令等式左右两侧同时除以 G_{c_1}，可得

$$g_{ss_1}(h_{ws_1} - h_{fw}) = \left(1 + \frac{1}{\alpha L_0}\right)c_{p_g}\Big|_{T_5}^{T_{EV_1}}(T_{EV_1} - T_5)$$

所得余热蒸汽发生器低压回路蒸发管束进口燃气温度最终计算表达式为

$$T_5 = T_{EV_1} - \frac{g_{ss_1}(h_{ws_1} - h_{fw})}{\left(1 + \dfrac{1}{\alpha L_0}\right)c_{p_g}\Big|_{T_5}^{T_{EV_1}}} \tag{3.52}$$

注意：在计算式(3.52)时，首先需要计算确定出 $c_{p_g}\Big|_{T_5}^{T_{EV_1}}$ 值，初步代入温度 T_5 一次近似值 $460 \sim 480$ K，然后根据需要代入二次近似值。

余热蒸汽发生器低压回路蒸发管束后燃气温度：

$$T_{EV_2} = T_{ws_2} + \Delta T_{EV_2}$$

计算后，需验证是否满足以下约束条件：

$$T_5 > T_{EV_2}$$

如不满足约束条件，应当提高压力 P_{STS_1} 或者降低压力 P_{STS_2}，然后重新进行计算。

根据低压回路蒸发管束热平衡方程计算确定余热蒸汽发生器低压回路过热蒸汽相对蒸发量 g_{ss_2}：

$$G_{ss_2}(h_{sat_2} - h_{ws_2}) = G_g c_{p_g}\Big|_{T_{EV_2}}^{T_5}(T_5 - T_{EV_2}) \tag{3.53}$$

将所需参数代入公式(3.53)，可得：

$$g_{ss_2}(h_{sat_2} - h_{ws_2}) = \left(1 + \frac{1}{\alpha L_0}\right)c_{p_g}\Big|_{T_{EV_2}}^{T_5}(T_5 - T_{EV_2})$$

最终可以得到余热蒸汽发生器低压回路过热蒸汽相对蒸发量计算表达式：

$$g_{ss_2} = \frac{\left(1 + \dfrac{1}{\alpha L_0}\right)c_{p_g}\Big|_{T_{EV_2}}^{T_5}(T_5 - T_{EV_2})}{(h_{sat_2} - h_{ws_2})}$$

余热蒸汽发生器出口燃气温度可按低压回路节热管束热平衡方程计算，表达式如下：

$$G_{ss_2}(h_{ws_2} - h_{fw}) = G_g c_{p_g}\Big|_{T_6}^{T_{EV_2}}(T_{EV_2} - T_6) \tag{3.54}$$

将所需参数代入式(3.54)，可得

$$g_{ss_2}(h_{ws_2} - h_{fw}) = \left(1 + \frac{1}{\alpha L_0}\right)c_{p_g}\Big|_{T_6}^{T_{EV_2}}(T_{EV_2} - T_6)$$

余热蒸汽发生器出口燃气温度计算表达式最终可表述为

$$T_6 = T_{EV_2} - \frac{g_{ss_2}(h_{ws_2} - h_{fw})}{\left(1 + \dfrac{1}{\alpha L_0}\right)c_{p_g}\Big|_{T_6}^{T_{EV_2}}}$$

余热蒸汽发生器热量利用效率：

$$\eta_{HRSG} = \frac{\left(1 + \dfrac{1}{\alpha L_0}\right)c_{p_g}\Big|_{T_6}^{T_4}(T_4 - T_6)}{q_u}$$

在计算汽轮机喷嘴前蒸汽压力时需要考虑余热蒸汽发生器蒸汽过热器、蒸汽管道和汽轮机调车机构的总压损失：

$$P_{3_{s_1}} = P_{sts_1}\nu_{ss}\nu_{s_2}$$

式中　ν_{ss}——在蒸汽分离器蒸汽出口至余热蒸汽发生器蒸汽出口区段内蒸汽压力损失的总压恢复系数，计算取值范围 $0.94 \sim 0.96$；

ν_{s_2}——在余热蒸汽发生器蒸汽出口至汽轮机喷嘴导向器进口区段内的总压恢复系数，计算取值范围 $0.95 \sim 0.96$。

同理计算汽轮机中间进汽管进口低压回路蒸汽压力：

$$P_{3_{s_2}} = P_{STS_2}\nu_{ss}\nu_{s_2}$$

我们在水及蒸汽 $H-S$ 图（图 3.29）上绘制汽轮机蒸汽膨胀过程线时，假定膨胀过程线分别由独立的高压蒸汽和低压蒸汽膨胀过程组成。然后，分别计算确定出高低压蒸汽流理论（等熵）膨胀过程终点的焓值 $h_{r_{a_1}}$ 和 $h_{r_{a_2}}$。

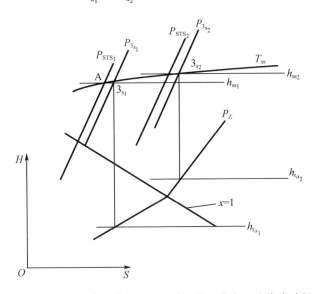

图 3.29　双压蒸汽余热回收系统汽轮机蒸汽理论膨胀过程

首先，我们将等压线 P_{ss_1} 和等温线 T_{ss} 交点 A 确定为蒸汽余热回收系统蒸汽膨胀过程起点，然后通过点 A 引出等焓线 h_{ss_1}，在等焓线与等压线 $P_{3_{s_1}}$ 相交处找到点 3_{s_1}，即汽轮机高压蒸汽膨胀过程起点。从点 3_{s_1} 引出一条垂直线与等压线 P_Z 相交，确定出所求的膨胀过程终点焓值 $h_{r_{a_1}}$。同理，建立低压回路蒸汽膨胀过程线。

接下来，我们可以计算出汽轮机输出有效能量与可用回收热量比值，将其作为蒸汽余热回收系统效率：

$$\bar{\eta} = \frac{g_{\mathrm{ss}_1}(h_{\mathrm{ss}_1} - h_{r_{a_1}}) + g_{\mathrm{ss}_2}(h_{\mathrm{ss}_2} - h_{r_{a_2}})}{g_{\mathrm{ss}_1}(h_{\mathrm{ss}_1} - h_{\mathrm{fw}}) + g_{\mathrm{ss}_2}(h_{\mathrm{ss}_2} - h_{\mathrm{fw}})} \eta_{\mathrm{t}} \eta_{\mathrm{HRSG}}$$

式中，η_{t} 为蒸汽余热回收系统汽轮机内效率，计算取值范围 $0.72 \sim 0.80$。

双压燃气-蒸汽联合循环效率：

$$\eta_{e_{\mathrm{u}}} = \eta_e + (1 - \eta_e)\bar{\eta}$$

双压燃气-蒸汽联合循环比功率：

$$N_{e_{\mathrm{spu}}} = N_{e_{\mathrm{sp}}} \frac{\eta_{e_{\mathrm{u}}}}{\eta_e}$$

我们根据图 3.30 至图 3.32 所示计算结果对双压燃气-蒸汽联合循环燃气轮机机组的热力学性能进行了比较研究。根据研究结果可以确定，当燃气温度 $T_3 = (1\,200 \sim 1\,600)\,\mathrm{K}$ 时，机组循环效率可以达 $44.6\% \sim 52.8\%$，比功率可达 $318 \sim 537\ \mathrm{kW}/(\mathrm{kg/s})$，而压气机的优化增压比较简单循环机组低约 $45\% \sim 46\%$。

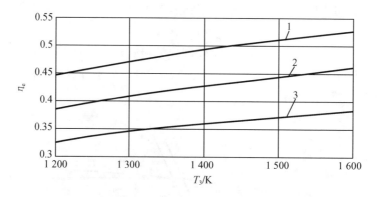

图 3.30 燃气轮机机组循环效率与燃气温度 T_3 关系曲线图

1—双压燃气-蒸汽联合循环燃气轮机机组；2—单压燃气-蒸汽联合循环燃气轮机机组；
3—简单循环燃气轮机机组

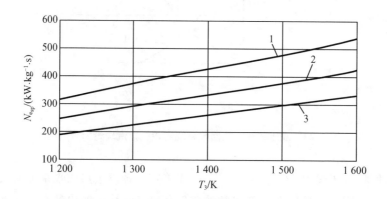

图 3.31 燃气轮机机组循环比功率与燃气温度 T_3 关系曲线图

1—双压燃气-蒸汽联合循环燃气轮机机组；2—单压燃气-蒸汽联合循环燃气轮机机组；
3—简单循环燃气轮机机组

因此,从简单循环机组与双压燃气 - 蒸汽联合循环燃气轮机机组效率和比功率对比图3.30 和图 3.31 可以看出,利用蒸汽余热回收系统回收燃气轮机排气热量可使机组循环效率提高 36% ~ 37%,比功率提高 60% ~68%。与单压燃气 - 蒸汽联合循环燃气轮机机组相比,双压燃气 - 蒸汽联合循环燃气轮机机组效率提高约 14% ~ 15%,而比功率提高约 26% ~ 28%。

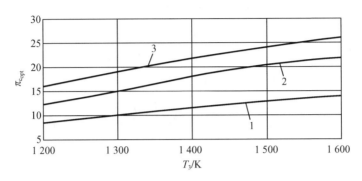

图 3.32 燃气轮机机组循环优化增压比随燃气温度 T_3 变化趋势图

1—双压燃气 – 蒸汽联合循环燃气轮机机组;2—单压燃气 – 蒸汽联合循环燃气轮机机组;
3—简单循环燃气轮机机组

双压燃气 - 蒸汽联合循环燃气轮机机组热力系统校核计算与单压燃气 - 蒸汽联合循环燃气轮机机组计算方式相同,可分为以下三个阶段。

第一阶段:根据上述方法计算出简单循环燃气轮机主要热力参数,求出比功率。在进行计算时,为考虑余热蒸汽发生器给机组气流流道额外增加的总压损失,在计算中引入总压恢复系数 ν_{HRSG}。增加总压恢复系数后,应相应调整燃气轮机动力涡轮背压计算公式:

$$P_4 = \frac{P_{at}}{\nu_{go}\nu_{HRSG}}$$

第二阶段:计算出蒸汽余热回收系统主要热力参数和单位参数,求出汽轮机比功率和蒸汽余热回收系统泵附件驱动耗功。计算步骤如下。

按照上文介绍的方法,计算余热蒸汽发生器高低压回路优化蒸汽压力:

$$P_{STS_1} = f(T_4)$$
$$P_{STS_2} = f(T_4)$$

输入余热蒸汽发生器蒸汽过热器温度位差 $\Delta T_{ss} = 30 \sim 50$ K,计算余热蒸汽发生器高低压回路蒸汽过热温度:

$$T_{ss} = T_4 - \Delta T_{ss}$$

如果 T_{ss} 计算结果超出 690 K,则计算取值不能超过该范围。

利用水及蒸汽热力参数表确定出后续计算所需参数:

h_{ss_1}——高压回路过热蒸汽焓值(P_{STS_1} 和 T_{ss});

h_{ss_2}——低压回路过热蒸汽焓值(P_{STS_2} 和 T_{ss});

h_{ws_1}——高压分离器饱和水焓值(P_{STS_1});

h_{ws_2}——低压分离器饱和水焓值(P_{STS_2});

h_{sat_1}——高压分离器饱和蒸汽焓值(P_{STS_1});

h_{sat_2}——低压分离器饱和蒸汽焓值(P_{STS_2});

T_{ws_1}——高压分离器饱和水温度(P_{STS_1});

T_{ws_2}——低压分离器饱和水温度(P_{STS_2});

T_{fw}——蒸汽冷凝器至高温除氧器给水温度,计算取值比 P_Z 压力饱和温度低 $2\sim4$ K;

h_{fw}——给水焓值(P_Z 和 T_{fw})。

余热蒸汽发生器高压回路节热管束出口水温:

$$T_{w2ec_1} = T_{BH_1} - \Delta T_{unec}$$

式中,ΔT_{unec} 为余热蒸汽发生器节热管束沸点温差,计算取值范围 $15\sim25$ K。

余热蒸汽发生器低压回路节热管束出口水温:

$$T_{w2ec_2} = T_{ws_2} - \Delta T_{unec}$$

计算温度 T_{w2ec_1} 下的余热蒸汽发生器高压回路节热器出口水焓值 h_{w2ec_1}。节热管束出口计算压力:

$$P_{w2ec_1} = \frac{P_{STS_1}}{\nu_{ec}}$$

式中,ν_{ec} 为余热蒸汽发生器节热管束水侧流体损失系数,计算取值范围 $0.97\sim0.98$。

计算温度 T_{w2ec_2} 下的余热蒸汽发生器低压回路节热器出口水焓值 h_{w2ec_2}。节热管束出口计算压力:

$$P_{w2ec_2} = \frac{P_{STS_2}}{\nu_{ec}}$$

在计算余热蒸汽发生器低压分离器至高温除氧器抽汽量时,我们需要根据图 3.33 写出除氧器热平衡方程。

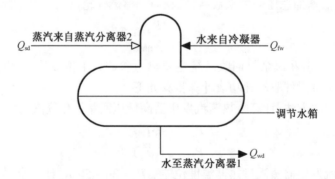

图 3.33　高温除氧器热通量图

进入除氧器的给水首先被余热蒸汽发生器低压分离器抽汽加热至沸腾。加热时的调节水箱压力 $P_d = 0.11\sim0.12$ MPa,对应水温 $102\sim104$ ℃。输入该压力值,计算出除氧器出口热水焓值 h_{wd},即为压力 P_d 下的饱和水焓值。

除氧器热平衡方程表达式为

$$Q_{wd} = Q_{sd} + Q_{fw} \tag{3.55}$$

将水及蒸汽流量和参数值代入式(3.55),可得

$$G_{wd}h_{wd} = G_{sd}h_{sat_2} + G_{fw}h_{fw} \tag{3.56}$$

除氧器出口水流量计算表达式:

$$G_{wd} = G_{sd} + G_{fw} = G_{ss_1}$$

式中，G_{ss_1} 为余热蒸汽发生器高压回路过热蒸汽蒸发量。

除氧器进口给水流量：

$$G_{fw} = G_{ss_1} - G_{sd}$$

式中，G_{sd} 为余热蒸汽发生器低压回路至除氧器的饱和蒸汽抽汽量。

将求得的流量值代入式子(3.56)，并用燃气轮机低压压气机空气流量对应的水和蒸汽相对流量表示，可得

$$G_{ss_1} h_{wd} = G_{sd} h_{sat_2} + G_{ss_1} h_{fw} - G_{sd} h_{fw}$$

对式子加以整理，可得

$$G_{ss_1} h_{wd} - G_{ss_1} h_{fw} = G_{sd} h_{sat_2} - G_{sd} h_{fw}$$

继而可得

$$G_{c_1} g_{ss_1} (h_{wd} - h_{fw}) = G_{c_1} g_{sd} (h_{sat_2} - h_{fw})$$

最终可得

$$g_{sd} = g_{ss_1} \frac{(h_{wd} - h_{fw})}{(h_{sat_2} - h_{fw})} \tag{3.57}$$

余热蒸汽发生器高压回路蒸发管束后燃气温度：

$$T_{EV_1} = T_{ws_1} + \Delta T_{EV_1}$$

根据高压回路蒸发管束和高低压回路蒸汽过热管束平衡方程计算出余热蒸汽发生器高压回路过热蒸汽相对蒸发量 g_{ss_1}：

$$G_{ss_1} (h_{ss} - h_{ws_1}) + G_{w_{ec_1}} (h_{ws_1} - h_{w2ec_1}) + G_{ss_2} (h_{ss} - h_{sat_2}) = G_{HRSG} c_{p_g} \Big|_{T_{EV_1}}^{T_4} (T_4 - T_{EV_1})$$

代入相关参数：

$$G_{c_1} g_{ss_1} (h_{ss} - h_{ws_1}) + G_{c_1} g_{ss_1} k_{cir_1} (h_{ws_1} - h_{w2ec_1}) + G_{c_1} g_{ss_2} (h_{ss} - h_{sat_2})$$
$$= G_{c_1} \beta_{fo} \beta_{go} c_{p_g} \Big|_{T_{EV_1}}^{T_4} (T_4 - T_{EV_1})$$

对式子进行整理，可得余热蒸汽发生器过热蒸汽相对蒸发量计算表达式：

$$g_{ss_1} = \frac{\beta_{fo} \beta_{go} c_{p_g} \Big|_{T_{EV_1}}^{T_4} (T_4 - T_{EV_1}) - g_{ss_2} (h_{ss} - h_{sat_2})}{(h_{ss} - h_{ws_1}) + k_{cir_1} (h_{ws_1} - h_{w2ec_1})}$$

式中，k_{cir_1} 为余热蒸汽发生器高压回路水循环倍率，计算取值范围 $1.2 \sim 1.8$。

鉴于式中低压回路过热蒸汽相对蒸发量 g_{ss_2} 尚为未知量，在计算时可选取一次近似值 $0.03 \sim 0.04$，故仅能取得近似计算结果。

余热蒸汽发生器低压回路蒸发管束进口气体温度可根据高压回路节热管束热平衡方程计算。计算表达式为

$$G_{w_{ek_1}} (h_{w2ec_1} - h_{w1ec_1}) = G_{HRSG} c_{p_g} \Big|_{T_5}^{T_{EV_1}} (T_{EV_1} - T_5)$$

按上文计算方法，代入所需参数，可得

$$k_{cir_1} G_{c_1} g_{ss_1} (h_{w2ec_1} - h_{w1ec_1}) = G_{c_1} \beta_{fo} \beta_{go} c_{p_g} \Big|_{T_5}^{T_{EV_1}} (T_{EV_1} - T_5)$$

将所得式子左右两侧同时除以 G_{c_1}，整理后可得低压回路蒸发管束进口气体温度最终计算表达式：

$$T_5 = T_{EV_1} - \frac{k_{cir_1} g_{ss_1} (h_{w2ec_1} - h_{w1ec_1})}{\beta_{fo} \beta_{go} c_{p_g} \Big|_{T_5}^{T_{EV_1}}} \tag{3.58}$$

我们在研究过程中发现，在按式(3.58)进行计算时首先需要计算确定出 $c_{p_g}\big|_{T_5}^{T_{EV_1}}$ 值，初步代入温度 T_5 一次近似值 $460\sim480$ K，然后根据需要代入二次近似值。高压回路节热管束进口给水焓值 $h_{w_1ec_1}$ 可按由高温除氧器提供给水的高压回路蒸汽分离器热平衡方程计算。按照单压余热蒸汽发生器热力系统计算方法，同理可得

$$h_{w_1ec_1} = \frac{h_{wd}}{k_{cir_1}} + \frac{(k_{cir_1} - 1)}{k_{cir_1}} h_{ws_1} \tag{3.59}$$

低压回路蒸发管束后燃气温度：

$$T_{EV_2} = T_{ws_2} + \Delta T_{EV_2}$$

计算后，需验证是否满足以下约束条件：

$$T_5 > T_{EV_2}$$

如不满足约束条件，应当提高压力 P_{STS_1} 或者降低压力 P_{STS_2}，然后重新进行计算。

按照式(3.57)计算出低压回路蒸汽分离器至除氧器饱和蒸汽抽汽相对流量 g_{sd}，然后根据低压回路蒸发管束热平衡方程求出余热蒸汽发生器低压回路过热蒸汽相对蒸发量 g_{ss_2}：

$$(G_{ss_2} + G_{sd}) k_{cir_2} (h_{sat_2} - h_{w_2ec_2}) = G_{HRSG} c_{p_g}\big|_{T_{EV_2}}^{T_5} (T_5 - T_{EV_2}) \tag{3.60}$$

将相关式子代入式(3.60)，可得

$$(G_{c_1} g_{ss_2} + G_{c_1} g_{sd}) k_{cir_2} (h_{sat_2} - h_{w_2ec_2}) = G_{c_1} \beta_{fo} \beta_{go} c_{p_g}\big|_{T_{EV_2}}^{T_5} (T_5 - T_{EV_2})$$

将等式左右两侧同时除以 G_{c_1}，最终整理可得余热蒸汽发生器低压回路过热蒸汽相对蒸发量：

$$g_{ss_2} = \frac{\beta_{fo} \beta_{go} c_{p_g}\big|_{T_{EV_2}}^{T_5} (T_5 - T_{EV_2}) - g_{sd} k_{cir_2} (h_{sat_2} - h_{w_2ec_2})}{k_{cir_2} (h_{sat_2} - h_{w_2ec_2})}$$

式中，k_{cir_2} 为余热蒸汽发生器高压回路水循环倍率，取值范围 $1.2\sim1.8$。

我们可根据低压回路节热管束热平衡方程求出余热蒸汽发生器后排气温度：

$$(G_{ss_2} + G_{sd}) k_{cir_2} (h_{w_2ec_2} - h_{w_1ec_2}) = G_{HRSG} c_{p_g}\big|_{T_6}^{T_{EV_2}} (T_{EV_2} - T_6)$$

代入已知式子，可得

$$(G_{c_1} g_{ss_2} + G_{c_1} g_{sd}) k_{cir_2} (h_{w_2ec_2} - h_{w_1ec_2}) = G_{c_1} \beta_{fo} \beta_{go} c_{p_g}\big|_{T_6}^{T_{EV_2}} (T_{EV_2} - T_6)$$

将等式左右两侧同时除以 G_{c_1}，最终整理可得下式：

$$T_6 = T_{EV_2} - \frac{k_{cir_2} (g_{ss_2} + g_{sd}) (h_{w_2ec_2} - h_{w_1ec_2})}{\beta_{fo} \beta_{go} c_{p_g}\big|_{T_6}^{T_{EV_2}}} \tag{3.61}$$

我们在研究过程中发现，在按式(3.61)进行计算时首先需要计算确定出 $c_{p_g}\big|_{T_6}^{T_{EV_2}}$ 值，初步代入温度 T_6 一次近似值 $430\sim450$ K，然后根据需要代入二次近似值。低压回路节热管束进口给水焓值 $h_{w_1ec_2}$ 可按由蒸汽冷凝器提供给水的高压回路蒸汽分离器热平衡方程计算。按照式(3.59)同理可得

$$h_{w_1ec_2} = \frac{h_{fw}}{k_{cir_2}} + \frac{(k_{cir_2} - 1)}{k_{cir_2}} h_{sat_2}$$

按燃气轮机热力循环设计计算方法，同理求得汽轮机喷嘴前高压回路过热蒸汽压力：

$$P_{3s_1} = P_{STS_1} \nu_{ss} \nu_{s_2}$$

同理可求汽轮机中间进汽管口低压回路蒸汽压力:

$$P_{3s_2} = P_{STS_2} \nu_{ss} \nu_{s_2}$$

按照前文所述方法,我们在水及蒸汽 $H-S$ 图(图3.29)上绘制汽轮机蒸汽膨胀过程线时,假定膨胀过程线由独立的高压蒸汽和低压蒸汽膨胀过程组成。然后,分别计算确定出汽轮机高低压蒸汽流理论(等熵)膨胀过程终点焓值 $h_{r_{a_1}}$ 和 $h_{r_{a_2}}$。

按燃气轮机机组进口条件换算的汽轮机比功率:

$$N_{sp_{st}} = \left[g_{ss_1}(1 - \delta_{ss})(h_{ss_1} - h_{r_{a_1}})\eta_t + g_{ss_2}(h_{ss_2} - h_{r_{a_2}})\eta_{t_2} \right] \eta_{m_t} \nu_{in}$$

式中　δ_{ss}——蒸汽余热回收系统自用过热蒸汽相对流量,包括:汽轮机端部汽封漏汽、冷凝器气流喷射抽气器抽汽量等,取值范围 $0.01 \sim 0.02$;

　　　η_{t_2}——供入低压蒸汽后汽轮机级内效率,取值范围 $\eta_{t_2} = (0.98 \sim 0.99)\eta_t$;

　　　η_{m_t}——汽轮机机械效率,取值范围 $0.98 \sim 0.99$。

余热蒸汽发生器高压回路循环泵耗功:

$$N_{sp_{rp1}} = 1.001\,25 \frac{g_{ss_1} k_{cir_1} \left(\dfrac{P_{STS_1}}{\nu_{ecev_1}} - P_{STS_1} \right)}{\eta_{rp_1}} \qquad \left(\frac{kW}{kg/s} \right)$$

式中　ν_{ecev_1}——余热蒸汽发生器高压回路蒸发管束和节热管束水侧流体损失系数,取值范围 $0.86 \sim 0.92$;

　　　η_{rp_1}——循环泵液压部件效率,离心泵取值范围 $0.5 \sim 0.6$;

　　　P_{STS_1}——余热蒸汽发生器分离器蒸汽压力,MPa。

余热蒸汽发生器给水泵耗功:

$$N_{sp_{fp}} = 1.001\,25 \frac{g_{ss_1}(P_{STS_1} - P_d)}{\eta_{fp}} \qquad \left(\frac{kW}{kg/s} \right)$$

式中　P_d——除氧器蒸汽压力,MPa;

　　　η_{fp}——给水泵液压部件效率,计算取值范围 $0.5 \sim 0.6$。

凝水泵耗功:

$$N_{sp_{cp}} = 1.001\,25 \frac{(g_{ss_1} + g_{ss_2} + g_{sd})(P_{STS_2} - P_Z)}{\eta_{cp}} \qquad \left(\frac{kW}{kg/s} \right)$$

式中　P_Z——蒸汽余热回收系统冷凝器蒸汽压力,MPa;

　　　η_{cp}——凝水泵液压部件效率,计算取值范围 $0.5 \sim 0.6$。

余热蒸汽发生器低压回路循环泵耗功:

$$N_{sp_{rp2}} = 1.001\,25 \frac{(g_{ss_2} + g_{sd}) k_{cir_2} \left(\dfrac{P_{STS_2}}{\nu_{ecev_2}} - P_{STS_2} \right)}{\eta_{rp_2}} \qquad \left(\frac{kW}{kg/s} \right)$$

式中　ν_{ecev_2}——余热蒸汽发生器低压回路蒸发管束和节热管束水侧流体损失系数,取值范围 $0.86 \sim 0.92$;

　　　η_{rp_2}——循环泵液压部件效率,离心泵取值范围 $0.5 \sim 0.6$;

　　　P_{STS_2}——余热蒸汽发生器分离器蒸汽压力,MPa。

蒸汽余热回收系统主循环泵耗功:

$$N_{\text{sp}_{\text{brp}}} = 1.001\,25\,\frac{(g_{\text{ss}_1} + g_{\text{ss}_2})K_{\text{con}}\Delta P_{\text{brp}}}{\eta_{\text{brp}}} \qquad \left(\frac{\text{kW}}{\text{kg/s}}\right)$$

式中　K_{con}——冷凝器冷却倍率,即主循环泵流量与冷凝器排汽量之比,取值范围 70～100;

ΔP_{brp}——主循环泵压头,冷凝器强制冷却系统取值范围 0.09～0.10 MPa;

η_{brp}——主循环泵液压部件效率,计算取值范围 0.5～0.6。

蒸汽余热回收系统机带泵总耗功:

$$\sum N_{\text{sp}_{\text{p}}} = N_{\text{sp}_{\text{rp}_1}} + N_{\text{sp}_{\text{rp}_2}} + N_{\text{sp}_{\text{fp}}} + N_{\text{sp}_{\text{cp}}} + N_{\text{sp}_{\text{brp}}}$$

第三阶段:计算确定燃气–蒸汽联合循环燃气轮机机组热力系统参数,求出机组关键部件——燃气轮机、汽轮机、蒸汽余热回收系统和冷凝器工质流量。计算步骤如下:

首先,计算燃气–蒸汽联合循环燃气轮机机组比功率:

$$N_{\text{sp}_{\text{u}}} = N_{\text{sp}_{\text{GTE}}} + N_{\text{sp}_{\text{st}}}$$

然后,计算燃气轮机低压压气机空气折合流量:

$$G_{\text{c}_{1\text{re}}} = \frac{N_e}{N_{\text{sp}_{\text{u}}} \eta_{\text{rg}}}$$

按照机组热力系统校核计算方法,确定出燃气轮机气流流道各计算截面空气和燃气流量,并求出燃气轮机燃料消耗率。

余热蒸汽发生器高压回路过热蒸汽蒸发量:

$$G_{\text{ss}_1} = g_{\text{ss}_1} G_{\text{c}_1}$$

余热蒸汽发生器低压回路过热蒸汽蒸发量:

$$G_{\text{ss}_2} = g_{\text{ss}_2} G_{\text{c}_1}$$

余热蒸汽发生器低压回路至除氧器饱和蒸汽抽汽蒸发量:

$$G_{\text{sd}} = g_{\text{sd}} G_{\text{c}_1}$$

汽轮机进口蒸汽流量:

$$G_{\text{st}} = g_{\text{ss}_1}(1 - \delta_{\text{ss}}) G_{\text{c}_1}$$

冷凝器排汽量:

$$G_{\text{sc}} = (g_{\text{ss}_1} + g_{\text{ss}_2}) G_{\text{c}_1}$$

双压燃气–蒸汽联合循环燃气轮机机组其余参数的计算内容可参照上文单压燃气–蒸汽联合循环燃气轮机机组热力系统校核计算公式完成。

3.7　蒸汽回注式双工质并联型燃气–蒸汽联合循环燃气轮机机组热力循环及系统参数计算

双工质并联型燃气轮机机组循环和系统的热力计算方法及热力计算数学模型建立方法与前文介绍的其余类型燃气轮机机组基本相同。计算方法的主要区别在于工质不同。双工质并联型燃气轮机机组涡轮以燃料燃烧产物与过热蒸汽形成的混合物作为工质。

鉴于此,本章在研究双工质并联型燃气–蒸汽联合循环燃气轮机机组参数计算特点时将对后续计算涉及的理想气汽混合气热力学特性进行概括性介绍。

前文已经介绍过,鉴于当代燃气轮机机组所达到的典型工质参数水平,特别是在 500～1 500 K 温度范围内,工质中包含的空气、烃燃料燃烧产物等不凝缩气体都符合理想气体规律。这些理想气体规律也可适用于气汽混合气及燃气轮机压气机进气中包含的蒸汽。需要指出的是,在进行湿气体计算时通常也采用上述假设条件。

气汽混合气蒸汽相对含量,以双工质并联型燃气轮机机组涡轮进口为例:

$$d_s = \frac{G_s}{G_s + G_g}$$

式中,G_s 和 G_g 分别为涡轮进口蒸汽和燃气流量。

气汽混合气燃气相对含量:

$$d_g = 1 - d_s$$

气汽混合气气体常数:

$$R_{gs} = R_g d_g + R_s d_s$$

式中,R_g 和 R_s 分别为燃烧产物和蒸汽气体常数。

气汽混合气平均质量定压热容:

$$c_{p_{gs}} = c_{p_g} d_g + c_{p_s} d_s$$

式中,c_{p_g} 和 c_{p_s} 分别为气汽混合气所含燃气和蒸汽平均质量定压热容。

气汽混合气蒸汽分压:

$$P_s = P_{mix} d_s \frac{R_s}{R_{gs}}$$

此时,气汽混合气压力为

$$P_{mix} = P_g + P_s$$

等于气汽混合气各组分分压之和。

在燃气轮机机组循环及系统精确参数计算中,通常需要考虑大气湿度。该参数一般通过相对湿度来计算:

$$\varphi = \frac{P_s}{P_{sat}}$$

等于大气所含蒸汽分压与同温干燥饱和气汽混合气所含蒸汽分压之比。

在湿空气计算中,通常还会用到含水量:

$$d_{mo} = \frac{G_{mo}}{G_a}$$

式中 G_{mo}——空气中包含的水滴及蒸汽总含量,$G_{mo} = G_{cm} + G_s$;

G_a——干空气流量。

相对湿度与含水量之间的关系可用下式表达:

$$d_{mo} = \frac{R_a}{R_s} \frac{\varphi P_{sat}}{(P_{mix} - \varphi P_{sat})}$$

"气流含汽量"与"气流含水量"参数之间的关系可用以下关系式表达:

$$d_s = \frac{d_{mo}}{d_{mo} + 1}$$

蒸汽回注式双工质并联型单压燃气-蒸汽联合循环燃气轮机机组热力系统和循环方案相关内容已在3.6节做过详细介绍。

当前我们所要研究的双工质并联型燃气轮机机组热力循环设计计算步骤如下。

按前文介绍的简单循环燃气轮机机组热力循环设计计算方法计算确定压气机部件参

数：η_c，ΔT_c，T_2，c_{p_a}。

按下式计算余热蒸汽发生器分离器蒸汽压力：

$$P_{HRSG} = \frac{P_{at}\nu_{in}\nu_c\pi_{c_{\Sigma}}}{\nu_{ss}}$$

式中，ν_{ss} 为余热蒸汽发生器至燃气轮机燃烧室蒸汽管道总压损失系数，$\nu_{ss} = 0.90 \sim 0.96$。

根据参考数据表确定出后续计算所需水及蒸汽参数：

h_{ws}——饱和水焓值（压力 P_{HRSG}）；

T_{ws}——饱和水温度（压力 P_{HRSG}）；

h_{ss}——余热蒸汽发生器出口过热蒸汽焓值（压力和温度分别为 P_{HRSG} 和 T_{ss}）；

h_{11}——干饱和蒸汽焓值（压力 P_{HRSG}）；

h_{fw}——经过水净化系统过滤的余热蒸汽发生器给水焓值，计算温度 $T_{fw} = 293 \sim 303$ K，
        压力 P_{at}。

蒸汽余热回收系统出口凝水温度计算公式：

$$T_8 = T_{ow} + \Delta T_{sgc}$$

式中　T_{ow}——舷外水温度，可根据船舶航行区域在 $288 \sim 298$ K 范围内选取；

　　　ΔT_{sgc}——蒸汽余热回收系统最低温度位差，计算取值范围 $8 \sim 15$ K。

此后，需要根据已知公式计算确定涡轮冷却叶片列数 n_{co}，并估算出冷却叶环所需的余热蒸汽发生器蒸汽分离器干燥饱和蒸汽相对抽汽量：

$$g_{s_{co}} = 0.5ak_{ts}g_e\beta_t\frac{(n_{co}+1)}{2}\frac{(T_3-T_p)}{(T_p-T_{11})}\left(\frac{T_3}{T_{11}}\right)^{0.25} \tag{3.62}$$

式中　β_t——高压涡轮流量系数，一次近似取值范围 $1.10 \sim 1.15$，后续必须进行精确计算；

　　　T_{11}——冷却蒸汽温度，$T_{11} = T_{wsat}$。

此处需要说明一下式(3.62)成立的前提假设条件：如果涡轮叶片采用蒸汽冷却，若其余条件完全相同，则冷却蒸汽流量仅为冷却空气流量的二分之一。关于这一假设条件，俄罗斯中央波尔祖诺夫锅炉涡轮机科学研究设计院和乌克兰机械设计科研生产联合企业分别进行了试验，并得到了详细的试验数据。

接下来，计算燃气轮机机组气流流道总压总损失：

$$\Pi\nu_{GTA} = \nu_{in}\nu_c\nu_{cc}\nu_t\nu_{HRSG}\nu_{sgc}\nu_{go}$$

式中，ν_{sgc} 为汽气冷凝器总压损失系数，计算取值范围 $0.96 \sim 0.97$。

计算求出燃气轮机涡轮总膨胀比：

$$\pi_{t_{\Sigma}} = \Pi\nu_{GTA}\pi_{c_{\Sigma}}$$

在计算燃烧室热输入量时，我们还要单独计算出气汽混合工质的热输入量和过热燃烧室回注蒸汽的热输入量。计算方法如下：

首先，计算出燃烧室燃烧过程所需空气平均质量定压热容：

$$c_{p_a}\Big|_{293}^{T_2} = f(T_{av}), \quad T_{av} = \frac{T_2+293}{2}$$

此后，进行两次近似计算。在完成一次近似计算时，在 $\alpha = (3 \sim 4)$ 范围内选取燃烧室空气余气系数。在进行二次近似计算时，按下式确定余气系数：

$$\alpha = \frac{1}{g_f^{|}L_0}$$

式中,$g_f^|$ 为一次近似计算求得的燃烧室相对燃料消耗量。

燃烧室燃烧产物平均质量定压热容:

$$c_{p_g}\Big|_{293}^{T_3} = f(\alpha, T_{av}) , \quad T_{av} = \frac{T_3 + 293}{2}$$

燃烧室气汽混合工质热输入量:

$$q_{cc_g} = \frac{\left(1 + \dfrac{1}{\alpha L_0}\right) c_{p_g}\Big|_{293}^{T_3}(T_3 - 293) - c_{p_a}\Big|_{293}^{T_2}(T_2 - 293)}{\eta_{cc}}$$

在完成一次近似计算时,在 $m_{gs} = (0.22 \sim 0.24)$ 范围内近似取值。在进行二次近似计算时,需按下式计算确定该参数值:

$$m_{gs} = \frac{k_{gs}^| - 1}{k_{gs}^|}$$

式中,$k_{gs}^|$ 为一次近似计算求得的燃气轮机涡轮膨胀过程等熵指数。

双工质涡轮总内效率:

$$\eta_t = \frac{1 - \dfrac{1}{\pi_{t_\Sigma}^{m_{gs}\eta_{a_t}}}}{1 - \dfrac{1}{\pi_{t_\Sigma}^{m_{gs}}}}$$

双工质涡轮实际温降:

$$\Delta T_t = T_3 \left(1 - \frac{1}{\pi_{t_\Sigma}^{m_{gs}}}\right)\eta_t$$

涡轮后气汽混合气实际温度:

$$T_4 = T_3 + \Delta T_t$$

在完成一次近似计算时,在 $d_s^| = 0.09 \sim 0.14$ 范围内近似选取燃气轮机涡轮进口气汽混合气相对含汽量。在进行二次近似计算时,需按下式计算该参数:

$$d_s = \frac{g_{ss}^|}{g_{ss}^| + \left(1 + \dfrac{1}{\alpha^| L_0}\right)}$$

式中,$g_{ss}^|$ 和 $\alpha^|$ 为一次近似计算求得的参数值。

燃气轮机涡轮进口气汽混合气气体含量:

$$d_g = 1 - d_s$$

涡轮膨胀过程气汽混合气气体常数:

$$R_{gs} = R_g d_g + R_s d_s \tag{3.63}$$

注意:在按照式(3.63)进行计算时,式子所含各项参数可取不同数值。液态燃料燃烧产物:$R_s = 461$ J/(kg·K),$R_g = 287.5$ J/(kg·K)。天然气燃烧产物:$R_g = 292$ J/(kg·K)。

涡轮理论膨胀过程平均温度:

$$T_{av_t} = T_3 - \frac{\Delta T_t}{2\eta_t}$$

据此分别计算出涡轮气汽混合气各组分(蒸汽及燃烧产物)平均质量定压热容值:

$$c_{p_s}\Big|_{T_{4_t}}^{T_3} = f(T_{av_t})$$

$$c_{p_g}\bigg|_{T_{4_t}}^{T_3} = f(T_{av_t}, \alpha)$$

然后,求出涡轮膨胀过程气汽混合气平均质量定压热容:

$$c_{p_{gs}}\bigg|_{T_{4_t}}^{T_3} = c_{p_g}\bigg|_{T_{4_t}}^{T_3} d_g + c_{p_s}\bigg|_{T_{4_t}}^{T_3} d_s$$

计算出燃气轮机涡轮气汽混合气膨胀过程等熵指数:

$$k_{gs} = \frac{c_{p_{gs}}\bigg|_{T_{4_t}}^{T_3}}{c_{p_{gs}}\bigg|_{T_{4_t}}^{T_3} - R_{gs}}$$

余热蒸汽发生器加热蒸发表面后气汽混合气温度可按下式取值:

$$T_{EV} = T_{ws} + \Delta T_{EV}$$

涡轮理论膨胀过程平均温度:

$$T_{HRSG_1} = \frac{T_4 + T_{EV}}{2}$$

据此计算出余热蒸汽发生器蒸发管束和过热管束换热过程中的气汽混合气各组分平均质量定压热容:

$$c_{p_s}\bigg|_{T_{EV}}^{T_4} = f(T_{HRSG_1})$$

$$c_{p_g}\bigg|_{T_{EV}}^{T_4} = f(T_{HRSG_1}, \alpha)$$

余热蒸汽发生器进口气汽混合气相对含汽量,包含燃气轮机涡轮通流部分冷却蒸汽:

$$d_{s4} = \frac{g_{ss}^l + g_{g_{co}}}{g_{ss}^l + g_{s_{co}} + \left(1 + \dfrac{1}{\alpha^l L_0}\right)}$$

余热蒸汽发生器进口气汽混合气气体含量,包含燃气轮机涡轮通流部分冷却蒸汽:

$$d_{g4} = 1 - d_{s4}$$

接下来,计算出余热蒸汽发生器蒸汽蒸发管束和过热管束换热过程的气汽混合气平均质量定压热容:

$$c_{p_{gs}}\bigg|_{T_{EV}}^{T_4} = c_{p_g}\bigg|_{T_{EV}}^{T_4} d_{g4} + c_{p_s}\bigg|_{T_{EV}}^{T_4} d_{s4}$$

根据余热蒸汽发生器蒸发管束和过热管束热平衡方程,计算出余热蒸汽发生器为燃烧室提供的过热蒸汽相对蒸发量。建立燃气轮机压气机进口单位进气(1 kg)热平衡方程:

$$g_{ss}(h_{ss} - h_{ws}) + g_{s_{co}}(h_{11} - h_{ws}) = \left[\left(1 + \frac{1}{\alpha L_0}\right) + g_{ss} + g_{s_{co}}\right] c_{p_{gs}}\bigg|_{T_{EV}}^{T_4}(T_4 - T_{EV})$$

将方程右侧大括号展开,可得

$$g_{ss}(h_{ss} - h_{ws}) + g_{s_{co}}(h_{11} - h_{ws}) = \left[\left(1 + \frac{1}{\alpha L_0}\right) + g_{s_{co}}\right] c_{p_{gs}}\bigg|_{T_{EV}}^{T_4}(T_4 - T_{EV}) + g_{ss} c_{p_{gs}}\bigg|_{T_{EV}}^{T_4}(T_4 - T_{EV})$$

整理方程,最终可得余热蒸汽发生器为燃烧室提供的过热蒸汽相对蒸发量:

$$g_{ss} = \frac{\left[\left(1 + \dfrac{1}{\alpha L_0}\right) + g_{s_{co}}\right] c_{p_{gs}}\bigg|_{T_{EV}}^{T_4}(T_4 - T_{EV}) - g_{s_{co}}(h_{11} - h_{ws})}{(h_{ss} - h_{ws}) - c_{p_{gs}}\bigg|_{T_{EV}}^{T_4}(T_4 - T_{EV})}$$

根据参考数据表确定出燃烧室出口混合气蒸汽焓值:

$$h_{3_s} = f(T_{3_s}, P_{3_s})$$

然后,据此初步计算出燃烧室出口气汽混合气蒸汽分压:

$$P_{3_s} = P_3 d_s \frac{R_s}{R_{gs}}$$

此时,进一步过热燃烧室回注蒸汽所需的热量:

$$q_{cc_s} = \frac{g_{ss}(h_{3_s} - h_{ss})}{\eta_{cc}}$$

如温度 T_3 值过高,无法根据参考数据表确定 $h_{3_s} = f(T_{3_s}, P_{3_s})$ 值,则可采用计算精度略低的公式求取该热量值:

$$q_{cc_s} = \frac{c_{p_s}\Big|_{293}^{T_3}(T_3 - 293) - c_{p_s}\Big|_{293}^{T_{ss}}(T_{ss} - 293)}{\eta_{cc}}$$

式中, $c_{p_s}\Big|_{293}^{T_3}$ 和 $c_{p_s}\Big|_{293}^{T_{ss}}$ 在计算时不考虑蒸汽分压。

双工质并联型燃气轮机机组燃烧室总耗能:

$$q_{cc_\Sigma} = \beta q_{cc_g} + q_{cc_s}$$

式中, β 为燃烧室流量系数,含轴、轮盘及涡轮机匣冷却抽气, $\beta = 0.97 \sim 0.99$。

燃气轮机燃烧室相对燃料消耗量:

$$g_f = \frac{q_{cc_\Sigma}}{H_u}$$

在一次近似计算完成后,返回重新进行二次近似计算。

双工质并联型燃气 – 蒸汽联合循环燃气轮机机组比功率计算公式:

$$N_{e_{sp}} = \left\{ \left[\left(1 + \frac{1}{\alpha L_0}\right)\beta + g_{ss} \right] c_{p_{gs}}\Big|_{T_{4_t}}^{T_3} \Delta T_t + \right.$$
$$\left. g_{s_{co}} c_{p_{s_{co}}}\Big|_{T_{4s_{co}}}^{T_{3s_{co}}} \Delta T_{s_{co}} - c_{p_a}\Big|_{T_{at}}^{T_2} \Delta T_c \right\} \eta_{m_t} \eta_{rg}$$

式中, $\Delta T_{s_{co}}$ 为冷却蒸汽温降,计算方法同简单循环燃气轮机机组。

蒸汽回注式双工质并联型燃气轮机机组循环效率:

$$\eta_e = \frac{N_{e_{sp}}}{q_{cc_\Sigma}}$$

燃气轮机机组燃料消耗率:

$$C_{N_e} = \frac{3\ 600}{H_u \eta_e}$$

余热蒸汽发生器节热管束换热过程平均温度:

$$T_{HRSG_2} = \frac{T_{EV} + T_6}{2}$$

据此计算气汽混合气各组分平均质量定压热容值:

$$c_{p_s}\Big|_{T_6}^{T_{EV}} = f(T_{HRSG_2})$$
$$c_{p_g}\Big|_{T_6}^{T_{EV}} = f(T_{HRSG_2}, \alpha)$$

在完成一次近似计算时,可在 390 ~ 410 K 范围内初步选择温度 T_6 值,并在二次近似计算时对该温度值进行精确计算。

然后,计算出余热蒸汽发生器节热管束换热过程气汽混合气平均质量定压热容:

$$c_{p_{gs}}\Big|_{T_6}^{T_{EV}} = c_{p_g}\Big|_{T_6}^{T_{EV}}d_{g4} + c_{p_s}\Big|_{T_6}^{T_{EV}}d_{s4}$$

余热蒸汽发生器后冷凝器进口工质温度可根据余热蒸汽发生器节热管束热平衡方程计算:

$$(g_{ss} + g_{s_{co}})(h_{ws} - h_{fw}) = \Big[(1 + \frac{1}{\alpha L_0}) + g_{ss} + g_{s_{co}}\Big]c_{p_{gs}}\Big|_{T_6}^{T_{EV}}(T_{EV} - T_6)$$

整理公式,最终可得余热蒸汽发生器后工质温度计算表达式:

$$T_6 = T_{EV} - \frac{(g_{ss} + g_{s_{co}})(h_{ws} - h_{fw})}{\Big[\Big(1 + \frac{1}{\alpha L_0}\Big) + g_{ss} + g_{s_{co}}\Big]c_{p_{gs}}\Big|_{T_6}^{T_{EV}}}$$

接下来,我们根据图 3.34 和图 3.35 所示计算结果来研究和分析一下蒸汽回注式双工质并联型燃气 – 蒸汽联合循环燃气轮机机组热力系统的热力学特性。根据研究结果我们可以确定,在温度 $T_3 = (1\ 200 \sim 1\ 600)$ K 范围内,蒸汽回注式双工质并联型燃气轮机机组循环效率可达 40% ~ 50%,循环比功率可达 280 ~ 575 kW/(kg/s),且压气机优化增压比仅略高于简单循环燃气轮机机组。

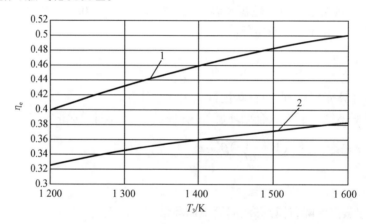

图 3.34　燃气轮机机组循环效率与燃气温度 T_3 关系曲线图

1—双工质并联型燃气 – 蒸汽联合循环燃气轮机机组;2—简单循环燃气轮机机组

由此可见,采用蒸汽回注式双工质并联型单压燃气 – 蒸汽联合循环燃气轮机机组系统方案可将循环效率提高 22.5% ~ 30.7%,循环比功率提高 49% ~ 73%,详见双工质并联型燃气轮机机组及简单循环燃气轮机机组效率指标对比图 3.34 和图 3.35。

蒸汽回注式双工质并联型燃气 – 蒸汽联合循环燃气轮机机组热力系统校核计算可参照简单循环燃气轮机机组及单压燃气 – 蒸汽联合循环燃气轮机机组热力系统校核计算公式。在热力系统校核计算过程中,需充分考虑上述气汽混合气工作过程计算特性。

接下来,我们将仔细研究和介绍一下以基于双轴高低压涡轮压气机部件及自由动力涡轮部件的燃气轮机建造的船用蒸汽回注式双工质并联型燃气 – 蒸汽联合循环燃气轮机机组的热力系统计算算例。此类机组从余热蒸汽发生器分离器抽取干燥饱和蒸汽对燃气轮机高温段叶片和机匣进行蒸汽冷却,然后将蒸汽排入燃气轮机通流部分。

通常情况下,燃气轮机机组系统和循环热力计算在 ISO 标准大气条件下进行。ISO 标准条件规定:

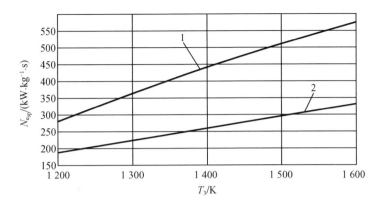

图 3.35 燃气轮机机组循环比功率与燃气温度 T_3 关系曲线图

1—双工质并联型燃气 – 蒸汽联合循环燃气轮机机组;2—简单循环燃气轮机机组

（1）环境温度：$T_{at} = 288$ K；

（2）海平面大气压力：$P_{at} = 1.01310^5$ Pa；

（3）空气相对湿度：$\varphi = 0.6$。

鉴于一般参考文献仅提供干燥空气的热工性能,而燃气轮机压气机增压过程计算必须要将干燥空气折合为湿空气,因此计算过程要相对复杂一些。计算步骤如下。

首先,计算燃气轮机进口空气含水量：

$$d_{mo.c} = \frac{R_a}{R_s} \frac{\varphi P_{sat}}{(P_{at} - \varphi P_{sat})}$$

式中,P_{sat} 为温度 T_{at} 下的蒸汽饱和压力计算结果。

燃气轮机低压压气机进口循环空气流相对含汽量：

$$d_{s.c} = \frac{d_{mo.c}}{d_{mo.c} + 1}$$

燃气轮机低压压气机进口循环空气流相对干燥空气含量：

$$d_{a.c} = 1 - d_{s.c}$$

然后,输入等熵指数 k_{a_i} 值,一次近似计算燃气轮机各段压气机参数 $\eta_{c_i}, \Delta T_{c_i}, T_{2_i}, c_{p_{a_i}},$ P_{1_i}, P_{2_i}。

各段压气机增压过程平均温度：

$$T_{av_{c_i}} = T_{1_i} + \frac{\Delta T_{c_i}\eta_{c_i}}{2}$$

据此计算出燃烧室内干燥空气和蒸汽平均质量定压热容：

$$c_{p_{a_i}}\Big|_{T_{1_i}}^{T_{2t.i}} = f(T_{av_{c_i}})$$

$$c_{p_{s_i}}\Big|_{T_{1_i}}^{T_{2t.i}} = f(T_{av_{c_i}})$$

此后,按气汽混合气计算公式求出各段压气机空气平均质量定压热容：

$$c_{p_{sa_i}}\Big|_{T_{1_i}}^{T_{2t.i}} = c_{p_{a_i}}\Big|_{T_{1_i}}^{T_{2t.i}} d_{a.c_i} + c_{p_{s_i}}\Big|_{T_{1_i}}^{T_{2t.i}} d_{s.c_i}$$

按下式算出压气机气汽混合气气体常数：

$$R_{sa} = R_a d_{a.c_i} + R_s d_{s.c_i}$$

按式(3.64)求出各段压气机气汽混合气实际等熵指数:

$$k_{sa_i} = \frac{c_{p_{sa_i}} \Big|_{T_{1_i}}^{T_{2_{t_i}}}}{c_{p_{sa_i}} \Big|_{T_{1_i}}^{T_{2_{t_i}}} - R_{sa}}$$

(3.64)

计算完成后,必须返回计算第一步,利用式(3.64)求得的 k_{a_i} 结果重新进行二次近似计算。

接下来,计算余热蒸汽发生器分离器蒸汽压力:

$$P_{HRSG} = \frac{P_2}{\nu_{ss}}$$

式中, ν_{ss} 为余热蒸汽发生器至燃气轮机燃烧室蒸汽道总压损失系数, $\nu_{ss} = 0.90 \sim 0.96$。

根据水及蒸汽热工特性参考数据表确定出压力 P_{HRSG} 下的干燥饱和蒸汽温度。

估算出燃烧室流量系数:

$$\alpha_{cc} = \alpha_{c_2} - (0.01 \sim 0.02)$$

式中, α_{c_2} 为高压压气机空气流量系数,计算取值范围 $0.98 \sim 0.99$。

根据热力循环设计计算结果,一次近似选取回注燃气轮机燃烧室的余热蒸汽发生器过热蒸汽相对蒸发量:

$$g_{ss} = 0.08 \sim 0.14$$

燃气轮机燃烧室相对燃油消耗量:

$$g_f = \frac{c_{p_{sa}} \Big|_{293}^{T_3} (T_3 - 293) - c_{p_{sa}} \Big|_{293}^{T_2} (T_2 - 293) + g_{ss} \frac{(h_{3_s} - h_{ss})}{\alpha_{cc}}}{H_u \eta_{cc} - [c_{p_{g_{\alpha=1}}} \Big|_{293}^{T_3} (L_0 + 1) - c_{p_{sa}} \Big|_{293}^{T_3} L_0] (T_3 - 293)}$$

式中　h_{3_s} 和 h_{ss}——指定循环点蒸汽真实焓值;

$c_{p_{sa}} \Big|_{293}^{T_3}$ 和 $c_{p_{sa}} \Big|_{293}^{T_2}$——按前文压气机热力过程计算方法针对规定循环温度范围求得的气汽混合气平均质量定压热容。

燃烧室余气系数计算公式:

$$\alpha = \frac{1}{g_f L_0}$$

高压涡轮气汽混合气流量系数:

$$\beta_{t_1} = \frac{(1 + g_f)\alpha_{cc} + g_{ss}}{\alpha_{c_2}}$$

燃气轮机 j 段涡轮叶片冷却用干燥饱和蒸汽相对流量可按下式估算:

$$g_{s_{co_j}} = 0.71 g_e \beta_{t_j} \frac{(n_{co_j} + 1)}{2} \frac{(T_{3_j} - T_p)}{(T_p - T_{11})} \left(\frac{T_{3_j}}{T_{11}}\right)^{0.25}$$

(3.65)

在按式(3.65)进行计算之前,必须按上文已知方法初步估算确定出燃气轮机各段涡轮冷却叶环列数。

低压涡轮气汽混合气流量系数:

$$\beta_{t_2} = \beta_{t_1}\alpha_{c_2} + g_{s_{co_1}} + (0.002 \sim 0.004)$$

动力涡轮气汽混合气流量系数:

$$\beta_{t_3} = \beta_{t_2} + g_{s_{co_2}} + (0.002 \sim 0.004)$$

排气管气汽混合气流量系数：

$$\beta_{go} = \beta_{t_3} + g_{s_{co3}} + (0.002 \sim 0.012) \tag{3.66}$$

在式(3.66)中,如动力涡轮内设有卸荷腔,则回排至排气管的空气相对流量应取较大值。

利用涡轮压气机部件功率平衡系数 C_j 按下式计算确定该压气机驱动涡轮实际温降：

$$\Delta T_{t_j} = C_j \Delta T_{c_{ij}}$$

式中, $\Delta T_{c_{ij}}$ 为由 j 段涡轮驱动的 i 段压气机实际温升。

计算确定高压涡轮前气流相对含汽量：

$$d_{s_1} = \frac{g_{ss} + d_{s.c}}{\beta_{t_1} \alpha_{c_2}}$$

同理,计算确定低压涡轮前气流相对含汽量：

$$d_{s_2} = \frac{g_{ss} + d_{s.c} + g_{s_{co1}}}{\beta_{t_2}}$$

同理,计算确定动力涡轮前气流相对含汽量：

$$d_{s_3} = \frac{g_{ss} + d_{s.c} + g_{s_{co1}} + g_{s_{co2}}}{\beta_{t_3}}$$

同理,计算确定排气管前气流相对含汽量：

$$d_{s_{go}} = \frac{g_{ss} + d_{s.c} + g_{s_{co1}} + g_{s_{co2}} + g_{s_{co3}}}{\beta_{go}}$$

在计算确定各段涡轮膨胀过程气汽混合气的热工特性时,应当考虑气流在燃气轮机涡轮气流流道内相对含汽量的变化情况。各段涡轮气汽混合气的热工特性计算方法如下。

(1)气汽混合气平均质量定压热容：

$$c_{p_{gs_j}} = c_{p_{g_j}} d_{g_j} + c_{p_{s_j}} d_{s_j}$$

(2)气汽混合气气体常数：

$$R_{gs_j} = R_g d_{g_j} + R_s d_{s_j}$$

(3)膨胀过程等熵指数：

$$k_{gs_j} = \frac{c_{p_{gs_j}}}{c_{p_{gs_j}} - R_{gs_j}}$$

接下来,算出燃气轮机驱动涡轮其余热力参数,并求出动力涡轮进口压力 $P_{3.3}$。

动力涡轮后压力计算公式：

$$P_4 = \frac{P_{at}}{\nu_{go} \nu_{HRSG} \nu_{gsc}}$$

式中 ν_{HRSG}——余热蒸汽发生器总压损失系数,计算取值范围 $0.95 \sim 0.97$；

ν_{sgc}——冷凝器总压损失系数,计算取值范围 $0.96 \sim 0.97$。

此后,按上文方法计算确定动力涡轮各项参数。

在计算涡轮后气汽混合气温度时,需要考虑冷却蒸汽从冷却叶环进入通流部分时产生的"气流预冷"效果：

（1）高压涡轮：

$$T_{4.1} = \frac{\alpha_{c_2}\beta_{t_1}}{(\alpha_{c_2}\beta_{t_1} + g_{s_{co_1}})}(T_3 - \Delta T_{t_1}) + \frac{c_{p_s}\Big|_{}^{T_{4.1}} g_{s_{co_1}} T_{11}}{c_{p_{gs}}\Big|_{}^{T_{4.1}}(\alpha_{c_2}\beta_{t_1} + g_{s_{co_1}})}$$

（2）低压涡轮和动力涡轮：

$$T_{4.j} = \frac{\beta_{t_j}}{(\beta_{t_j} + g_{s_{co_j}})}(T_{3.j} - \Delta T_{t_j}) + \frac{c_{p_s}\Big|_{}^{T_{4.j}} g_{s_{co_j}} T_{11}}{c_{p_{gs}}\Big|_{}^{T_{4.j}}(\beta_{t_j} + g_{s_{co_j}})}$$

利用燃气轮机低压压气机进口单位进气(1 kg)余热蒸汽发生器蒸发表面和过热表面热平衡方程,可以计算出余热蒸汽发生器过热蒸汽相对蒸发量：

$$g_{ss}(h_{ss} - h_{ws}) + \sum_{j=1}^{m} g_{s_{co_j}}(h_{11} - h_{ws}) = \beta_{go} c_{p_{gs}}\Big|_{T_{EV}}^{T_4}(T_4 - T_{EV})$$

式中,m 为燃气轮机涡轮段数。

整理公式,最终可得余热蒸汽发生器过热蒸汽相对蒸发量：

$$g_{ss} = \frac{\beta_{go} c_{p_{gs}}\Big|_{T_{EV}}^{T_4}(T_4 - T_{EV}) - \sum_{j=1}^{m} g_{s_{co_j}}(h_{11} - h_{ws})}{(h_{ss} - h_{ws})} \tag{3.67}$$

如果按式(3.67)计算求得的过热蒸汽相对蒸发量与前一次近似计算的代入值偏差超过 0.25%,则需要从计算燃气轮机燃烧室燃料相对消耗量开始,重新进行计算。为保证差值满足要求,可能需要进行 3~5 次近似计算。

利用燃气轮机低压压气机进口单位进气(1 kg)余热蒸汽发生器节热管束热平衡方程,可以计算出余热蒸汽发生器后冷凝器进口气汽混合气温度：

$$\Big(g_{ss} + \sum_{j=1}^{m} g_{s_{co_j}}\Big)(h_{ws} - h_{fw}) = \beta_{go} c_{p_{gs}}\Big|_{T_6}^{T_{EV}}(T_{EV} - T_6)$$

整理公式,最终可以得出余热蒸汽发生器后气汽混合气温度计算公式：

$$T_6 = T_{EV} - \frac{\Big(g_{ss} + \sum_{j=1}^{m} g_{s_{co_j}}\Big)(h_{ws} - h_{fw})}{\beta_{go} c_{p_{gs}}\Big|_{T_6}^{T_{EV}}}$$

双工质并联型燃气轮机机组比功率计算公式：

$$N_{sp_{GTA}} = c_{p_{gs}}\Big|_{T_{4_t}}^{T_{3.3}} \Delta T_{t_3}\beta_{t_3}\eta_{m_3}\nu_{in}$$

已知燃气轮机机组功率,可利用上述式子计算出燃气轮机及蒸汽余热回收系统各部件工质的绝对流量。

用下列式子计算舷外水冷却列管式表面冷凝器参数：

（1）出口气汽混合气温度：

$$T_8 = T_{ow} + \Delta T_{sgc}$$

（2）冷凝器后气流相对含汽量：

$$d_{s_8} = \frac{R_g}{R_s\Big(\dfrac{P_{at}}{\nu_{go}P_{s_8}} - 1\Big) + R_g}$$

式中,P_{s_8} 为冷凝器后气流蒸汽分压,即温度 T_8 下的饱和压力。

根据最初选定的燃气轮机机组循环设计参数的不同,热力系统可以产出蒸馏水,亦或相反,需要补给同等质量的蒸馏水。为了保证燃烧室喷水与随排气排出循环之外的水量达到平衡,需要计算确定以下参数:

(1)随进气进入双工质并联型燃气轮机机组的水量:

$$G_{w.c} = d_{s.c} G_{c_1}$$

(2)燃料在燃烧室内充分燃烧生成的水量。

柴油:

$$G_{w.f} = 1.261\,3\,\frac{G_{f_h}}{3\,600}$$

天然气(甲烷):

$$G_{w.f} = 2.530\,\frac{G_{f_h}}{3\,600}$$

(3)以过热蒸汽形式注入燃烧室的水量:

$$G_{w.cc} = g_{ss} G_{c_1}$$

(4)以高温部件冷却蒸汽形式进入燃气轮机通流部分的水量:

$$G_{w.co} = \sum_{j=1}^{m} g_{s_{co}j} G_{c_1}$$

(5)冷凝器前气汽混合气流总含水量:

$$G_{w_\Sigma} = G_{w.c} + G_{w.t} + G_{w.cc} + G_{w.co}$$

(6)冷凝器后随排气离开循环的水量:

$$G_{w.wg} = \frac{(G_{go} - G_{w_\Sigma}) d_{s_8}}{(1 - d_{s_8})}$$

(7)以凝水形式从冷凝器返回循环的水量:

$$G_{con} = G_{w_\Sigma} - G_{w.wg}$$

(8)双工质并联型燃气轮机机组循环水量平衡方程:

$$\delta G_w = G_{con} - G_{w.cc} - G_{w.co} \tag{3.68}$$

在选择双工质并联型燃气轮机机组热力系统参数时应当保证满足以下条件:

$$\delta G_w \geqslant 0$$

根据冷凝器热平衡方程计算确定出主循环泵舷外水流量:

$$G_{ow} c_{p_{ow}} \Delta T_{ow} = (G_{go} - G_{w_\Sigma} + G_{w.wg}) c_{p_{gs}} \Big|_{T_8}^{T_6} (T_6 - T_8) - G_{con}(h_{s_6} - h_{w_8})$$

根据平衡方程最终可得

$$G_{ow} = \frac{(G_{go} - G_{w_\Sigma} + G_{w.wg}) c_{p_{gs}} \Big|_{T_8}^{T_6} (T_6 - T_8) - G_{con}(h_{s_6} - h_{w_8})}{c_{p_{ow}} \Delta T_{ow}}$$

式中　$c_{p_{ow}}$——舷外水质量定压热容,海水 $c_{p_{ow}} = 3.935\,6$ kJ/(kg·K);淡水 $c_{p_{ow}} = 4.186\,8$ kJ/(kg·K);

ΔT_{ow}——冷凝器内舷外水温升,计算取值范围 $10 \sim 20$ K;

h_{s_6}——冷凝器前气汽混合气蒸汽焓值;

h_{w_8}——凝水焓值。

冷凝器主循环泵驱动耗功：

$$N_{brp} = 1.001\ 25\ \frac{G_{ow}\Delta P_{brp}}{\eta_{brp}} \qquad \left(\frac{kW}{kg/s}\right) \tag{3.69}$$

式中　ΔP_{brp}——主循环泵压头，强制冷却系统取值范围 $0.09 \sim 0.10$ MPa；

η_{brp}——主循环泵液压部件效率，计算取值范围 $0.5 \sim 0.6$。

课后练习题

1. 请说出建立燃气轮机机组复杂系统和循环的通用方法。

2. 请说出再热式燃气轮机机组系统和循环的基本特性。

3. 在燃气轮机机组空气增压过程中增加空气中间冷却对机组效率指标和优化参数会产生哪些影响？

4. 请说明回热式燃气轮机机组系统和循环的基本特点。

5. 如何基于蒸汽余热回收系统建立燃气 – 蒸汽联合循环实现燃气轮机机组排气热量回收？

6. 请说明如何通过双工质并联型燃气 – 蒸汽联合循环实现燃气轮机机组排气热量回收。

7. 请说明回热式燃气轮机机组参数计算特点。

8. 请指出间冷式燃气轮机机组参数计算与简单循环燃气轮机机组计算的主要区别。

9. 请说出再热式燃气轮机机组参数计算的主要步骤。

10. 单压燃气 – 蒸汽联合循环燃气轮机机组参数计算有哪些主要特点？

11. 请分析一下双压燃气 – 蒸汽联合循环燃气轮机机组系统和循环的特点。

12. 双压燃气 – 蒸汽联合循环燃气轮机机组参数计算有哪些主要特点？

13. 请说明双工质并联型燃气 – 蒸汽联合循环燃气轮机机组循环和系统计算中的气汽混合气热物性计算方法的基本特点。

14. 请说出双工质并联型燃气 – 蒸汽联合循环燃气轮机机组热力循环设计计算主要步骤和基本原理。

15. 蒸汽回注式双工质并联型燃气 – 蒸汽联合循环燃气轮机机组热力系统校核计算有哪些特点？

第4章 初步方案设计阶段船用燃气轮机机组及其关键部件几何尺寸计算及布置方案选定

4.1 船用燃气轮机几何尺寸计算及布置方案选定

在设计初期阶段,需要通过几何尺寸计算和总体布置确定出燃气轮机机组的关键尺寸。首先,需要针对燃气轮机进行相关计算工作,确定压气机、燃烧室和涡轮径向及轴向尺寸,估算压气机和涡轮级数、转子转速和燃烧室火焰筒数量。然后,根据计算结果确定燃气轮机布置方案,并画出通流部分子午面图。图4.1所示为已经确定关键部件几何尺寸的直流燃烧室燃气轮机通流部分子午面图。

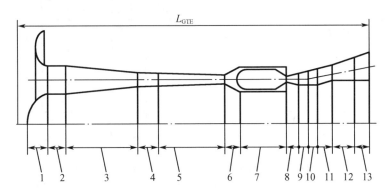

图4.1 直流燃烧室燃气轮机通流部分子午面图
1—进气设备双扭线型面段;2—压气机前机匣;3—低压压气机;4—压气机过渡段;
5—高压压气机;6—压气机后机匣;7—燃烧室;8—高压涡轮;9—高压涡轮支撑环;
10—低压涡轮;11—低压涡轮支撑环;12—动力涡轮;13—动力涡轮支撑环

在确定燃气轮机布置方案和绘制子午面图时,通常会以现有船用燃气轮机结构为母型,大致确定出压气机过渡段和涡轮支撑环几何尺寸与结构。在设计和布置燃气轮机时,应当尽量保证通流部分气流中线平滑,避免急剧折转。如果大幅改变机组各相连部件的中径尺寸,造成工质在燃气轮机气流流道内的流动方向发生急剧变化,会造成总压损失增加,继而降低燃气轮机机组整体运行效率。

总之,本书所关注的直流燃烧室燃气轮机长度参数可按下式计算:

$$L_{GTE} = L_{id} + L_{cfc} + \sum_{i=1}^{n} L_{c_i} + \sum_{i=1}^{n-1} L_{gc_i} + L_{crc} + L_{cc} + \sum_{j=1}^{m} L_{t_j} + \sum_{j=1}^{m} L_{fc_j}$$

式中　L_{id}——进气设备双扭线型面段长度;

L_{cfc}——压气机前机匣长度;

L_{c_i}——i 段压气机长度;

L_{gc_i}——i 段压气机过渡段长度;

L_{crc}——压气机后机匣长度;

L_{cc}——燃烧室长度;

L_{t_j}——j 段涡轮长度;

L_{fc_j}——j 段涡轮支撑环长度;

n——燃气轮机压气机段数;

m——燃气轮机涡轮段数。

有一点需要注意,无论设计何种用途的燃气轮机,直流布置燃气轮机始终都是首选方案。

然而,在俄罗斯燃气轮机制造领域,逆流(回流式)燃烧室燃气轮机同样得到了广泛应用(图4.2)。选用此类布置方案可使燃气轮机高压转子轴向尺寸得以大幅缩减,并将转子设计为双支撑结构,从而减小燃气轮机整体长度,提高燃气轮机运行可靠性,并减少支撑组件数量,简化燃气轮机结构。

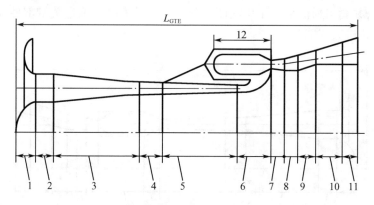

图4.2　回流燃烧室燃气轮机通流部分子午面图

1—进气设备双扭线型面段;2—压气机前机匣;3—低压压气机;4—压气机过渡段;
5—高压压气机;6—轴流径式扩压器;7—高压涡轮;8—低压涡轮;
9—低压涡轮支撑环;10—动力涡轮;11—动力涡轮支撑环;12—燃烧室

4.2　燃气轮机轴流式压气机几何尺寸计算

燃气轮机压气机几何尺寸计算应从低压压气机开始,从前往后依次进行。在进行压气机计算时,需要利用燃气轮机热力系统校核计算结果作为计算初始数据:

P_1——压气机进口空气总压,Pa;

P_2——压气机出口空气总压,Pa;

T_1——压气机进口空气总温,K;

T_2——压气机出口空气总温,K;

G_c——压气机进口截面空气流量,kg/s。

为压气机叶片选择加工材料,根据参考手册确定材料屈服极限 σ_c 和密度 ρ_{m_c}。推荐用钛合金作为低压压气机叶片加工材料,例如广泛使用的钛合金 BT3-1(σ_c 为 950～1 000 MPa,

$\rho_{m_c} = 4\ 540\ \text{kg/m}^3$)。推荐用钢材作为高压压气机叶片加工材料,例如最常使用的合金 X17H2 (σ_c 不低于 920 MPa, $\rho_{m_c} = 7\ 850\ \text{kg/m}^3$)、ЭИ696(σ_c 不低于 900 MPa, $\rho_{m_c} = 7\ 900\ \text{kg/m}^3$)等。

在选择压气机通流部分形状时,通常会考虑三种方案,如图 4.3 所示。

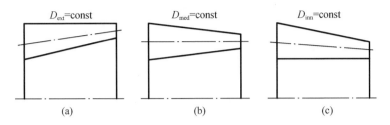

图 4.3　船用燃气轮机轴流式压气机通流部分形状

通流部分方案 1: D_{ext} = const,末级动叶片高度和燃气轮机压气机径向尺寸最小。

通流部分方案 2: D_{med} = const,通流部分型线收缩最平滑,是最常用的船用燃气轮机通流部分设计方案。

通流部分方案 3: D_{inn} = const,末级动叶片高度最大,常用于设计高压压气机。

在开始压气机计算前,首先确定进口轴向速度 C_{a_1} ,通常取 120 ~ 160 m/s。需要注意的是,为了尽可能缩减压气机径向尺寸,提高压气机级压头,应尽量提高压气机进口空气轴向流动速度。然而,这就意味着,随着进口轴向速度的提高,燃气轮机进口气动噪声也会相应升高,这显然不是设计人员想要看到的结果。

压气机进口轴向速度应与压气机转子进气截面外径圆周速度 U_{ext_1} 配合选取。多年的设计经验表明,要想设计出高效的压气机级,应当在 0.45 ~ 0.55 范围内选择压气机进口相对轴向速度 $\overline{C}_{a_1} = C_{a_1}/U_{ext_1}$ 。

设计人员所选取的压气机转子结构方案会直接影响圆周速度 U_{ext_1} 的取值。需要注意的是,轮盘式转子所能承受的圆周速度较大(动叶片叶顶最大圆周速度可达 390 m/s),而转鼓式转子所能承受的圆周速度较小(不超过 220 m/s)。目前,最通用的是轮盘 – 转鼓混合式转子。此处需要指出的是,迄今为止已经制造出来的实物转子 U_{ext_1} 值尚未超过 350 m/s。因此,在设计时可以按照以下原则设定圆周速度值。

(1)低压压气机: $280 < U_{ext_1} < 350$ m/s。

(2)高压压气机: $240 < U_{ext_1} < 340$ m/s。

可以利用已有的船用燃气轮机压气机设计制造经验设定压气机进口轮毂比 $\overline{d} = D_{inn_1}/D_{ext_1}$,即压气机转子进口截面内外径之比。本书推荐按以下方法选择。

(1)低压压气机: $0.40 < \overline{d} < 0.65$;

(2)高压压气机: $0.70 < \overline{d} < 0.85$ 。

在选择轮毂比时,功率 10 ~ 25 MW 以上的大功率燃气轮机应当选择较小的轮毂比,而功率较小的燃气轮机则应当选择较大的轮毂比。

计算第一步:确定压气机进口截面几何尺寸。根据之前给出的建议设定进口截面圆周速度 U_{ext_1} 和相对轴向速度 $\overline{C}_{a_1}$,计算出燃气轮机进口轴向速度绝对值:

$$C_{a_1} = \overline{C}_{a_1} U_{ext_1}$$

燃气轮机进口轴向速度计算结果不应超出推荐范围。

压气机进口截面速度系数：

$$\lambda_{Ca_1} = \frac{C_{a_1}}{\sqrt{2\dfrac{k_{a_1}}{k_{a_1}+1}R_a T_1}}$$

式中，k_{a_1} 为按前文方法针对温度 T_1 求得的空气绝热指数。

气动函数：

$$q(\lambda_{Ca_1}) = \lambda_{Ca_1}\left[\frac{k_{a_1}+1}{2}\left(1 - \frac{k_{a_1}-1}{k_{a_1}+1}\lambda_{Ca_1}^2\right)\right]^{\frac{1}{k_{a_1}-1}} \tag{4.1}$$

根据压气机进口截面连续方程，确定截面环形面积：

$$F_1 = \frac{G_c\sqrt{T_1}}{\sqrt{\dfrac{k_{a_1}}{R_a}\left(\dfrac{2}{k_{a_1}+1}\right)^{\frac{k_{a_1}+1}{k_{a_1}-1}}}P_1 q(\lambda_{Ca_1})} \quad (\text{m}^2)$$

按选定的轮毂比，计算压气机进口截面外径：

$$D_{ext_1} = \sqrt{\frac{4F_1}{\pi(1-\bar{d}^2)}}$$

式中，$\pi = 3.1416$。

压气机进口内径：

$$D_{inn_1} = D_{ext_1}\bar{d}$$

压气机进口中径：

$$D_{med_1} = \frac{D_{ext_1}+D_{inn_1}}{2}$$

压气机1级动叶片叶高：

$$l_{c_1} = \frac{D_{ext_1}-D_{inn_1}}{2}$$

压气机转子转速：

$$n_c = \frac{60U_{ext_1}}{\pi D_{ext_1}} \quad (\text{r/min})$$

1级动叶片根截面拉伸应力（等截面叶片）：

$$\sigma_{c_1} = 9.8\left(\frac{\rho_{m_c}}{7\,850}\right)n_c^2 F_1 \quad (\text{Pa})$$

式中 n_c——压气机转子转速，r/min；

ρ_{m_c}——叶片材料密度，kg/m³；

F_1——进口截面环形面积，m²。

1级动叶片安全系数：

$$k_{st_1} = \frac{\sigma_c}{\sigma_{c_1}} \geqslant (1.6 \sim 2.0)$$

式中，σ_c 为1级动叶片材料强度极限。

接下来,开始进行压气机出口截面几何尺寸计算。首先设定压气机出口轴向速度 $C_{a_2} = (100 \sim 140)\,\text{m/s}$。压气机出口轴向速度应当与进口轴向速度配合取值。通常情况下,在设计压气机时要保证轴向速度沿气流流道方向略有降低,故此通常取 $C_{a_2} = (0.9 \sim 1.0)C_{a_1}$。

压气机出口截面速度系数:

$$\lambda_{Ca_2} = \frac{C_{a_2}}{\sqrt{2\dfrac{k_{a_2}}{k_{a_2}+1}R_a T_2}}$$

式中,k_{a_2} 为按照上文方法针对温度 T_2 求得的空气绝热指数。

与进口截面的计算方法基本相同,利用式(4.1)计算出气动函数:

$$q(\lambda_{Ca_2}) = \lambda_{Ca_2}\left[\frac{k_{a_2}+1}{2}\left(1 - \frac{k_{a_2}-1}{k_{a_2}+1}\lambda_{Ca_2}^2\right)\right]^{\frac{1}{k_{a_2}-1}}$$

按照气动函数表建立连续方程,计算压气机出口截面环形通道面积:

$$F_2 = \frac{G_c\sqrt{T_2}}{\sqrt{\dfrac{k_{a_2}}{R_a}\left(\dfrac{2}{k_{a_2}+1}\right)^{\frac{k_{a_2}+1}{k_{a_2}-1}}}P_2 q(\lambda_{Ca_2})} \quad (\text{m}^2)$$

按表4.1所列公式,根据所选通流部分形状计算出口截面径向几何尺寸。

表4.1 截面外形尺寸计算公式

$D_{ext} = \text{const}$	$D_{med} = \text{const}$	$D_{inn} = \text{const}$
$D_{ext_2} = D_{ext_1}$	$D_{med_2} = D_{med_1}$	$D_{inn_2} = D_{inn_1}$
$D_{inn_2} = \sqrt{D_{ext_2}^2 - \dfrac{4F_2}{\pi}}$	$D_{inn_2} = D_{med_2} - \dfrac{F_2}{\pi D_{med_2}}$	$D_{ext_2} = \sqrt{D_{inn_2}^2 + \dfrac{4F_2}{\pi}}$
$D_{med_2} = \dfrac{D_{ext_2} + D_{inn_2}}{2}$	$D_{ext_2} = D_{med_2} + \dfrac{F_2}{\pi D_{med_2}}$	$D_{med_2} = \dfrac{D_{ext_2} + D_{inn_2}}{2}$

压气机末级动叶片叶高通用计算公式:

$$l_{c_2} = \frac{D_{ext_2} - D_{inn_2}}{2} \tag{4.2}$$

式(4.2)求得的压气机末级动叶片叶高应当不小于 25 mm。如果叶片几何尺寸小于该范围,末级能量损失将大幅增加,压气机整体效率也会明显降低。

如需增加末级动叶片高度,可采取以下措施:

(1)在允许范围内减小压气机进口轮毂比;

(2)改变通流部分形状;

(3)在允许范围内减小压气机出口轴向速度。

将级增压比 π_{st_c} 设定为平均统计值,估算轴流式压气机级数。根据多年积累的船燃气轮机轴流式压气机结构设计经验,我们可以推荐以下方案:

(1)低压压气机:$\pi_{st_c} = (1.22 \sim 1.24)$。

(2)高压压气机:$\pi_{st_c} = (1.15 \sim 1.17)$。

将下式计算结果取整,确定压气机级数:

$$Z_c = \text{integer} \frac{\lg \pi_c}{\lg \pi_{st_c}}$$

在估算多级压气机轴向几何尺寸时,首先需要确定出一个中间计算级的轴向尺寸。该中间计算级的环形面积可按下式计算:

$$F_{av_c} = \frac{F_1 + F_2}{2}$$

然后,将计算结果乘以压气机级数。根据所选压气机通流部分形状,按表 4.1 计算公式,代入 F_{av_c} 值,得出该中间计算级径向尺寸,$D_{ext_{av}}$,$D_{med_{av}}$,$D_{inn_{av}}$,然后求出该级动叶片叶高 $l_{c_{av}}$。

在建立计算模型之前,首先需要绘制出轴流式压气机中间级通流部分结构草图,如图 4.4 所示。从中间计算级通流部分草图可以看出,该级轴向几何尺寸可按下式计算:

$$L_{st_c} = b_{rb} + \delta_{rb} + b_{gb} + \delta_{gb} \tag{4.3}$$

式中 b_{rb},b_{gb}——分别为压气机级动叶栅和导向叶栅轴向宽度;

δ_{rb}——级内动叶栅和导向叶栅轴向间隙;

δ_{gb}——导向叶栅与次级动叶栅轴向间隙。

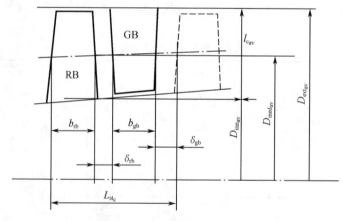

图 4.4 轴流式压气机中间计算级通流部分简图
RB—动叶片;GB—导向叶片

根据已建立的数学模型,为了便于记录和使用所设计的轴流式压气机结构统计数据,我们在公式中应用了以下概念:

$\left(\dfrac{b}{l} \right)$——压气机叶栅相对宽度;

$\left(\dfrac{\delta}{l} \right)$——压气机级内相对轴向间隙。

此时,压气机中间计算级的计算公式可以改写为

$$L_{st_c} = \left(\frac{b}{l} \right)_{rb} l_{c_{av}} + \left(\frac{\delta}{l} \right)_{rb} l_{c_{av}} + \left(\frac{b}{l} \right)_{gb} l_{c_{av}} + \left(\frac{\delta}{l} \right)_{gb} l_{c_{av}}$$

对式子进行整理,最终可以得到下式:

$$L_{st_c} = l_{c_{av}} \left[\left(\frac{b}{l} \right)_{rb} + \left(\frac{\delta}{l} \right)_{rb} + \left(\frac{b}{l} \right)_{gb} + \left(\frac{\delta}{l} \right)_{gb} \right] \tag{4.4}$$

式中 $\left(\dfrac{b}{l} \right)_{rb}$ ——动叶栅相对宽度;

$\left(\dfrac{b}{l} \right)_{gb}$ ——导向叶栅相对宽度;

$\left(\dfrac{\delta}{l} \right)_{rb}$ ——级内动叶栅和导向叶栅相对轴向间隙;

$\left(\dfrac{\delta}{l} \right)_{gb}$ ——导向叶栅与次级动叶栅相对轴向间隙。

在计算过程中,我们还引入了另外一个"压气机级叶片相对叶高"概念,即级中径与级内动叶片叶高之比:

$$\vartheta_{b_c} = \frac{D_{med}}{l_{rb_c}}$$

由现有的压气机结构统计数据分析结果可以看出,在式(4.4)的压气机级相对几何参数与级内叶片相对叶高之间能够找到某种函数关系。

为了进行燃气轮机结构自动化设计和几何尺寸计算,我们对已知船用燃气轮机压气机结构数据进行了统计和分析,得出了相关参数的范围区间及其拟合关系曲线。下文所列数据仅适用于压气机级叶片相对叶高在 $2.0 \leqslant \vartheta_{b_c} \leqslant 20$ 范围内的压气机级。在以苏制第三代和第四代机组为原型机设计新型发动机时,我们建议可以利用这些数据进行几何尺寸计算。

在确定出压气机级叶片相对叶高后,可根据以下拟合公式计算求出上述各项参数:

$$\left(\frac{b}{l} \right); \left(\frac{\delta}{l} \right) = A_0 + A_1 \vartheta_{b_c} + A_2 \vartheta_{b_c}^2 + A_3 \vartheta_{b_c}^3 \tag{4.5}$$

式(4.4)相关参数范围及拟合多项式(4.5)各项系数详见表4.2。

表 4.2 拟合关系曲线系数

参数	范围	A_0	A_1	A_2	A_3
$\left(\dfrac{b}{l} \right)_{rb}$	0.30 ~ 0.72	0.383 884	0.006 937	0.000 638	-0.3×10^{-5}
$\left(\dfrac{b}{l} \right)_{gb}$	0.28 ~ 0.70	0.310 897	0.011 753	0.000 183	0.11×10^{-4}
$\left(\dfrac{\delta}{l} \right)_{rb}$	0.10 ~ 0.35	0.125 26	0.001 579	0.000 334	0.13×10^{-4}
$\left(\dfrac{\delta}{l} \right)_{gb}$	0.09 ~ 0.32	0.088 858	0.004 524	0.000 218	0.13×10^{-4}

压气机通流部分轴向几何尺寸:

$$L_c = L_{st_c} Z_c \tag{4.6}$$

如果在压气机通流部分子午面图上不需要详细标出各级结构参数,则可以选择另外一种途径,通过压气机级相对宽度大致给出压气机各级信息,如此便可大幅缩减设计工作量。

式(4.4)可改写为

$$L_{st_c} = l_{c_{av}} \bar{L}_{st_c} \tag{4.7}$$

在相同的假设条件下,按与式(4.5)相似的拟合公式计算出式(4.7)的压气机级相对宽度:

$$\bar{L}_{st_c} = 0.873\ 53 + 0.026\ 04\vartheta_{b_c} + 0.000\ 92\vartheta_{b_c}^2 + 0.000\ 04\vartheta_{b_c}^3$$

压气机整体通流部分轴向几何尺寸同样按式(4.6)计算。

根据计算结果,在坐标纸上按适当比例绘出压气机通流部分子午面图(图4.5),并协调匹配压气机出口截面和进口截面几何尺寸,保证燃气轮机通流部分气流中线平滑流畅。

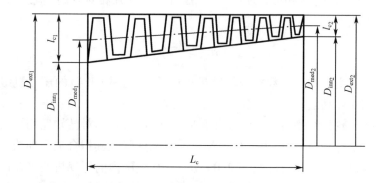

图4.5 燃气轮机压气机通流部分子午面图

压气机过渡段、压气机前机匣和进气设备双扭线型面段的外形尺寸可按照原型机结构方案通过结构方法确定。如果无法确定原型,则可按照以下式子估算轴向几何尺寸。

进气设备双扭线型面段长度可根据低压压气机进口外径 D_{ext_1}:

$$L_{id} = (0.16 \sim 0.22)D_{ext_1}$$

压气机前机匣轴向尺寸计算公式基本同上:

$$L_{cfc} = (0.42 \sim 0.48)D_{ext_1}$$

压气机过渡段长度可根据低压压气机出口外径 D_{ext_2} 按下式计算:

$$L_{gc} = (0.32 \sim 0.42)D_{ext_2}$$

4.3 燃气轮机燃烧室几何尺寸计算

燃气轮机燃烧室几何尺寸计算所利用的燃烧室结构统计数据反映了业界多年来积累的船用燃气轮机设计改进经验。本书将以燃气轮机环管式燃烧室计算为例进行介绍。

船用燃气轮机通常采用两种类型的环管式燃烧室:直流式和回流式。在直流燃烧室中,空气从高压压气机进入轴流式扩压器,然后流经火焰筒头部设备,之后流入环形通道(图4.6)。在设计此类燃烧室时,应尽量保证火焰筒中径恰好将内外罩壳之间的环形面积等分成两份,这样才能确保二次空气均匀流入火焰筒内部,从而在燃烧室出口建立起均匀温度场。

环管式回流燃烧室(图4.7)通常布置在高压压气机后部上方。

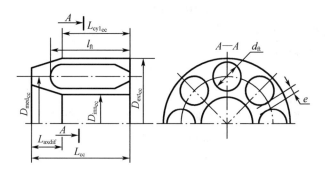

图 4.6 燃气轮机环管式直流燃烧室简图

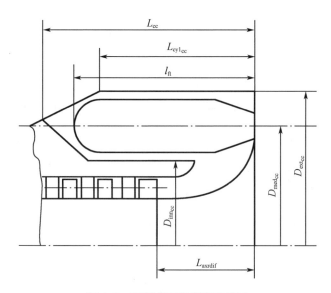

图 4.7 环管式回流燃烧室简图

回流燃烧室中的空气在进入火焰筒头部设备之前先完成 360 度转向:在轴流径向扩压器和内外罩壳之间的环形通道内旋转 180 度,然后在通过头部设备进入火焰筒时再旋转 180 度。空气流在火焰筒间猛烈的湍流运动有助于二次气流在火焰筒内的均匀分布。火焰筒布置中径通常取几何平均尺寸。

燃气轮机额定工况热力计算输出参数即为燃烧室计算输入参数:

$P_{1_{cc}}$——燃烧室进口空气总压,Pa;

$T_{1_{cc}}$——燃烧室进口空气总温,K;

G_{f_h}——燃烧室每小时燃料消耗量,kg/h;

$G_{a_{cc}}$——燃烧室空气流量,kg/s;

$G_{a_{dif}}$——扩压器出口空气流量,kg/s;

η_{cc}——燃烧效率;

H_u——所选燃料计算低热值,kJ/kg;

L_0——化学当量空气量,kg/kg。

根据船用燃气轮机燃烧室设计经验,火焰筒容积热强度应当在以下范围内取值:

$$Q_V = 500 \sim 1\ 100 \quad kJ \cdot m^{-3} \cdot h^{-1} \cdot Pa^{-1}$$

直流燃烧室容积热强度取较小值,而回流燃烧室容积热强度取较大值。

燃烧室火焰筒总容积:

$$V_{ft} = \frac{H_u G_{f_h} \eta_{cc}}{Q_V P_{1_{cc}}}$$

初步选择火焰筒数量,然后针对不同方案进行计算。根据燃烧室结构特点、燃气轮机功率和参数等级,推荐在 $n_{ft} = 8 \sim 20$ 范围内选取燃烧室火焰筒数量。

单个火焰筒容积:

$$v_{ft} = \frac{V_{ft}}{n_{ft}}$$

火焰筒直径:

$$d_{ft} = \sqrt[3]{\frac{4 v_{ft}}{a \pi \bar{l}}} \tag{4.8}$$

式中　a——火焰筒结构系数,计算取值 $a = 0.7$;

$\bar{l}$——火焰筒相对长度,取值范围 $3.0 \sim 4.0$,常用值范围 $3.00 \sim 3.65$。

火焰筒长度:

$$l_{ft} = d_{ft} \bar{l}$$

相邻火焰筒安装间隙计算值取值范围:

$$e = (0.07 \sim 0.25) d_{ft}$$

回流燃烧室的安装间隙应当在该范围内取较大值。

火焰筒安装中径:

$$D_{med_{cc}} = \frac{d_{ft} + e}{\sin \dfrac{180°}{n_{ft}}} \tag{4.9}$$

直流燃烧室的计算进行到当前阶段,已经具备从多个火焰筒数量计算方案中选取可行方案的基本条件。在选择可行方案时,应当满足下式:

$$D_{med2hpc} \leqslant D_{med_{cc}} \leqslant 1.15 D_{med2hpc}$$

回流燃烧室则必须满足 $D_{med_{cc}} \gg D_{med2hpc}$ 条件。此外,燃烧室内罩壳直径应当大于高压压气机外径,而且其间应当留有 $20 \sim 30$ mm 结构间隙。由于内罩壳直径尚未最终确定,因此回流燃烧室的方案计算还要继续进行。

如果式(4.9)的计算结果 $D_{med_{cc}}$ 无法满足要求,则需在规定范围内相应减小 Q_V 参数值,然后重新进行方案计算。

火焰筒头部设备主燃空气(一次空气)流量:

$$G_{pa} = \frac{\alpha_p G_{f_h} L_0}{3\ 600} \tag{4.10}$$

在式(4.10)中,火焰筒一次主燃区余气系数可取 $\alpha_p = (1.10 \sim 1.25)$。

火焰筒外部空气流量:

$$G_{sa} = G_{a_{dif}} - G_{pa}$$

接下来,根据所选火焰筒结构类型,按以下方法继续进行计算:

直流燃烧室:在 $W_{cc} = 20 \sim 45$ m/s 范围内选取火焰筒外部气流轴向速度,计算气动函数,即

$$\lambda_w = \frac{W_{cc}}{\sqrt{2 \dfrac{k_{a_2}}{k_{a_2} + 1} R T_{1_{cc}}}}$$

以及

$$q(\lambda_w) = \lambda_w \left[\frac{k_{a_2} + 1}{2} \left(1 - \frac{k_{a_2} - 1}{k_{a_2} + 1} \lambda_w^2 \right) \right]^{\frac{1}{k_{a_2} - 1}}$$

式中,k_{a_2} 为之前求得的 T_2 温度下高压压气机出口截面空气绝热指数。

火焰筒间环形气流通道截面总面积:

$$F_{cc_{fr}} = \frac{G_{sa} \sqrt{T_{1_{cc}}}}{\sqrt{\dfrac{k_{a_2}}{R} \left(\dfrac{2}{k_{a_2} + 1} \right)^{\frac{k_{a_2} + 1}{k_{a_2} - 1}}} P_{1_{cc}} q(\lambda_w)}$$

火焰筒所占环形通道截面积:

$$F_{cc_{ft}} = \frac{\pi d_{ft}^2}{4} n_{ft} \tag{4.11}$$

环形通道截面总面积:

$$F_{cc_\Sigma} = F_{cc_{fr}} + F_{cc_{ft}}$$

燃烧室外壳直径:

$$D_{eet_{cc}} = \sqrt{D_{med_{cc}}^2 + \frac{2F_{cc_\Sigma}}{\pi}}$$

燃烧室内壳直径:

$$D_{inn_{cc}} = \sqrt{D_{med_{cc}}^2 - \frac{2F_{cc_\Sigma}}{\pi}}$$

燃烧室轴流扩压器长度:

$$L_{axdif} = (0.4 \sim 0.5) D_{med2hpc}$$

燃烧室筒体长度:

$$L_{cyl_{cc}} = \frac{l_{ft}}{b}$$

式中,$b = 1.10 \sim 1.14$ 为结构系数。

直流燃烧室轴向几何尺寸:

$$L_{cc_\Sigma} = L_{axdif} + L_{cyl_{cc}}$$

回流燃烧室:按照式(4.11)计算火焰筒所占环形通道总面积。

根据曙光—机械设计科研生产联合企业针对乌克兰国产(苏制)燃气轮机所作的统计数据,燃烧室环形通道总面积:

$$F_{cc_\Sigma} = (2.2 \sim 2.5) F_{cc_{ft}}$$

燃烧室外壳直径:

$$D_{\text{ext}_{\text{cc}}} = D_{\text{med}_{\text{cc}}} + \frac{F_{\text{cc}_{\Sigma}}}{\pi D_{\text{med}_{\text{cc}}}}$$

燃烧室内壳直径：

$$D_{\text{inn}_{\text{cc}}} = D_{\text{med}_{\text{cc}}} - \frac{F_{\text{cc}_{\Sigma}}}{\pi D_{\text{med}_{\text{cc}}}}$$

燃烧室轴流径向扩压器长度：

$$L_{\text{axr. dif}} = (0.28 \sim 0.56) D_{\text{med}_{2\text{hpc}}}$$

回流燃烧室轴向几何尺寸：

$$L_{\text{cc}_{\Sigma}} = (1.10 \sim 1.16) L_{\text{ft}}$$

4.4 燃气轮机轴流式涡轮几何尺寸计算

根据燃气轮机热力系统额定工况计算结果,我们可以得到涡轮几何尺寸计算输入参数：

G_{t_1}——涡轮进口燃气流量,kg/s；

G_{aco}——涡轮冷却空气流量,kg/s；

T_3——涡轮进口燃气总温,K；

T_4——涡轮出口燃气总温,K；

P_3——涡轮进口燃气总压,Pa；

P_4——涡轮出口燃气总压,Pa；

c_{p_g}, k_g, R_g——燃气热物性；

η_t——涡轮总参数绝热效率。

涡轮转子转速 n_t 需要根据耗功设备转子额定转速设定。燃气轮机压气机驱动涡轮转速则应该根据压气机几何尺寸计算结果设定。现代燃气轮机通用转速范围如下。

低压压气机：$n_c = (5\ 000 \sim 8\ 000)$ r/min。

高压压气机：$n_c = (7\ 000 \sim 11\ 000)$ r/min。

由以上两组数字我们可以发现,高压压气机转子转速总是比低压压气机转子转速高 $1\ 000 \sim 2\ 000$ r/min(俗称转子"滑差")。

自由动力涡轮转速需要根据螺旋桨转速 n_p 和减速器传动比确定数值。通常情况下,商船螺旋桨转速为 $n_p = (105 \sim 140)$ r/min,而减速器传动比为 $15 \sim 35$。根据以上两个参数,可将该商船燃气轮机动力涡轮转速 n_{pt} 确定在 $3\ 500 \sim 4\ 500$ r/min 范围内。需要注意的是,军用舰船上安装的螺旋桨转速比较高,故此舰用燃气轮机动力涡轮转速 n_{pt} 可能会超出这一范围。

用于驱动直流发电机的动力涡轮转子转速由发电机转速决定,而发电机转速 n_{gt} 则由线圈极对数和电流频率决定。通常情况下,在浮动电站、模块化电站和发电列车等项目上安装的大功率 50 Hz 交流发电机机组转速为 $n_{\text{gt}} = 3\ 000$ r/min,60 Hz 机组转速为 $n_{\text{gt}} = 3\ 600$ r/min。

天然气增压机组驱动燃气轮机的涡轮转速 n_{bt} 通常等于增压机额定转速,基本范围 $3\ 500 \sim 5\ 300$ r/min。

在当前计算阶段,设计人员需要确定出涡轮冷却级和非冷却级动叶片的加工材料。在苏制船用燃气轮机中,下列几个合金牌号得到了最为广泛的应用:ЧС70、ЧС88、ЭП539 及其改型产品、ЖС6К(用于煤油燃气轮机)。动力涡轮非冷却级还可以使用 ЭИ826 和 ЭИ617 合金加工。

根据绘制出的低压压气机、高压压气机和燃烧室通流部分子午面图,可以大致确定出高压涡轮进口中径。如图 4.8 所示为几种可行的高压涡轮及燃烧室布置方案。

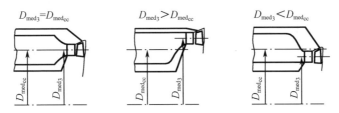

图 4.8 几种可行的高压涡轮及燃烧室布置方案

低压涡轮和动力涡轮进口中径通常根据燃气轮机涡轮整体布置方案确定。低压涡轮进口中径可以等于高压涡轮出口中径,或者在高压涡轮出口中径基础上增加 5% ~ 20%。动力涡轮进口中径比低压涡轮出口中径大 10% ~ 25%。

在估算一级涡轮参数及其进口截面几何尺寸时,可以根据燃气轮机热力系统校核计算结果指定涡轮级数,或者按下式估算涡轮级数:

$$Z_{\mathrm{T}} = \mathrm{integer}\, \frac{\lg T_4 - \lg T_3}{\lg\left[1 - \left(\dfrac{\Delta T}{T}\right)_{\mathrm{st}}\right]} \tag{4.12}$$

式中,$\left(\dfrac{\Delta T}{T}\right)_{\mathrm{st}}$ 为涡轮级相对温降,$\left(\dfrac{\Delta T}{T}\right)_{\mathrm{st}} = (0.11 \sim 0.12)$。

需要强调一点,式(4.12)是以燃气涡轮级平均负荷为基础得到的计算公式,只能作为定性判别工具。上文已经介绍过,在实际设计高温燃气轮机时,高压涡轮和低压涡轮通常都设计为单级结构,尽管这样会牺牲一定的经济性,但却可以尽量减少冷却叶环的数量。与此同时,负责驱动螺旋桨、交流发电机和天然气增压机的动力涡轮都采用多级结构,级数通常为 3 ~ 5 级或以上,具体的级数由驱动对象的优化转速决定。

估算涡轮等熵焓降:

$$H_a^* = (1 + \xi_{\mathrm{out}}) c_{p_{\mathrm{g}}} \frac{\Delta T_{\mathrm{t}}}{\eta_{\mathrm{t}}}$$

式中,ξ_{out} 为出口气流速度损失系数,$\xi_{\mathrm{out}} = (0.03 \sim 0.05)$。

一次近似给定涡轮一级动叶片相对叶高。此处提及的叶片相对叶高是指级中径与动叶片叶高之比,即

$$\vartheta_{\mathrm{t}_1} = \frac{D_{\mathrm{med}_3}}{l_{\mathrm{rb}_{\mathrm{t}}}}$$

各主要涡轮部件一次近似相对叶高推荐取值范围:

(1)高压涡轮,$\vartheta_{\mathrm{t}_1} = (10 \sim 14)$;

(2)低压涡轮,$\vartheta_{\mathrm{t}_1} = (6 \sim 8)$;

(3)动力涡轮,$\vartheta_{\mathrm{t}_1} = (5 \sim 6)$。

在后续计算中,还要对该参数进行精确计算。

根据下式估算一级中径反动度：

$$\rho_1 = \rho_{ro} + \frac{2\vartheta_{t_1} - 1}{\vartheta_{t_1}^2} \tag{4.13}$$

式中，ρ_{ro} 为叶根反动度，计算取值范围：高压涡轮，$\rho_{ro} = (0.05 \sim 0.15)$；低压涡轮，$\rho_{ro} = (0.05 \sim 0.10)$；动力涡轮，$\rho_{ro} = (0.0 \sim 0.05)$。请注意：按照式(4.13)计算得到的涡轮中径反动度不能超过 0.5。

一级喷嘴叶栅出口燃气速度：

$$C_1 = \varphi_{nb_1} \sqrt{2\frac{H_a^*}{Z_t}(1 - \rho_1)}$$

式中，φ_{nb_1} 为涡轮一级喷嘴叶栅速度系数，$\varphi_{nb_1} = (0.97 \sim 0.98)$。

计算气动函数：

$$\lambda_{C_1} = \frac{C_1}{\sqrt{2\dfrac{k_{g3}}{k_{g3} + 1}R_g T_3}}$$

式中，k_{g3} 为按前文计算方法针对温度 T_3 求得的燃气绝热指数。

为了保证一级喷嘴叶栅燃气流出速度不超过音速，λ_{C_1} 值应当小于 1。

一级喷嘴叶栅燃气无量纲流量气动函数：

$$q(\lambda_{C_1}) = \lambda_{C_1}\left[\frac{k_{g3} + 1}{2}\left(1 - \frac{k_{g3} - 1}{k_{g3} + 1}\lambda_{C_1}^2\right)\right]^{\frac{1}{k_{g3} - 1}}$$

可根据一级喷嘴导向器出口截面连续方程按下式计算确定出口截面环形面积：

$$F_{3nb} = \frac{G_t \sqrt{T_3}}{\sqrt{\dfrac{k_{g3}}{R_g}\left(\dfrac{2}{k_{g3} + 1}\right)^{\frac{k_{g3} + 1}{k_{g3} - 1}}} P_3 q(\lambda_{C_1}) \sin \alpha_{1.1}} \tag{4.14}$$

式(4.14)中的一级喷嘴出口气流角取值范围：

(1)高压涡轮，$\alpha_{1.1} = (14 \sim 16)$；

(2)低压涡轮，$\alpha_{1.1} = (16 \sim 20)$；

(3)动力涡轮，$\alpha_{1.1} = (18 \sim 25)$。

一级喷嘴叶片叶高：

$$l_{nb_1} = \frac{F_{3nb}}{\pi D_{med_3}} \tag{4.15}$$

按式(4.15)计算得到的一级喷嘴叶片叶高应当不小于 20 mm。如果叶片高度不满足该要求，应当相应减小出口气流角 $\alpha_{1.1}$，或者在燃气轮机整体布置方案允许的范围内选取更小的 D_{med_3} 值，然后重新进行计算。

一级动叶片叶高：

$$l_{rb_1} = (1.0 \sim 1.05)l_{nb_1}$$

校核后的一级动叶片相对叶高：

$$\vartheta_{t_1} = \frac{D_{med_3}}{l_{rb_1}} \tag{4.16}$$

如果式(4.16)得到的ϑ_{t_1}计算结果与计算初期代入的一次近似值偏差超过10%,则应当返回计算式(4.13),进行二次近似计算,然后将精确计算结果代入式子重新进行计算。

一级涡轮优化特性$\left(\dfrac{U}{C_1}\right)$:

$$\nu_{opt} = \frac{\cos \alpha_{1.1}}{2(1 - \rho_1)}$$

级中径圆周速度:

$$U_3 = \frac{\pi D_{med_3} n_t}{60}$$

式中,n_t为涡轮转子转速,r/min。

一级涡轮实际特性$\left(\dfrac{U}{C_1}\right)$:

$$\nu_{re} = \frac{U_3}{C_1}$$

ν_{opt}与ν_{re}值之差应当不超过5% ~ 10%。如果差值超过该范围,修正$\alpha_{1.1}$,ρ_{ro},D_{med_3},n_t,力求满足以下关系式:

$$0.90 \leqslant \frac{\nu_{opt}}{\nu_{re}} \leqslant 1.10 \tag{4.17}$$

假设一级喷嘴叶片进气边和出气边尺寸相同,计算得出涡轮进口截面外径:

$$D_{ext_3} = D_{med_3} + l_{nb_1}$$

进口截面内径:

$$D_{inn_3} = D_{med_3} - l_{nb_1}$$

在当前计算阶段,需要针对所选动叶片加工材料的持久强度极限$\sigma_{3\tau}^{T_{m3}}$估算出一级动叶片安全系数,并初步估算出一级动叶片对强度要求最大的根截面材料温度T_{m_3}。

(1)冷却叶片:$T_{m_3} = T_p$。

(2)非冷却叶片:考虑叶片向轮盘导热过程对叶片温度的影响,按下式计算。

$$T_{m_3} = T_3 - \frac{U_3^2}{2c_{p_g}}\left(\frac{2\cos \alpha_{1.1}}{\nu_{re}} - 1\right) - \Delta T_{co_d}$$

式中 ΔT_{co_d}——动叶片根截面因叶片持续向轮盘导热而出现的温降,$\Delta T_{co_d} = (50 ~ 80)$K;

c_{p_g}——燃气质量定压热容,J/(kg·K)。

可根据涡轮动叶片预期寿命(船用燃气轮机、电站燃气轮机或其余类型民用燃气轮机不低于10 000小时),或者舰用燃气轮机设计技术任务书约定寿命对应的参考数据求取未知量$\sigma_{3\tau}^{T_{m3}}$。表4.3所列为部分燃气轮机叶片和轮盘材料的持久强度$\sigma_\tau^{T_m}$相关数据(寿命τ = 10 000小时)。

可按B.C.曼德尔提出的等截面叶片计算公式确定一级动叶片安全系数。由于涡轮动叶片截面积从叶根到叶顶逐渐减小,故此叶片实际安全系数比公式计算结果要高出15% ~ 20%。

$$k_{st_3} = \frac{\sigma_{3\tau}^{T_{m3}}}{9.8\left(\dfrac{\rho_{m_3}}{7\,850}\right)n_t^2 F_{3nb}} \tag{4.18}$$

式中 n_t——涡轮轴转速,r/min;

ρ_{m_3}——叶片材料密度,kg/m³;

$F_{3_{nb}}$——一级喷嘴导向器出口截面环形面积,m²。

式(4.18)计算得到的涡轮动叶片安全系数应当不低于 1.5~2.0。如果计算结果不满足该要求,则需要重新选择强度特性更好的动叶片材料,或者降低叶片金属材料允许温度。如果选择第二种方案,必然要相应提高涡轮冷却空气流量。

表 4.3 燃气轮机涡轮加工材料持久强度 单位:MPa

材料	密度 /(kg·m⁻³)	材料温度/K						
		850	900	950	1 000	1 050	1 100	1 150
ЭП539	8 300	645	542	440	330	228	148	80
ЭИ826	8 400	565	475	385	292	198	127	60
ЭИ437Б	8 200	430	395	280	160	108	65	—

在进行出口截面几何尺寸计算时,首先应当估算出涡轮预期出口轴向速度:

$$C_{ax_4} = (1.1 \sim 1.35)C_1 \sin \alpha_{1.1} \tag{4.19}$$

在按照式(4.19)分别进行高压涡轮、低压涡轮和动力涡轮计算时,定常系数取值应依次减小。各涡轮推荐系数如下。

(1)高压涡轮:1.20~1.35。

(2)低压涡轮:1.15~1.25。

(3)动力涡轮:1.10~1.20。

求解涡轮出口截面气动函数:

$$\lambda_{C_{ax_4}} = \frac{C_{ax_4}}{\sqrt{2\dfrac{k_{g_4}}{k_{g_4}+1}R_g T_4}}$$

式中,k_{g_4} 为按前文推荐方法针对 T_4 温度求得的燃气绝热指数。

求解气动函数:

$$q(\lambda_{C_{ax_4}}) = \lambda_{C_{ax_4}}\left[\frac{k_{g_4}+1}{2}\left(1-\frac{k_{g_4}-1}{k_{g_4}+1}\lambda_{C_{ax_4}}^2\right)\right]^{\frac{1}{k_{g_4}-1}}$$

涡轮出口截面环形面积计算公式如下,式中已经考虑冷却空气进入通流部分对截面的影响:

$$F_4 = \frac{(G_t + G_{co.a})\sqrt{T_4}}{\sqrt{\dfrac{k_{g_4}}{R_g}\left(\dfrac{2}{k_{g_4}+1}\right)^{\frac{k_{g_4}+1}{k_{g_4}-1}}}P_4 q(\lambda_{C_{ax_4}})}$$

涡轮末级动叶片根截面安全系数可按式(4.20)计算。该式与式(4.18)结构基本相似:

$$k_{st_4} = \frac{\sigma_{4_\tau}^{T_{m_4}}}{9.8\left(\dfrac{\rho_{m_4}}{7\,850}\right)n_t^2 F_4} \tag{4.20}$$

按式(4.20)计算求得的末级动叶片安全系数同样不能小于1.5。

按一级叶片寿命指标计算确定末级动叶片材料持久强度极限 $\sigma_{4_\tau}^{T_{m_4}}$。计算温度 T_{m_4} 如下。

(1)冷却叶片: $T_{m_4} = T_p$。

(2)非冷却叶片: $T_{m_4} = (1.06 \sim 1.08)T_4$。

可根据所选通流部分形状按表4.4所列公式计算涡轮出口截面其余几何尺寸特性指标。表4.4中所列各计算公式结构与前文轴流式压气机几何尺寸计算公式基本相同。此处,我们仅介绍三种类型涡轮通流部分: $D_{ext} = \text{const}$, $D_{med} = \text{const}$, $D_{inn} = \text{const}$。

表4.4　截面几何尺寸计算公式

$D_{ext} = \text{const}$	$D_{med} = \text{const}$	$D_{inn} = \text{const}$
$D_{ext_4} = D_{ext_3}$	$D_{med_4} = D_{med_3}$	$D_{inn_4} = D_{inn_3}$
$D_{inn_4} = \sqrt{D_{ext_4}^2 - \dfrac{4F_4}{\pi}}$	$D_{inn_4} = D_{med_4} - \dfrac{F_4}{\pi D_{med_4}}$	$D_{ext_4} = \sqrt{D_{inn_4}^2 + \dfrac{4F_4}{\pi}}$
$D_{med_4} = \dfrac{D_{ext_4} + D_{inn_4}}{2}$	$D_{ext_4} = D_{med_4} + \dfrac{F_4}{\pi D_{med_4}}$	$D_{med_4} = \dfrac{D_{ext_4} + D_{inn_4}}{2}$

末级动叶片叶高:

$$l_{t_4} = \frac{D_{ext_4} - D_{inn_4}}{2}$$

末级叶片相对叶高(扇形度):

$$\vartheta_{t_4} = \frac{D_{med_4}}{l_{t_4}}$$

ϑ_{t_4} 计算结果应当不小于3.5,否则需重新进行计算。如计算值略小于3.5,为了将末级动叶片高度最小化,只需略微提高出口流速 C_{ax_4},或者改变通流部分形状,采用 $D_{inn} = \text{const}$ 即可。如果以上措施均不能达到效果,则需增加涡轮进口中径 D_{med_3},然后重新进行涡轮各项计算。

在估算涡轮轴向几何尺寸时,应首先确定出中间级几何尺寸。该中间级的环形截面:

$$F_{av_t} = \frac{F_3 + F_4}{2}$$

按照表4.4所列计算公式,根据所选通流部分计算形状,代入计算结果 F_{av_t},计算出该中间级主要几何尺寸: $D_{ext_{av}}$, $D_{med_{av}}$, $D_{inn_{av}}$, $l_{t_{av}}$。涡轮中间级草图如图4.9所示。

我们可以按照前文介绍的轴流式压气机几何尺寸计算方法写出涡轮"中间级"轴向几何尺寸计算公式:

$$L_{st_t} = l_{t_{av}} \left[\left(\frac{b}{l} \right)_{nb} + \left(\frac{\delta}{l} \right)_{nb} + \left(\frac{b}{l} \right)_{rb} + \left(\frac{\delta}{l} \right)_{rb} \right] \tag{4.21}$$

式中　$\left(\dfrac{b}{l} \right)_{nb}$, $\left(\dfrac{b}{l} \right)_{rb}$ ——涡轮喷嘴叶栅和动叶栅相对宽度;

$\left(\dfrac{\delta}{l} \right)_{nb}$, $\left(\dfrac{\delta}{l} \right)_{rb}$ ——涡轮级相对轴向间隙。

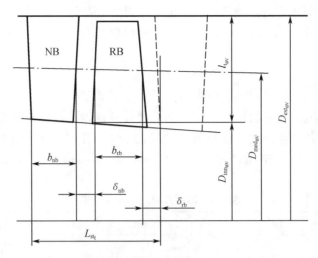

图 4.9　轴流式涡轮"中间级"

式(4.21)的结构与前文压气机级计算公式基本相同。式(4.21)方括号中的部分同样与涡轮级扇形度相关。我们对现有的乌克兰国产(苏制)燃气轮机涡轮结构数据进行了详细的统计分析,得出了这些参数的基本范围和拟合关系曲线。这些参数范围和关系曲线可帮助设计人员完成燃气轮机结构设计和几何尺寸计算。下文所列数据仅适用于涡轮叶片相对高度在 $3.5 \leqslant \vartheta_t \leqslant 18$ 范围内的涡轮级。

在确定涡轮级叶片相对高度后,可按下述拟合公式计算求解其余各参数:

$$\left(\frac{b}{l}\right); \left(\frac{\delta}{l}\right) = A_0 + A_1\vartheta_t + A_2\vartheta_t^2 + A_3\vartheta_t^3 \tag{4.22}$$

式(4.22)各参数取值范围和拟合多项式系数详见表 4.5。

涡轮通流部分轴向几何尺寸可按式(4.30)计算:

$$L_t = L_{st_t} Z_t \tag{4.23}$$

表 4.5　拟合关系曲线系数

参数	范围	A_0	A_1	A_2	A_3
$\left(\dfrac{b}{l}\right)_{nb}$	0.16 ~ 1.00	0.069 34	0.026 33	0.001 86	− 0.000 03
$\left(\dfrac{b}{l}\right)_{rb}$	0.15 ~ 0.67	0.087 22	0.020 96	0.000 77	− 0.000 01
$\left(\dfrac{\delta}{l}\right)_{nb}$	0.065 ~ 0.30	0.047 00	0.003 29	0.000 74	− 0.000 01
$\left(\dfrac{\delta}{l}\right)_{rb}$	0.055 ~ 0.21	0.027 08	0.008 41	− 0.000 06	0.000 01

如果不要求在涡轮通流部分子午面图上准确绘制出各级详细参数,那么设计人员也可采用上文介绍的简化方法,利用涡轮级相对宽度绘制简图。

式(4.21)可表述为以下形式:

$$L_{st_t} = l_{t_{av}}\bar{L}_{st_t} \tag{4.24}$$

在相同假设条件下,可按与式(4.22)相似的拟合公式计算出式(4.24)中出现的涡轮级相对宽度值:

$$\bar{L}_{st_t} = 0.230\,65 + 0.058\,99\vartheta_t + 0.003\,31\vartheta_t^2 - 0.000\,03\vartheta_t^3$$

涡轮通流部分轴向外形尺寸同样可按式(4.23)计算。

根据计算结果,在毫米纸上按适当比例绘制出各段涡轮通流部分子午面图(图4.10),然后调整各进出口截面几何尺寸,保证燃气轮机通流部分气流中线平滑流畅。

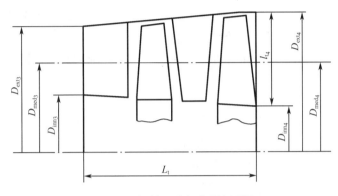

图4.10 涡轮通流部分子午面图

低压涡轮和动力涡轮支撑环的轴向几何尺寸应以原型发动机结构为参考根据结构需要确定。如果燃气轮机为正倒车发动机,则需考虑在低压涡轮支撑环上安装燃气倒车设备。动力涡轮支撑环轴向几何尺寸主要取决于动力涡轮转子和后轴承的结构。

课后练习题

1. 简述船用燃气轮机通常采用哪些布置方案及其优缺点。
2. 简述燃气轮机轴流式压气机几何尺寸计算方法的主要内容。
3. 燃气轮机轴流式压气机 I 级动叶片参数计算需要用到哪些公式?
4. 如何计算船用燃气轮机直流燃烧室几何尺寸?
5. 船用燃气轮机回流燃烧室几何尺寸计算的特点是什么?
6. 可以利用哪些关系式计算燃气轮机燃烧室火焰筒直径?
7. 简述船用燃气轮机轴流式涡轮几何尺寸计算方法的主要内容。
8. 如何计算船用燃气轮机涡轮末级动叶片高度?

第 5 章　轴流式压气机气动力学计算

现代轴流式压气机设计理论以气动力学方程为基础,并通过大量的通流部分损失试验数据加以修正。

通用设计方法的主要特点:通过计算确定通流部分几何参数,确保压气机在计算(额定)工况下满足气动力学参数要求。实际上,通过计算方法建立轴流式压气机气动力学特性曲线的任务非常复杂,因为在额定工况以外的工况下气流在通流部分内的流动过程并不稳定。因此,在轴流式压气机的设计实践中会广泛使用二维平面叶栅吹试结果和压气机级模型试验数据,以此作为轴流式压气机设计理论的试验基础和判别设计理论主要原理正确与否的标准。

气动力学计算需根据设计需要分阶段完成。在初步计算阶段,需要确定压气机经济性和驱动功率,参照级损失试验数据经验曲线完成压气机通流部分气流中线计算。在分级计算阶段,需要进行三维流计算,通过计算确定级各组成部件参数分布,并核算压气机级各组成构件的损失、压头和效率。在该阶段,还可以同时进行压气机参数计算。

初始计算数据包括工质流量 G_c、增压比 π_c^*、工质初始参数 P_{in}^*,T_{in}^*、一级叶轮进口轮毂比 $\bar{d}_{11}$、压气机预计效率 η_{ac}^*、转速 n_c 和工况线最小允许稳定裕度 ΔK_{st}。在设计燃气轮机压气机时,通常需要优先设定最后三个参数。

应根据燃气轮机整体布置方案选择燃气轮机进、排气短管:如总体对压气机轴向几何尺寸没有提出限制要求,可选择轴流式进气短管。如已知压气机轴向几何尺寸限制,为满足该要求则应选择径向轴流、轴线对称或者圆柱形进气短管,尽管此类进气短管会影响气流在叶轮进口处的轴向对称性。压气机与其后安装部件之间的接合方式决定了排气短管的基本构造。根据燃气轮机结构类型的不同,排气短管通常可以采用环形短管或者装配蜗壳。

5.1　轴流式压气机中径气动力学计算方法

轴流式压气机气动力学计算通常以一维理论为基础,结合应用平面叶栅吹试结果,利用通用连续方程、能量方程、状态方程和动量矩方程完成计算任务。

轴流式压气机气动力学计算的目的是根据指定条件计算确定气流流道内气体参数和压气机结构构件几何尺寸,评估压气机经济性。气动力学计算任务也包括压气机特性计算。轴流式压气机通流部分简图如图 5.1 所示,轴流式压气机 I 级速度三角形及叶栅叶型如图 5.2 所示。

压气机气动力学计算分为两个阶段:初步计算和分级计算。

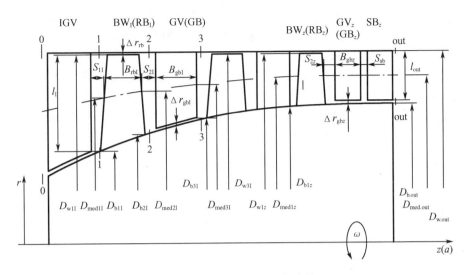

图 5.1　轴流式压气机通流部分简图

截面编号:0—进口导向器进口;1—叶轮进口;2—叶轮出口和导向器进口;3—导向器出口;
"out"—整流器出口;级号:Ⅰ,Ⅱ,Ⅲ,⋯,i,⋯,z

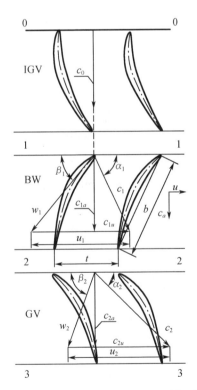

图 5.2　压气机Ⅰ级速度三角形及叶栅叶型

5.2 初 步 计 算

完成初步计算,确定压气机通流部分关键尺寸和压气机级数,并最终建立通流部分子午面图,计算步骤如下。

(1)选取Ⅰ级叶轮外径圆周转速(单位 m/s):

$$u_{\mathrm{w1I}} = \begin{cases} 280 \sim 340 & \text{低压压气机} \\ 240 \sim 340 & \text{高压压气机} \end{cases}$$

(2)Ⅰ级叶轮进口绝对速度轴向分速度:

$$\bar{c}_{1aI} = \kappa_c \sqrt{\frac{\rho_I^2 + (1 - \rho_I)^2}{2}}$$

式中,$\kappa_c = 1.02 \sim 1.06$;$\rho_I = 0.5 \sim 0.55$。

(3)叶轮进口相对中径:

$$\bar{r}_{\mathrm{med1I}} = \sqrt{\frac{1 + \bar{d}_{1I}^2}{2}}$$

(4)Ⅰ级理论压头系数:

$$\overline{H}_{tI} = (0.635 - 0.453\,7a + 0.314\,1a^2 - 0.039\,05a^3)\bar{c}_{1aI}$$

式中,$a = \dfrac{\rho_I}{\bar{c}_{1aI}}$。

(5)Ⅰ级叶轮进口气流折转:

$$\bar{c}_{1uI} = \frac{2\bar{r}_{\mathrm{med}}^2 (1 - \rho_I) - \overline{H}_{tI}}{2\bar{r}_{\mathrm{med1I}}}$$

(6)叶轮进口绝对速度气流角(单位(°)):

$$\alpha_{1I} = \begin{cases} 180° + \arctan\dfrac{\bar{c}_{1aI}}{\bar{c}_{1uI}} & \bar{c}_{1u} < 0 \\ 90° & \bar{c}_{1u} = 0 \\ \arctan\dfrac{\bar{c}_{1aI}}{\bar{c}_{1uI}} & \bar{c}_{1u} > 0 \end{cases}$$

(7)Ⅰ级叶轮进口临界速度(单位 m/s):

$$a_{\mathrm{crlI}} = \sqrt{\frac{2k}{k+1}RT_{\mathrm{in}}^*}$$

(8)Ⅰ级叶轮进口绝对折合速度:

$$\lambda_{c1I} = \frac{u_{\mathrm{w1I}}\,\bar{c}_{1aI}}{a_{\mathrm{crlI}} \sin \alpha_{1I}}$$

(9)进气设备总压恢复系数:

$$\sigma_{\mathrm{in}} = \sigma_{\mathrm{in.p}}\sigma_{\mathrm{igv}} = \left[1 + \zeta_{\mathrm{in.p}}\frac{k}{k+1}\left(1 - \frac{k-1}{k+1}\lambda_{\mathrm{in}}^2\right)^{\frac{1}{k-1}}\lambda_{\mathrm{in}}^2\right]^{-1} \times$$

$$\left[1 + \zeta_{\mathrm{igv}}\frac{k}{k+1}\left(1 - \frac{k-1}{k+1}\lambda_{c1I}^2\right)^{\frac{1}{k-1}}\lambda_{c1I}^2\right]^{-1}$$

式中，$\zeta_{igv} = 0.01 + 5 \times 10^{-5}(90° - \alpha_1)^2$；$\lambda_{in} = \lambda_{c1 \text{I}} \sin \alpha_{1 \text{I}}$；$\lambda_{inp}$ 为进气短管损失系数。根据参考文献，如进气设备为正常结构，$\zeta_{inp} = 0.05 \sim 0.1$；如进气短管为弯管结构，且尺寸较短，则 $\zeta_{inp} = 0.15 \sim 0.5$。

（10）I 级叶轮进口相对折合速度：

$$\lambda_{w1\text{I}} = \sqrt{\dfrac{\bar{c}_{1a\text{I}}^2 + (\bar{r}_{med1\text{I}} - \bar{c}_{1u\text{I}})^2}{\left(\dfrac{a_{cr1\text{I}}}{u_{w1\text{I}}}\right)^2 + \dfrac{k-1}{k+1}(\bar{r}_{med1\text{I}}^2 - 2\bar{r}_{med1\text{I}}\,\bar{c}_{1u\text{I}})}} \leq 0.78 \sim 0.82$$

（11）I 级叶轮进口环形截面积（单位 m²）：

$$F_{1\text{I}} = \dfrac{K_G G_c \sqrt{T_{in}^*}}{m \sigma_{in} p_{in}^* q(\lambda_{c\text{I}}) \sin \alpha_{1\text{I}}}$$

式中　K_G——流量系数，根据参考文献，$K_G = 1.02 \sim 1.03$；

m——气体类型参数，$m = \left[\left(\dfrac{2}{1+k}\right)^{\frac{k+1}{k-1}} \dfrac{k}{R}\right]^{0.5}$；

$q(\lambda_{c1\text{I}})$——气动损失函数，可按气动函数表选值，$q(\lambda_{c\text{II}}) = \lambda_{c\text{II}} \left(\dfrac{k+1}{2}\right)^{\frac{1}{k-1}} \left(1 - \dfrac{k-1}{k+1} \lambda_{c\text{II}}^2\right)^{\frac{1}{k-1}}$。

（12）I 级叶轮进口外径（单位 m）：

$$D_{w1\text{I}} = \sqrt{\dfrac{4F_{1\text{I}}}{\pi(1 - \bar{d}_{1\text{I}}^2)}}$$

（13）I 级叶轮进口轮毂直径（单位 m）：

$$D_{b1\text{I}} = \bar{d}_{1\text{I}} D_{c1\text{I}}$$

（14）I 级叶轮进口中径（单位 m）：

$$D_{med1\text{I}} = \bar{r}_{med1\text{I}} D_{w1\text{I}}$$

（15）I 级叶轮进口动叶片长度（单位 m）：

$$l_{1\text{I}} = \dfrac{D_{w1\text{I}} - D_{b1\text{I}}}{2}$$

（16）转子转速（单位 r/min）：

$$n_c = \dfrac{60 u_{w1\text{I}}}{\pi D_{w1\text{I}}}$$

（17）I 级动叶片拉伸应力（单位 MPa）：

$$\sigma_{st} = 10^{-9} \Phi \rho n_c^2 F_{1\text{I}}$$

式中　ρ——叶片材料密度，kg/m³；

Φ——叶型系数，取值范围 $0.5 \sim 0.7$。

（18）安全系数：

$$K_{\sigma_{st}} = \dfrac{\sigma_m}{\sigma_{st}} = 1.6 \sim 2.0$$

式中　σ_m——叶片材料强度极限，根据参考文献选定材料牌号对应参数。

（19）压气机实际增压比：

$$\pi_{cd}^* = \dfrac{\pi_c^*}{\sigma_{in} \sigma_{out}}$$

式中　σ_{out}——出气短管总压恢复系数，一次近似值等于 σ_{in}。

（20）压气机通流部分绝热效率：

$$\eta_{\text{ac}}^* = \frac{\pi_{\text{cd}}^{*\frac{k-1}{k}} - 1}{\pi_{\text{cd}}^{*\frac{k-1}{k}\frac{1}{\eta_p}} - 1}$$

式中　η_p——压气机基元级多变效率。

$$\eta_p = \begin{cases} 0.86 \sim 0.89, & l_{1\text{I}} < 0.1 \text{ m} \\ 0.89 \sim 0.92, & l_{1\text{I}} \geqslant 0.1 \text{ m} \end{cases}$$

（21）压气机出口气流滞止温度（单位 K）：

$$T_{\text{out}}^* = T_{\text{in}}^* \left(1 + \frac{\pi_{\text{cd}}^{*\frac{k-1}{k}} - 1}{\eta_{\text{ac}}^*} \right)$$

（22）压气机出口气体绝对速度轴向分速度（单位 m/s）：

$$c_{a\text{out}} = \bar{c}_{1a\text{I}} u_{\kappa 1\text{I}} - \Delta c_a$$

应根据叶片类型和末级流量系数允许值 $\bar{c}_{az} = (0.75 \sim 1.0) \bar{c}_{1a\text{I}}$ 确定轴向分速度 Δc_a 梯度，Δc_a 取值范围 $15 \sim 30$ m/s。

（23）压气机出口折合绝对速度：

$$\lambda_{\text{out}} = \frac{c_{a\text{out}}}{a_{\text{cr. out}}}$$

式中　$a_{\text{cr. out}}$——压气机出口临界速度，m/s。

$$a_{\text{cr. out}} = \sqrt{\frac{2k}{k+1} R T_{\text{out}}^*}$$

（24）出气短管总压恢复系数：

$$\sigma_{\text{out}} = 1 - \zeta_{\text{out}} \frac{k}{k+1} \lambda_{\text{out}}^2 \left(1 - \frac{k-1}{k+1} \lambda_{\text{out}}^2 \right)^{\frac{1}{k-1}}$$

式中　ζ_{out}——出气短管损失系数，根据参考文献取值，取值范围 $0.2 \sim 0.5$。

从第 19 项开始重复完成所有计算步骤，二次近似计算实际增压比 π_{cd}^*。如计算结果 π_{cd}^* 与一次近似计算结果偏差超过 0.5%，则重新进行计算。通常，进行两次近似即可。

（25）压气机通流部分出口环形间隙面积（单位 m²）：

$$F_{\text{out}} = \frac{K_G G_c \sqrt{T_{\text{out}}^*}}{m p_{\text{out}}^* q(\lambda_{\text{out}})}$$

式中，$p_{\text{out}}^* = p_{\text{in}}^* \pi_{\text{cd}}^*$，$q(\lambda_{\text{out}}) = \lambda_{\text{out}} \left(\frac{k+1}{2} \right)^{\frac{1}{k-1}} \left(1 - \frac{k-1}{k+1} \lambda_{\text{out}}^2 \right)^{\frac{1}{k-1}}$。

（26）根据通流部分构造形式（图 5.3）按以下公式计算压气机出口内外径。

①通流部分 $D_{\text{w}} = \text{idem}, D_{\text{med}} = \text{var}, D_{\text{b}} = \text{var}$：

$$D_{\text{b. out}} = \sqrt{D_{\text{w1I}}^2 - \frac{4}{\pi} F_{\text{out}}}$$

②通流部分 $D_{\text{med}} = \text{idem}, D_{\text{b}} = \text{var}, D_{\text{w}} = \text{var}$：

$$D_{\text{w. out}} = \sqrt{D_{\text{med1I}}^2 + \frac{2}{\pi} F_{\text{out}}}$$

$$D_{\text{b.out}} = \sqrt{D_{\text{med1 I}}^2 + \frac{2}{\pi} F_{\text{out}}}$$

③通流部分 $D_{\text{b}} = \text{idem}, D_{\text{w}} = \text{var}, D_{\text{med}} = \text{var}$：

$$D_{\text{w.out}} = \sqrt{D_{\text{b1 I}}^2 + \frac{4}{\pi} F_{\text{out}}}$$

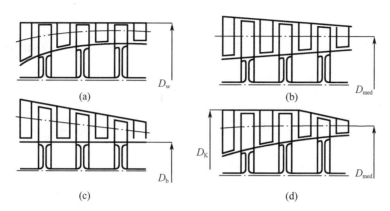

图 5.3 轴流式压气机通流部分形状简图

$a - D_{\text{w}} = \text{idem}; D_{\text{med}} = \text{var}; D_{\text{b}} = \text{var}; b - D_{\text{med}} = \text{idem}; D_{\text{b}} = \text{var};$

$D_{\text{w}} = \text{var}; c - D_{\text{b}} = \text{idem}; D_{\text{w}} = \text{var}; D_{\text{med}} = \text{var}; d - 组合式$

(27)导向器出口叶片长度(单位 m)：

$$l_{\text{out}} = \frac{D_{\text{w.out}} - D_{\text{b.out}}}{2} \geqslant l_{\text{zmin}}$$

式中，$l_{\text{zmin}} = 0.015 \sim 0.02 \ \text{m}$。

(28)压气机级平均增压比：

$$\pi_{\text{av}}^* = \begin{cases} 1.2 \sim 1.24 & \text{低压压气机} \\ 1.16 \sim 1.18 & \text{高压压气机} \end{cases}$$

(29)压气机级数：

$$z = \frac{\ln \pi_{\text{cd}}^*}{\ln \pi_{\text{av}}^*}$$

将计算求得的 z 值近似取整。

5.3 分级计算

在分级计算开始前，已知气体状态、压气机进出口几何尺寸和压气机级数。

参见参考文献，分级计算应当包括以下内容：选择各级主要参数，分配各级理论压头系数和流量系数，逐级进行气动力学计算。分级计算应当按照下文所列步骤逐项完成。第 (1) ~ (10)项计算所得结果为压气机各级通用，自第(11)项开始应针对各级单独进行计算。第 i 级出口参数即为 $i+1$ 级进口参数。

(1)i 级理论压头系数。

①压气机 a 型、b 型、c 型通流部分(图 5.3(a)、图 5.3(b)、图 5.3(c))：

$$\overline{H}_{ti} = \overline{H}_{tI} + cx_i + c_1 x_i^2 + c_2 x_i^3$$

②压气机组合型通流部分(图5.3(d)):

前级:

$$\overline{H}_{ti} = \overline{H}_{tI} + ax_i + ax_i^2$$

末级:

$$\overline{H}_{ti} = \overline{H}_{tI} + bx_i + b_1 x_i^2 + b_2 x_i^3$$

式中,$a = 0.187\ 5$;$a_1 = -0.062\ 45$;$b = 0.045\ 595$;$b_1 = -0.063\ 839$;$b_2 = -0.057\ 291\ 6$;$c = 0.351\ 54$;$c_1 = -0.090\ 94$;$c_2 = -0.210\ 781$;$x_i = \dfrac{i-1}{z-1}$。

(2)压气机各级绝热效率:

$$\eta_{ai}^* = \eta_{aI}^* + 0.070\ 467 x_i + 0.016\ 306 x_i^2 - 0.086\ 115 x_i^3$$

式中,$\eta_{aI} = 0.845 \sim 0.865$。

(3)i 级叶轮进口外径圆周转速(单位 m/s):

$$u_{w1i} = \frac{\pi D_{w1i} n_c}{60}$$

式中,$D_{w1i} = D_{w1I} - (D_{w1I} - D_{w.out})\dfrac{i-1}{z}$。

(4)i 级理论压头(单位 J/kg):

$$H_{ti} = \overline{H}_{ti} u_{w1i}^2$$

(5)i 级实际压头(单位 J/kg):

$$H_{zi} = \kappa_{ci} H_{ti}$$

式中 κ_{ci}——压气机级间作用耗功系数,$\kappa_{ci} = \kappa_{cI} - (\kappa_{cI} - \kappa_{cz})x_i$。

根据参考文献提供的试验研究成果,压气机前几级系数取值范围 $0.98 \sim 0.88$,压气机末几级系数取值范围 $0.9 \sim 0.88$。

(6)i 级绝热压头(单位 J/kg):

$$H_{ai}^* = \eta_{ai}^* H_{zi}$$

(7)级内气体滞止温升(单位 K):

$$\Delta T_{rei}^* = \frac{k_i - 1}{k_i} \frac{H_{zi}}{R}$$

式中,k_i 为 i 级热力过程绝热指数。

(8)i 级后滞止温度(单位 K):

$$T_{3i}^* = T_{1i}^* + \Delta T_{rei}^*$$

(9)各级增压比:

$$\pi_{ci}^* = \left(1 + \frac{H_{ai}^*}{\dfrac{k_i}{k_i - 1} R T_{1i}^*}\right)^{\frac{k}{k-1}}$$

核算压气机各级增压比,确定计算值是否符合压气机增压比设定值。各级增压比之积应等于压气机增压比设定值:

$$\pi_{cd}^* = \prod_{i=1}^{z} \pi_{ci} = (1 \sim 1.04)\pi_c^*$$

压气机各级增压比,除 I 级外,均等于导向器出口总压与叶轮前总压之比:

$$\pi_{ci}^* = \frac{p_{3i}^*}{p_{1i}^*}$$

I 级压气机初始压力为进口导向器前压力,故

$$\pi_{cI}^* = \frac{p_{3I}^*}{p_{in}^* \sigma_{inp}}$$

(10)级后总压(单位 MPa):

$$p_{3i}^* = p_{1i}^* \pi_{ci}^*$$

(11)级进口相对中径:

$$\bar{r}_{med1i} = \sqrt{\frac{1 + \bar{d}_{1i}^2}{2}}$$

(12)叶轮进口相对圆周速度:

$$\bar{c}_{1ui} = \frac{2\bar{r}_{med1i}\bar{r}_{med2i}\dfrac{D_{w2i}}{D_{w1i}}(1 - \rho_i) - H_{ti}}{\bar{r}_{med1i} + \bar{r}_{med2i}\dfrac{D_{w2i}}{D_{w1i}}}$$

式中,$\bar{r}_{med2i} = \bar{r}_{med1i}$,$D_{w2i} = \dfrac{D_{w1i} + D_{w3i}}{2}$,$D_{w3i} = D_{w1(i+1)}$,$\rho_i = \rho_I + (\rho_z - \rho_I)x_i$。

(13)级进口流量系数:

$$\bar{c}_{1ai} = \frac{c_{1ai}}{u_{w1i}}$$

式中,$c_{1ai} = c_{1aI} - (c_{1aI} - c_{aout})\dfrac{i-1}{z}$,$c_{1aI} = \bar{c}_{1aI}u_{w1I}$。

(14)叶轮进口绝对速度气流角(单位(°)):

$$\alpha_{1i} \begin{cases} 180° + \arctan\dfrac{\bar{c}_{1ai}}{\bar{c}_{1ui}} & \bar{c}_{1ui} < 0 \\[2mm] 90° & \bar{c}_{1ui} = 0 \\[2mm] \arctan\dfrac{\bar{c}_{1ai}}{\bar{c}_{1ui}} & \bar{c}_{1ui} > 0 \end{cases}$$

(15)级出口临界绝对速度(单位 m/s):

$$a_{cr3i} = \sqrt{\frac{2\kappa_i}{k_i + 1}RT_{3i}^*}$$

(16)级出口折合绝对速度(单位 m/s):

$$\lambda_{3i} = \frac{c_{3ai}}{a_{cr3i}\sin\alpha_{3i}}$$

式中,一次近似取 $\alpha_{3i} = \alpha_{1i}$。

(17)级出口环形间隙面积(单位 m²):

$$F_{3i} = \frac{K_G G_c \sqrt{T_{3i}^*}}{m p_{3i}^* q(\lambda_{3i})\sin\alpha_{3i}}$$

式中,一次近似取 $\alpha_{3i} = \alpha_{1i}$。

（18）级出口轮毂比。

①通流部分 $D_w = idem, D_{med} = var, D_b = var$：

$$\overline{d}_{3i} = \sqrt{1 - \frac{4F_{3i}}{\pi D_{w1\,I}^2}}$$

②通流部分 $D_b = idem, D_{med} = var, D_w = var$：

$$\overline{d}_{3i} = \frac{D_{b1\,I}}{D_{w3i}}$$

式中，$D_{w3i} = \sqrt{D_{b1\,I}^2 + \frac{4}{\pi}F_{3i}}$。

③通流部分 $D_{med} = idem, D_b = var, D_w = var$：

$$\overline{d}_{3i} = \frac{D_{b3i}}{D_{w3i}}$$

式中，$D_{b3i} = \sqrt{D_{med1\,I}^2 - \frac{2}{\pi}F_{3i}}$，$D_{w3i} = \sqrt{D_{med\,I}^2 + \frac{2}{\pi}F_{3i}}$。

（19）级出口相对中径：

$$\overline{r}_{med3i} = \sqrt{\frac{1 + \overline{d}_{3i}^2}{2}}$$

$$\overline{r}_{med1(i+1)} = \overline{r}_{med3i}$$

（20）级出口相对圆周速度：

$$\overline{c}_{3ui} = \frac{2\overline{r}_{med3i}^2(1 - \rho_i)\dfrac{D_{w2(i+1)}}{D_{w3i}} - \overline{H}_t(i+1)}{2\overline{r}_{med3i}}$$

（21）级出口绝对速度气流角（单位（°））：

$$\alpha_{3i} = \begin{cases} 180° + \arctan\dfrac{\overline{c}_{3ai}}{\overline{c}_{3ui}} & \overline{c}_{3ui} < 0 \\[2mm] 90° & \overline{c}_{3ui} = 0 \\[2mm] \arctan\dfrac{\overline{c}_{3ai}}{\overline{c}_{3ui}} & \overline{c}_{3ui} > 0 \end{cases}$$

式中，$\overline{c}_{3ai} = \dfrac{c_{1a}(i+1)}{u_{\kappa1}(i+1)}$。

重复第（17）项以后所有计算步骤，二次近似计算级出口轮毂比 $\overline{d}_{3i}$。如计算结果与一次近似计算结果偏差超过 0.5%，则重新进行计算。通常，进行两次近似计算即可。

（22）叶轮出口相对中径：

$$\overline{r}_{med2i} = \frac{\overline{r}_{med2i}\dfrac{D_{w1i}}{D_{w2i}} + \overline{r}_{med3i}\dfrac{D_{w3i}}{D_{w2i}}}{2}$$

（23）叶轮出口轮毂比：

$$\overline{d}_{2i} = \sqrt{2\overline{r}_{med2i}^2 - 1}$$

（24）叶轮出口绝对速度圆周相对分速度：

$$\bar{c}_{2ui} = \frac{\bar{H}_{ti} + \bar{c}_{1ui}\bar{r}_{med1i}}{\bar{r}_{med2i}D_{w2i}}D_{w1i}$$

（25）叶轮总压增压比：

$$\pi_{cdi}^* = \left[1 + (\pi_{ci}^{*\frac{k-1}{k}} - 1)\frac{1 + \eta_{ai}^*}{2\eta_{ai}^*} \right]^{\frac{k}{k-1}}$$

（26）叶轮出口绝对速度轴向分速度：

$$c_{2ai} = a_{cr2i}\lambda_{2i}\sqrt{\tau(\lambda_{2ui})}$$

式中，$a_{cr2i} = a_{cr3i}$，$\lambda_{2ui} = \dfrac{\bar{c}_{2ui}u_{w2i}}{a_{cr2i}}$，$\tau(\lambda_{2ui}) = 1 - \dfrac{k-1}{k+1}\lambda_{2ui}^2$，$\lambda_{2i} = \dfrac{1}{90}\arcsin q(\lambda_{2i}) - 0.0015$，

$q(\lambda_{2i}) = \dfrac{K_G G_c \sqrt{T_{2i}^*}}{mp_{2i}^* F_{w2i}[\tau(\lambda_{2ui})]^{\frac{k+1}{2(k-1)}}}$，$T_{2i}^* = T_{3i}^*$，$p_{2i}^* = p_{1i}^*\pi_{cdi}^*$，$F_{w2i} = \dfrac{\pi}{4}[D_{w2i}^2(1 - \bar{d}_{2i}^2)]$。

（27）叶轮进口相对速度气流角（单位（°））：

$$\beta_{1i} = \arctan\frac{\bar{c}_{1ai}}{\bar{r}_{med1i} - \bar{c}_{1ui}}$$

（28）叶轮出口相对速度和绝对速度气流角（单位（°））：

$$\beta_{2i} = \arctan\frac{\bar{c}_{2ai}}{\bar{r}_{med2i} - \bar{c}_{2ui}}$$

$$\alpha_{2i} = \arctan\frac{\bar{c}_{2ai}}{\bar{c}_{2ui}}$$

（29）叶栅气流折转角（单位（°））：

①动叶栅：

$$\beta_{2i} = \beta_{2i} - \beta_{1i}$$

②导向叶栅：

$$\Delta\alpha_i = \alpha_{3i} - \alpha_{2i}$$

（30）叶片安装角。

①动叶栅：

$$\beta_{si} = 2.5 + \beta_{2i} - \frac{\Delta\beta_i}{2.4}$$

②导向叶栅：

$$\alpha_{si} = 2.5 + \alpha_{3i} - \frac{\Delta\alpha_i}{2.4}$$

（31）叶轮和导向器叶栅稠密度可参照曲线图 $\Delta\beta = f\left(\beta_2, \dfrac{b}{t}\right)$（图5.4）或其他同类关系曲线所示平面叶栅通用特性曲线计算，见参考文献。

①动叶栅：

$$\left(\frac{b}{t}\right)_{rbi} = -0.1669 + 1.0633y_i + 0.1015y_i^2$$

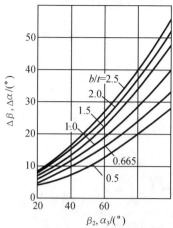

图 5.4　叶栅转向角与叶栅稠密度和
出口气流角关系曲线图

式中，$y_i = \dfrac{\dfrac{\overline{H_{ti}}}{\overline{c}_{1ai}}}{\left(\dfrac{\overline{H_{ti}}}{\overline{c}_{1ai}}\right)_{\frac{b}{t}=1}}$；$\left(\dfrac{\overline{H_{ti}}}{\overline{c}_{1ai}}\right)_{\frac{b}{t}=1} = 10^{-2}(79.97 - 45.38a_i + 31.4a_i^2 - 3.905a_i^3)$，$a_i = \dfrac{\rho_i}{c_{1ai}}$。

②导向叶栅：

$$\left(\frac{b}{t}\right)_{gbi} = 0.809 - 1.384y_{1i} + 1.5598y_{1i}^2$$

式中，$y_{1i} = \dfrac{\Delta\alpha_i}{(\Delta\alpha_i)_{\frac{b}{t}=1}}$，$(\Delta\alpha_i)_{\frac{b}{t}=1} = 10^{-2}(6.437 + 10.086\alpha_{3i} + 16.722\alpha_{3i}^2 - 0.966\alpha_{3i}^3)$，角度 α_{3i} 用弧度表示。

（32）叶轮和导向器出口叶片长度。

①叶轮：

$$l_{rb2i} = D_{w2i}\frac{1 - \overline{d}_{2i}}{2}$$

②导向器：

$$l_{gb3i} = D_{w3i}\frac{1 - \overline{d}_{3i}}{2}$$

（33）叶片数量。

①叶轮：

$$z_{rbi} = \text{integer}\ \frac{2\pi\overline{r}_{med2i}\overline{l}_i\left(\dfrac{b}{t}\right)_{rbi}}{1 - \overline{d}_{2i}}$$

②导向器：

$$z_{gbi} = \text{integer}\ \frac{2\pi\overline{r}_{med3i}\overline{l}_i\left(\dfrac{b}{t}\right)_{gbi}}{1 - \overline{d}_{3i}}$$

式中　$\bar{l}_i$——叶轮和导向器叶片延长系数,前压气机级取值范围 $\bar{l}_1 = 2 \sim 3.5$,末压气机级取
值范围 $\bar{l}_z = 1.0 \sim 1.5$。

精确计算 $\bar{l}_i$ 值。

(34)栅距(单位 m):

①叶轮:

$$t_{rbi} = \frac{\pi \bar{r}_{med1i} D_{w1i}}{z_{rbi}}$$

②导向器:

$$t_{gbi} = \frac{\pi \bar{r}_{med2i} D_{w2i}}{z_{gbi}}$$

(35)叶型弦长(单位 m):

①叶轮:

$$b_{rbi} = \frac{l_{rb2i}}{\bar{l}_i}$$

②导向器:

$$b_{gbi} = \frac{l_{gb3i}}{\bar{l}_i}$$

(36)输入相对间隙值 $\bar{s}_1$ 和 $\bar{s}_2$,计算轴向间隙(单位 m):

$$S_{1i} = \bar{s}_{1i} b_{rbi} \quad S_{2i} = \bar{s}_{2i} b_{gbi}$$

式中,根据参考文献,$\bar{s}_1 = 0.20 \sim 0.25$;$\bar{s}_2 = 0.15 \sim 0.20$。

根据计算结果绘制压气机通流部分草图,检验通流部分型线是否平滑。为保证通流部分,可适度调整轴向分速度。

(37)叶轮和导向器叶栅最大效率工况优化攻角(单位(°))。

①叶轮:

$$i_{rbi} = 6 - \frac{1}{3} \theta_{rbi} \bar{t}_i [1,81 - (2\bar{x}_f)^2]$$

②导向器:

$$i_{gbi} = 6 - \frac{1}{3} \theta_{gbi} \bar{t}_i [1,81 - (2\bar{x}_f)^2]$$

式中　θ_{rbi} 和 θ_{gbi}——叶轮和导向器叶栅弯曲角,一次近似取值 $\theta_{rbi} = \Delta\beta_i$,$\theta_{gbi} = \Delta\alpha_i$;

x_f——叶型中线最大弯曲点相对位置坐标,通常 $x_f = 0.4 \sim 0.5$。

$$\bar{t}_i = \begin{cases} \left(\dfrac{t}{b}\right)_i & 0 \leqslant \left(\dfrac{t}{b}\right)_i \leqslant 1 \\ 2 - \left(\dfrac{b}{t}\right)_i & 1 \leqslant \left(\dfrac{t}{b}\right)_i \leqslant \infty \end{cases}$$

(38)当量平面扩压器张角(单位(°))。

①动叶栅:

$$\gamma_{rbi} = 2\arctan \frac{\sin\beta_{2i} - \sin\beta_{1i}}{2\left(\dfrac{b}{t}\right)_{rbi} + \cos\beta_{1i} + \cos\beta_{2i}}$$

②导向叶栅：

$$\gamma_{gbi} = 2\arctan \frac{\sin \alpha_{3i} - \sin \alpha_{2i}}{2\left(\dfrac{b}{t}\right)_{gbi} + \cos \alpha_{2i} + \cos \alpha_{3i}}$$

（39）叶栅扩散因子。

①叶轮：

$$\Theta_{rbi} = 1 - \frac{w_{2i}}{w_{1i}} + \frac{w_{1i}\cos \beta_{1i} - w_{2i}\cos \beta_{2i}}{2w_{1i}\left(\dfrac{b}{t}\right)_{rbi}}$$

②导向器：

$$\Theta_{gbi} = 1 - \frac{c_{3i}}{c_{2i}} + \frac{c_{2i}\cos \alpha_{2i} - c_{3i}\cos \alpha_{3i}}{2c_{2i}\left(\dfrac{b}{t}\right)_{gbi}}$$

（40）级喘振裕度：

$$\Delta K_{sti} = \frac{2.2\sin \beta_{1i}}{\sin \beta_{2i} + \bar{t}_{pi}\sin \Delta\beta_i} - 1$$

（41）叶型弯曲角（单位（°））。

①叶轮：

$$\theta_{rbi} = \frac{\Delta\beta_i - i_{rbi}}{1 - m\sqrt{\left(\dfrac{t}{b}\right)_{rbi}}}$$

②导向器：

$$\theta_{gbi} = \frac{\Delta\alpha_i - i_{gbi}}{1 - m\sqrt{\left(\dfrac{t}{b}\right)_{gbi}}}$$

$$m = \begin{cases} 0.367 - 0.002\beta_{2i}, & \text{动叶栅} \\ 0.367 - 0.002\alpha_{3i}, & \text{导向叶栅} \end{cases}$$

根据计算得到的 θ_{rbi} 和 θ_{gbi} 值，对第（37）步求得的叶轮和导向器叶栅最大效率工况攻角进行精确计算。

（42）叶栅叶型相对曲率。

①叶轮：

$$y_{rbi} = \frac{0.5}{\cot \chi_{1rb} + \cot \chi_{2rb}}$$

②导向器：

$$y_{gbi} = \frac{0.5}{\cot \chi_{1gb} + \cot \chi_{2gb}}$$

式中，$\chi_{1rb}, \chi_{2rb}, \chi_{1gb}, \chi_{2gb}$ 为叶型前缘和后缘弯曲角，通常取 $\chi_1 = 0.6\theta_i$，$\chi_2 = 0.4\theta_i$。

（43）叶栅叶型升力系数。

①叶轮：

$$c_{1rbi} = 2\left(\frac{t}{b}\right)_{rbi} \frac{\overline{H}_{ti}}{\bar{c}_{1ai}\sqrt{1 + \left(\dfrac{\rho_i}{\bar{c}_{1ai}}\right)^2}}$$

②导向器：

$$c_{lgbi} = 2\left(\frac{t}{b}\right)_{gbi} \frac{\overline{H}_{ti}}{\overline{c}_{1ai}\sqrt{1 + \left(\dfrac{\rho_i}{\overline{c}_{2ai}}\right)^2}}$$

(44)叶栅叶型阻力系数。

①叶轮：

$$c_{xrb1} = 0.012 + 0.042y_{rbi} + 0.002\,3\left(\frac{b}{t}\right)_{rbi}$$

②导向器：

$$c_{xgb2} = 0.012 + 0.042y_{gbi} + 0.002\,3\left(\frac{b}{t}\right)_{gbi}$$

(45)叶型二次流损失系数。

①叶轮：

$$c_{xb1} = 0.036\frac{c_{lrbi}^2}{\overline{l}_i}$$

②导向器：

$$c_{xb2} = 0.036\frac{c_{lgbi}^2}{\overline{l}_i}$$

(46)叶栅罩壳和轮毂表面附面层气体摩擦阻力系数。

①叶轮：

$$c_{xf1} = 0.02\frac{t_{rbi}}{l_{rbi}}$$

②导向器：

$$c_{xf2} = 0.02\frac{t_{gbi}}{l_{gbi}}$$

(47)叶栅阻力系数。

①叶轮：

$$c_{x1i} = c_{xrb1} + c_{xb1} + c_{xf1}$$

②导向器：

$$c_{x2i} = c_{xgb2} + c_{xb2} + c_{xf2}$$

(48)基元级多变效率：

$$\eta_{pi} = 1 - \frac{1}{\overline{c}_{1a}}\left\{\frac{\mu_{pi}(\overline{c}_{1ai}^2 + \rho_i^2)}{1 + \mu_{rbi}\dfrac{\rho_i}{\overline{c}_{1ai}}} + \frac{\mu_{Hi}\left[\overline{c}_{1ai}^2 + (1 - \rho_i)^2\right]}{1 + \mu_{gbi}\dfrac{1 - \rho_i}{\overline{c}_{1ai}}}\right\}$$

式中，$\mu_{rbi} = \dfrac{c_{x1i}}{c_{lrbi}}$，$\mu_{gbi} = \dfrac{c_{x2i}}{c_{lgbi}}$。

(49)考虑径向间隙因素的级绝热效率：

$$\eta_{ai}^* = \left(1 - 4,8\frac{\delta_{ri}}{1 + \overline{d}_{21}}\sqrt{\rho_i}\right)\frac{\pi_{ci}^{*\frac{k-1}{k}} - 1}{\pi_{ci}^{*\frac{k-1}{k}\frac{1}{\eta_{pi}}} - 1}$$

式中，$\delta_{ri} = \dfrac{\Delta r_i}{l_i} = 0.005 \sim 0.01$，为相对径向间隙。

一般情况下，为了满足工艺要求，或者为了保证叶片装置的安全性，通流部分各级 Δr_i 都取相同值，故各级 δ_{ri} 相对值均不尽相同，压气机各级的特性指标也因此有所差别。提高 Δr_i 值，级损失、压头和效率会随之降低，同时级稳定运行区域相应收缩，变化程度由 $\bar{c}_{amax} - \bar{c}_{amin}$ 差值决定。通常 $\delta_{ri} \leqslant 0.01$，而间隙 Δr_i 绝对值在 $0.5 \sim 2$ mm 范围内。在某些情况下，将专用胶剂涂抹于机匣表面可达到减小 δ_{ri} 值的效果。

由于 ρ_i 和 $\bar{c}_{ai}$ 值均为沿半径变化的变量，所以压气机级实际效率应该是一个积分量，可在 $H_t = \text{idem}$ 条件下按流量求取平均值。计算公式如下：

$$\eta_{a.av}^* = \frac{2\pi}{G_c} \int_{r_b}^{r_w} \eta_{ai}^* c_{ai} \rho_i r \mathrm{d}r$$

压气机级效率与叶片沿叶高造型规律及叶栅运行工况有着非常密切的联系。假设 $\bar{d}_{1w} = 0.5 \sim 0.8$；$(b/t)_{rb} = 0.8 \sim 1.7$；$\overline{H_t/r_{med}} = 0.35 \sim 0.67$，$\eta_{a.av}^*$ 与 λ_{w1} 和叶轮叶型弯曲角 θ_{med} 之间的定向统计关系曲线如图 5.5 所示。从此曲线图可以看出，叶型弯曲角 θ_{med} 和 λ_{w1} 越大，级效率最大值反而越小。此外，短叶片级（$l_{rb} < 50$ m 且 $\bar{l} \leqslant 1$）的 ρ 和 l_{rb} 值对效率影响更为显著。

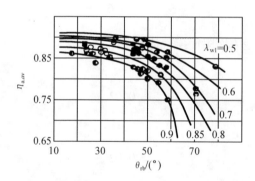

图 5.5　轴流级效率与 θ_{rb} 和 λ_{w1} 统计关系曲线图

在综合分析压气机级模型试验研究数据（$\rho \geqslant 0.5$ 且 $0.3 \leqslant \bar{l} \leqslant 1.0$）基础上，可利用以下关系式近似计算短叶片级绝热效率：

$$\eta_{ai}^* = (\eta_{ai}^*)_l \left[1 + 10^{-2} \left(1.255\bar{l}_{rbi} - \frac{0.75}{\bar{l}_{rbi}\rho_i^2} - \frac{0.5}{\bar{l}_{rbi}^3} \right) \right]$$

式中　$(\eta_{ai}^*)_l$——级绝热效率，$l_{rb} = 0.05$ m；

　　　$\bar{l}_{rbi}$——动叶片相对长度 $\bar{l}_{rbi} = \dfrac{l_{rbi}}{l_{rb}}$，$l_{rb} = 0.05$ m。

（50）考虑径向间隙因素的级绝热压头（单位 J/kg）：

$$H_{ai}^* = (H_{ai}^*)_{\delta_r} \left(1 - 4.5\delta_{ri} \sqrt{\rho_i} \, \frac{l_{rb1i}}{b_{rbi}} \right)$$

式中，$(H_{ai})_{\delta_r}$ 为绝热压头，$\delta_r = 0$。

（51）压气机通流部分绝热效率：

$$\eta^*_{ach} = \frac{H^*_{ac}}{\sum\limits_{i=1}^{z} \dfrac{H^*_{ai}}{\eta^*_{ai}}}$$

式中，$H^*_{ac} = \dfrac{k}{k-1} RT^*_{in}(\pi^{*\frac{k-1}{k}}_{cd} - 1)$。

将此处的压气机级和通流部分绝热效率计算结果与计算输入值进行比较。如计算结果与输入值偏差过大，需重新进行计算，将级效率计算结果作为最新近似值代入。

(52) 压气机绝热效率：

$$\eta^*_{ac} = \eta^*_{ach}(\pi^{*\frac{k-1}{k}}_{cd} - 1) \left\{ \left[\pi^*_{cd} / (\sigma_{in}\sigma_{out}) \right]^{\frac{k-1}{k}} - 1 \right\}^{-1}$$

(53) 压气机转子轴向力等于气流绕流压气机级叶片产生的气动力轴向分力与转子前后端面压力之和（单位 N）：

$$P_a = \sum_{i=1}^{z} P_{ai} + P_{in} - P_{out}$$

式中　P_{ai}——作用在压气机级上的轴向力；

P_{in}，P_{out}——作用于压气机转子进出气端面上的轴向力。

如果设置卸荷腔用于平衡轴向力，则有

$$P_{in} = \frac{\pi}{4} p_{in}(D^2_{b1l} - d^2_{in})$$

$$P_{out} = \frac{\pi}{4} p_{out}(D^2_{b.\,out} - d^2_{out})$$

式中　p_{in}，p_{out}——前后卸荷腔压力；

d_{in}，d_{out}——压气机进出口内径。

$$P_{ai} = p_{2i}F_{2i} + p_{avi}\Delta F_i - p_{1i}F_{1i} + G(c_{2ai} - c_{1ai})$$

式中，p_{1i}，p_{2i} 为作用于级动叶片的静压力分力（图5.6）可按下述关系式计算：

$$p_{1i} = p^*_{1i}\left(1 - \frac{k-1}{k+1}\lambda^2_{c1i}\right)^{\frac{k}{k-1}}$$

$$p_{2i} = p^*_{2i}\left(1 - \frac{k-1}{k+1}\lambda^2_{c2i}\right)^{\frac{k}{k-1}}$$

$$p_{av1} = 0,5(p_{1i} + p_{2i}) \Delta F_i = F_{1i} - F_{2i}$$

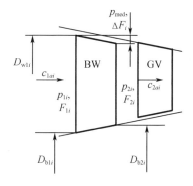

图5.6　压气机级轴向力计算图

(54)压气机耗功(单位 kW):

$$N_c = \frac{G_c H_{ac}^*}{1\,000\,\eta_{ac}^* \eta_m}$$

上述分级计算结果将用于完成叶轮和导向器叶片扭曲造型、压气机特性计算,以及通流部分绘图和压气机结构设计等工作。

课后练习题

1. 请列出轴流式压气机设计主要阶段。

2. 请说出轴流式压气机中径气动力学计算目标。

3. 请分析一下压气机初步计算主要特点。

4. 请分析一下压气机分级计算主要特点。

5. 如何选择压气机各级理论压头系数?

6. 如何确定叶轮和导向器叶栅优化气流角?

7. 压气机级效率与相对径向间隙之间存在着怎样的关联?

8. 请分析一下压气机绝热效率与哪些因素相关?

9. 请列出影响压气机耗功的主要参数。

第6章　环管式燃烧室气动力学计算

6.1　燃烧室设计目标及主要参数

决定燃烧室基本构造和运行条件的燃气轮机关键运行工况和主要几何尺寸指标包括：燃烧室进口空气流速 W_a；火焰筒燃烧区气流平均速度 W_g；火焰筒通气孔空气火焰筒流速 W_o；火焰筒与燃烧室外壳间隙二次空气流速 $W_{an.c}$；气流平均速度 W_{av}；空气轴向分布规律（燃烧室头部组件余气系数 α_{fr}、燃烧区余气系数 α_{bu} 和冷却孔余气系数 α_{co}）；总余气系数 α；主燃区热强度 Q_v；燃烧区长径比 l_2/d 和火焰筒长径比 l/d（图 6.1）。

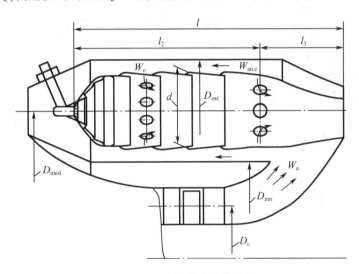

图 6.1　回流燃烧室结构简图

燃烧区气流平均速度 W_g 需要根据特征直径 d、火焰筒横截面内面积 F_m、一次空气流量 G_{a_1} 和燃烧室进口空气密度 ρ_{in}（参见参考文献）计算：

$$W_g = G_{a_1}/(\rho_{in} F_m)$$

气流平均速度 W_{av} 的计算参数包括不考虑火焰筒壁截面积的外壳（内径为 D）横截面积 F_{av} 和燃烧室空气流量 G_a：

$$W_{av} = G_a/(\rho_{in} F_{av})$$

在设计新型燃烧室时，应当在相同功率等级的燃气轮机燃烧室惯用速度范围内选取 W_g 和 W_{av} 值。表 6.1 所列为不同类型燃气轮机燃烧室平均参数，参照参考文献。

表 6.1　不同类型燃气轮机燃烧室平均参数

燃气轮机	速度/(m·s⁻¹)					α_{fr}
	W_a	W_g	W_o	$W_{an.c}$	W_{av}	
航空	80 ~ 120	17 ~ 30	50 ~ 90	60 ~ 100	30 ~ 45	0.2 ~ 0.5
运输工具	50 ~ 80	8 ~ 18	40 ~ 60	45 ~ 70	17 ~ 35	0.2 ~ 0.5
陆用	40 ~ 70	5 ~ 12	30 ~ 50	35 ~ 60	12 ~ 20	0.4 ~ 1.3

燃气轮机	α_{bu}	α_{co}	α	Q_v /(MJ·m⁻³·h⁻¹·Pa⁻¹)	l_2/d	l/d
航空	1.2 ~ 1.7	0.5 ~ 1.1	3 ~ 5	1.25 ~ 5.05	1.2 ~ 1.9	1.8 ~ 2.5
运输工具	1.3 ~ 1.9	1.0 ~ 1.6	4 ~ 6	0.4 ~ 1.05	1.5 ~ 2.1	2 ~ 3
陆用	1.5 ~ 2.2	1.1 ~ 1.8	4.5 ~ 6.5	0.12 ~ 0.75	1.7 ~ 2.3	2.2 ~ 3.3

按照前文介绍的计算方法完成燃烧室几何计算,根据计算结果已知主燃区热强度 Q_v、火焰筒直径 d 和长度 l。此外,在开始设计燃烧室零件之前,还应确定出以下参数:燃烧室每秒空气流量 G_a;一次空气流量 G_{a1};总余气系数 α;单个火焰筒总容积 v;燃料低热值 H_u;火焰筒外环形通道截面积 F_2;压气机后空气压力 p_2 和温度 T_2;每小时燃料消耗量 $G_{f.h}$;需要达到的燃烧效率 η_{bu};燃料品种;燃料温度 T_f。

6.2　燃烧室环形扩压器及火焰筒计算

在设计燃气轮机燃烧室时,为了满足部件总体布置要求,尽量缩小燃烧室长度,常常需要选用结构非常复杂的扩压器。双级环形扩压器结构简图如图 6.2 所示。

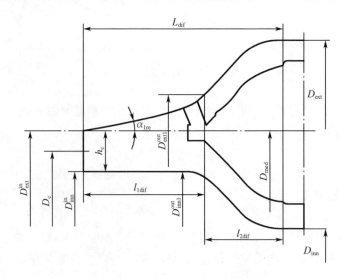

图 6.2　双级环形扩压器结构简图

扩压器的计算任务就是定出通道断面造型,确保通道压力损失为最小值。扩压器计算所需的原始数据包括进口截面外径 D_{ext}^{in} 和进口截面内径 D_{inn}^{in}。这些参数将根据压气机几何尺寸计算结果选取。

为了提高环管式燃烧室的工作效率,火焰筒应采取轴向逐级进气方案。火焰筒简图和开孔面积变化趋势如图6.3所示。计算中用到的火焰筒开孔率 φ_0 即为火焰筒开孔总面积与特征截面面积之比。

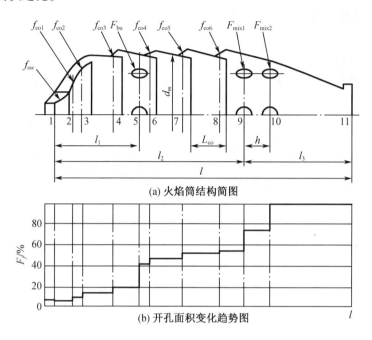

(a) 火焰筒结构简图

(b) 开孔面积变化趋势图

图 6.3 火焰筒简图和开孔面积变化趋势

(a)火焰筒结构简图;(b)开孔面积变化趋势图

环形扩压器计算:

(1)扩压器进口截面积(单位 m²):

$$F^{\text{in}} = \frac{\pi}{4}\left[\left(D_{\text{ext}}^{\text{in}}\right)^2 - \left(D_{\text{inn}}^{\text{in}}\right)^2\right]$$

(2)热流密度气动函数:

$$q(\lambda_{W_{\text{in}}}) = G_a\sqrt{T_2}/(mp_2 F^{\text{in}})$$

式中,$m = \sqrt{\dfrac{k}{R}\left(\dfrac{2}{k+1}\right)^{\frac{k+1}{k-1}}}$。

(3)利用气动函数表求出扩压器进口折合速度 $\lambda_{W_{\text{in}}}$。

(4)扩压器进口空气流速(单位 m/s):

$$W_{\text{in}} = \sqrt{2\frac{k}{k+1}T_2}\lambda_{W_{\text{in}}}$$

(5)火焰筒头部相对流量系数:

$$k_h = 0.15 \sim 0.40$$

(6)一级扩压器出口空气流速(单位 m/s):

$$W_{\text{1out}} = W_{\text{an.c}}(1 + k_h)$$

根据表6.1选取 $W_{\text{an.c}}$ 值,需满足条件 $W_{\text{1out}} = 30 \sim 60$ m/s。

（7）一级扩压器扩张比：
$$n_1 = W_{in}/W_{1out}$$

（8）一级扩压器出口截面积（单位 m^2）：
$$F_1^{out} = n_1 F^{in}$$

（9）一级扩压器出口截面内径（单位 m）：
$$D_{inn1}^{in} \approx D_{inn}^{in}$$

内径最终尺寸根据结构要求选定。

（10）喷嘴面积（单位 m^2）：
$$F_{at} = 0.05 F_1^{out}$$

（11）一级扩压器出口截面外径（单位 m）：
$$D_{ext1}^{out} = \sqrt{\frac{4F_1^{out}}{\pi} + (D_{inn1}^{out})^2 + \frac{4F_{at}}{\pi}}$$

（12）一级扩压器几何膨胀角（单位（°））：
$$\alpha_1 = 9 \sim 16$$

（13）一级扩压器长度（单位 m）：
$$l_{1dif} = (D_{ext1}^{out} - D_{ext}^{in})/(2\tan \alpha_1)$$

（14）扩压器总长度（单位 m）：
$$l_{dif} = (1.4 \sim 1.8)l_{1dif}$$

（15）折合扩压器进口直径（单位 m）：
$$D_{1redif}^{in} = \sqrt{4F^{in}/\pi}$$

（16）折合扩压器出口直径（单位 m）：
$$D_{1redif}^{out} = \sqrt{4F_1^{out}/\pi}$$

（17）一级扩压器折合膨胀角（单位（°））：
$$\alpha_{1re} = \arctan \frac{D_{1redif}^{out} - D_{1redif}^{in}}{l_{1dif}}$$

（18）二级扩压器长度（单位 m）：
$$l_{2dif} = l_{dif} - l_{1dif}$$

（19）二级扩压器进口速度（单位 m/s）：
$$W_{2in} = W_{1in}$$

（20）二级扩压器进口截面积（单位 m^2）：
$$F_2^{in} = F_1^{out}$$

（21）扩压器出口截面积（单位 m^2）：
$$F_2^{out} = F_2$$

（22）二级扩压器几何扩张比：
$$n_2' = F_2^{out}/F_2^{in}$$

（23）实际扩张比：
$$n_2 = n_2'[1/1 - k_h]$$

（24）二级扩压器出口空气流速（单位 m/s）：
$$W_{2out} = W_{2in}/n_2$$

(25)进口空气密度(单位 kg/m³):

$$\rho_{in} = p_2 / (287 T_2)$$

(26)扩压器进口空气动力粘度系数(单位 kg/(m·c)):

$$\mu_{in} = 17.53 \cdot 10^{-6} \frac{395}{T_2 + 122} \left(\frac{T_2}{273} \right)^{1.5}$$

(27)扩压器进口雷诺数:

$$Re_{in} = \frac{(D_{ext}^{in} + D_{inn}^{in}) W_{in} \rho_{in}}{2 \mu_{in}}$$

(28)每米扩压器摩擦系数:

$$\lambda = 0.004\,2 + \frac{0.218}{Re_{in}^{0.25}}$$

(29)一级扩压器摩擦损失系数:

$$\varphi_{1fr} = \frac{\lambda}{8 \sin \dfrac{\alpha_{1re}}{2}} \frac{n_1 + 1}{n_1 - 1}$$

(30)一级扩压器气流扩张损失系数:

$$\varphi_{1ex} = 3.2 \left(\tan \frac{\alpha_{1re}}{2} \right)^{1.25}$$

(31)一级扩压器损失系数:

$$\varphi_1 = \varphi_{1fr} + \varphi_{1ex}$$

(32)一级扩压器流体损失系数:

$$\psi_{1dif} = \varphi_1 \left(1 - \frac{1}{n_1} \right)^2$$

(33)一级扩压器绝对压力损失(单位 Pa):

$$\Delta p_{1dif} = \psi_{1dif} \frac{\rho_{in} W_{in}^2}{2}$$

(34)二级扩压器流体损失系数:

$$\psi_{2dif} = 0.4 \sim 0.5$$

(35)二级扩压器绝对压力损失(单位 Pa):

$$\Delta p_{2dif} = \psi_{2dif} \frac{\rho_{in} W_{2in}^2}{2}$$

(36)扩压器绝对压力损失(单位 Pa):

$$\Delta p_{dif} = \Delta p_{1dif} + \Delta p_{2dif}$$

(37)扩压器流体损失系数:

$$\psi_{dif} = \frac{2 \Delta p_{dif}}{\rho_{in} W_{in}^2}$$

(38)扩压器相对压力损失(单位%):

$$\sigma_{dif} = \frac{\Delta p_{dif} 100}{p_2}$$

火焰筒计算:

(39)特征直径(按燃烧室罩壳内壁确定的火焰筒筒体中径)(单位 m):

$$d_m = (0.92 \sim 0.96)d$$

(40)火焰筒特征直径通流面积(单位 m²):
$$F_m = \pi d_m^2/4$$

(41)单个火焰筒空气总流量(单位 kg/s):
$$G_a^{\text{ft}} = G_a/n$$

(42)单个火焰筒一次空气流量(单位 kg/s):
$$G_{a1}^{\text{ft}} = G_{a1}/n$$

(43)掺混器开孔轴向位置(单位 m):
$$l_2 = (1.7 \sim 2.2)d_m$$

(44)掺混区长度(单位 m):
$$l_3 = l - l_2$$

(45)火焰筒开孔率:
$$\varphi_o = F_o/F_m = 0.45 \sim 0.55$$

(46)火焰筒开孔总面积(单位 m²):
$$F_o = \varphi_o F_m$$

(47)一次空气开孔面积(单位 m²):
$$F_{bu} = G_{a1}^{\text{ж}} F_o/G_a^{\text{ft}}$$

(48)分配系数:
$$\psi_d = F_{bu}/F_3 = \left(\frac{0.098\,6}{\varphi_o - 0.357}\right)^{1.429}$$

(49)掺混孔总面积(单位 m²):
$$F_{mix} = F_{bu}/\psi_d$$

(50)冷却孔总面积(单位 m²):
$$F_{co} = F_o - F_{bu} - F_{mix}$$

(51)验证条件:
$$F_{co}/F_o = 0.1 \sim 0.4。$$

如计算结果 φ_o 不满足该条件,需从第45项开始调整数值,重新进行计算。

(52)进口空气平均流速(单位 m/s):
$$W_o = 287 G_a^{\text{ft}} T_2/(p_2 F_o)$$

(53)旋流器余气系数:
$$\alpha_{sw} = 0.2 \sim 0.5$$

(54)旋流器出口截面积(单位 m²):
$$f_{sw} = \alpha_{sw} F_o/\alpha$$

(55)掺混孔列数:
$$i = 1 \sim 2$$

(56)单列掺混孔数量:
$$z_{o.\,mix} = 6 \sim 14$$

(57)掺混孔平均直径(单位 m):
$$d_{o.\,mix} = \sqrt{\frac{4F_3}{\pi z_{o.\,mix} i}}$$

（58）Ⅰ、Ⅱ列掺混孔面积比：

$$\varphi_{mix} = F_{mix1}/F_{mix2} = 0.7 \sim 0.9$$

（59）Ⅰ列掺混孔面积（单位 m^2）：

$$F_{mix1} = \varphi_{mix}F_{mix}/(1 + \varphi_{mix})$$

（60）Ⅱ列掺混孔面积（单位 m^2）：

$$F_{mix2} = F_{mix} - F_{mix1}$$

（61）Ⅰ、Ⅱ列掺混孔孔距（单位 m）：

$$h = (1.8 \sim 2.2)d_{o.mix}$$

（62）主燃区一次空气孔面积（单位 m^2）：

$$F_{bu.o} = F_{bu} - f_{sw}$$

（63）主燃区一次空气孔开孔位置（单位 m）：

$$l_1 = (0.6 \sim 0.8)d_m$$

（64）冷却段平均长度（单位 m）：

$$l_{co} = (40 \sim 75) \times 10^{-3}$$

（65）冷却缝隙数量：

$$z_{co} = l_2/l_{co}$$

（66）单个冷却缝隙平均出气孔面积（单位 m^2）：

$$f_{coi} = F_{co}/z_{co}$$

（67）冷却孔平均直径（单位 m）：

$$d_{co} = (3 \sim 5) \times 10^{-3}$$

（68）冷却孔平均间距（单位 m）：

$$t_{co} = 3d_{co}$$

（69）冷却孔布置位置平均直径（单位 m）：

$$d_{co.med} \approx (d + d_m)/2$$

（70）单列冷却孔平均数量：

$$n_{co} = \pi d_{co.med}/t_{co}$$

（71）冷却缝隙风量百分比 f_{coi}/F_{co}（单位%）。

取值应保证 $\sum_{i=1}^{z_{co}} f_{coi}/F_{co} = 100$，大部分冷空气应送到主燃区中部。初定：

$$f_{co1}/F_{co} = f_{co2}/F_{co} = 13.5$$
$$f_{co3}/F_{co} = f_{co4}/F_{co} = f_{co5}/F_{co} = 20$$
$$f_{co6}/F_{co} = 13$$

（72）冷却孔面积（单位 m^2）：

$$f_{coi} = (f_{coi}/F_{co})(F_{co}/100)$$

（73）主燃区体积（单位 m^3）：

$$v_{bu} = l_2 v/l$$

（74）单个火焰筒燃料消耗量　（单位 kg/h）：

$$G_{f.h}^{ft} = G_{f.h}/n$$

（75）火焰筒主燃区热强度（单位 $kJ/(m^3 h)$）：

$$Q_{bu} = G_{f.h}^{ft} H_u \eta_{bu} / v_{bu}$$

（76）火焰筒特征直径截面热强度（单位 $kJ/(m^2 h)$）：

$$Q_F = G_{f.h}^{ft} H_u \eta_{bu} / F_m$$

（77）火焰筒容积热强度（单位 $kJ/(m^3 \cdot h \cdot Pa)$）：

$$q = Q_v / p_2$$

6.3 火焰筒燃料燃烧温度及烧尽温度理论值计算

火焰筒主燃区理论计算温度是燃烧室一次主燃区在假定燃烧产物吸收热量完全相同的条件下达到的假定温度水平。计算输入参数包括：燃料品种和组分（C^w，H^w，S^w，O^w，N^w，A^w，W^w（表6.2））、燃料温度 T_f、压气机后空气温度 T_2、燃烧效率 η_{bu}、一次主燃区末端余气系数 α_{bu}、燃料低热值 H_u、理论空气数量 L_0。在计算出一次主燃区末端余气系数 α_{bu} 对应的理论燃烧温度后，还需针对 $\alpha^* = 1$ 条件计算确定出燃烧产物组成成分和理论燃烧温度，以便进一步确定火焰筒受热状态。充分燃烧产物各组分质量定压热容计算参考数据见表6.3。

表6.2 部分燃料组成成分质量百分比

燃料品种	质量百分比/ %					
	C^w	H^w	S^w	$O^w + N^w$	A^w	W^w
喷气式发动机燃料	86.00	14.00	—	—	—	—
柴油机燃料	86.48	12.80	0.30	0.42	—	—
燃气轮机燃料	85.4	13.3	0.5	0.6	0.02	0.18
船用重油	86.70	10.36	0.97	0.77	0.20	1.00
天然气	70.99	23.24	—	5.77	—	—

表6.3 充分燃烧产物和空气平均质量定压热容 单位：$kJ/(kg \cdot K)$

温度/K	O_2	CO_2	H_2O	N_2	空气
273	0.915 5	0.815 4	1.860 7	1.039 9	1.004 3
373	0.923 9	0.866 5	1.874 2	1.041 2	1.006 8
473	0.936 0	0.910 9	1.895 1	1.044 1	1.012 3
573	0.950 7	0.949 4	1.920 7	1.049 6	1.019 8
673	0.965 8	0.983 4	1.949 2	1.057 5	1.029 1
773	0.980 0	1.013 6	1.979 5	1.066 8	1.039 5
873	0.993 4	1.040 6	2.010 8	1.076 8	1.050 4
973	1.005 6	1.064 7	2.043 5	1.087 7	1.061 3
1 073	1.016 5	1.086 0	2.077 0	1.098 2	1.071 8
1 173	1.026 6	1.105 3	2.111 3	1.108 7	1.082 3
1 273	1.035 8	1.123 3	2.145 3	1.118 7	1.091 5

表6.3(续)

温度/K	O_2	CO_2	H_2O	N_2	空气
1 373	1.044 1	1.139 3	2.178 8	1.127 9	1.100 7
1 473	1.051 7	1.153 9	2.212 3	1.136 7	1.109 1
1 573	1.058 8	1.166 9	2.244 6	1.145 5	1.117 5
1 673	1.065 5	1.179 1	2.276 0	1.153 5	1.125 0
1 773	1.072 2	1.190 4	2.306 6	1.161 0	1.132 1
1 873	1.078 1	1.200 4	2.336 3	1.168 2	1.138 8
1 973	1.083 9	1.208 0	2.364 8	1.174 0	1.145 1
2 073	1.089 4	1.218 9	2.392 5	1.188 07	1.151 0
2 173	1.094 8	1.226 8	2.418 5	1.186 6	1.156 8
2 273	1.099 9	1.234 4	2.444 0	1.192 0	1.161 9
2 373	1.105 0	1.242 0	2.469 5	1.197 4	1.167 0
2 473	1.110 1	1.249 6	2.495 0	1.202 8	1.172 1

在计算火焰筒轴向空气量和余气系数时用到的相对流量系数 k_j 是针对火焰筒轴向静压降变化和动压头转化率变化所作的修正。火焰筒特征截面如图图6.3(a)所示。任意截面 j 所示均为假定数值。在计算中,火焰筒任意截面 j 流量值 G_{aj}^{ft} 所指为从截面2到截面 $j-1$(包含 $j-1$)区间内流经当前截面 j 的空气质量流量(包括气膜冷却系统进气)。余气系数 $\alpha_j = 3\ 600Gft/(L_0 G_{f.h}^{ft})$。主燃区和掺混区的 j 截面余气系数 α_{flj} 可根据以下关系式计算:

$$\alpha_{flj} = 3\ 600\left(G_{sw} + 0.1\sum_2^{j-1} G_{coj} + \sum_2^{j-1} G_{bu.oj}\right)/(L_0 G_{f.h}^{ft})$$

式中　　G_{sw}——经过火焰筒旋流器进入火焰筒的空气流量(等于流量 G_{a2}^{ft});

$\sum_2^{j-1} G_{coj}$——从旋流器到 $j-1$ 截面区间内经过气膜冷却系统冷却孔进入火焰筒的空气总流量;

$\sum_2^{j-1} G_{bu.oj}$——从旋流器到 $j-1$ 截面区间内经过主燃区面积为 $F_{bu.o}$ 的一次空气孔进入火焰筒的空气总流量。

在计算火焰筒轴向燃烧效率时需要使用系数 α_{flj}。火焰筒轴向开孔面积变化趋势图如图6.3(b)所示。

通过火焰筒轴向烧尽温度计算,可确定出燃料在火焰筒各截面上的燃烧效率。在计算确定燃烧室热工状态时,应通过燃料火焰的等效作用来模拟燃烧室内发生的热交换和质量交换过程,因为燃料燃烧产生的火焰通过辐射和对流方式决定了燃烧室内部的热流情况。火焰辐射主要包括三原子气体(主要是 CO_2 和 H_2O)辐射和烟黑颗粒辐射。火焰的有效温度 T_{fl} 与火焰筒壁面热流密切相关。由于火焰的黑度 ε_{fl} 是温度函数,因此应当采用逐步近似法进行计算。在计算时,假设温度沿火焰筒轴向不变,且主燃区前端温度与后端温度 $T_t^{\alpha=\alpha_{bu}}$ 相等,然后根据波尔兹曼常数确定平均值 T_{fl},利用经验关系曲线求出火焰任意截面的有效温度。在进行温度计算时,需要使用的燃料气化液滴相对直径和比例变化关系曲线图如图

6.4 和图 6.5 所示。

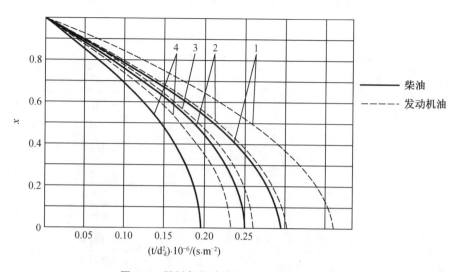

图 6.4　燃料气化液滴相对直径变化趋势图

$1—T_{\text{fl. av}}=1\ 473\ \text{K}$;$2—T_{\text{fl. av}}=1\ 673\ \text{K}$;$3—T_{\text{fl. av}}=1\ 873\ \text{K}$;$4—T_{\text{fl. av}}=2\ 073\ \text{K}$

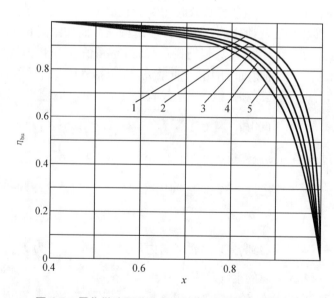

图 6.5　雾化燃油百分比与液滴相对直径关系曲线图

$1—n=2.0$;$2—n=2.5$;$3—n=3.0$;$4—n=3.5$;$5—n=4.0$

理论温度计算

分别针对 $\alpha^*=\alpha_{\text{bu}}$ 和 $\alpha^*=1.0$ 条件进行理论温度计算。

（1）空气含水量（单位 kg/kg）：

$$d_{\text{a}}=(8\sim10)\times10^{-3}$$

如燃气轮机机组采用蒸汽回注式热力系统,则按第 3 章公式计算空气含水量。

（2）单位燃料（1 kg）燃烧产生的燃气数量（单位 kg/kg）：

$$G_{RO_2} = \frac{11}{3}\frac{C^w}{100} + \frac{2S^w}{100}$$

$$G_{H_2O} = \frac{9H^w + W^w}{100} + \alpha^* L_0 d$$

$$G_{N_2} = 0.768\alpha^* L_0 + N^w/100$$

$$G_{O_2} = 0.232(\alpha^* - 1)L_0$$

(3)燃烧产物总量(单位 kg/kg):

$$G_g = G_{RO_2} + G_{H_2O} + G_{N_2} + G_{O_2}$$

(4)燃气组分质量百分比:

$$g_{RO_2} = G_{RO_2}/G_g$$

$$g_{H_2O} = G_{H_2O}/G_g$$

$$g_{N_2} = G_{N_2}/G_g$$

$$g_{O_2} = G_{O_2}/G_g$$

(5)标准物理条件燃烧产物体积(单位 m³/kg):

$$V_{RO_2} = G_{RO_2}/1.977$$

$$V_{H_2O} = G_{H_2O}/0.833$$

$$V_{N_2} = G_{N_2}/1.250$$

$$V_{O_2} = G_{O_2}/1.429$$

(6)燃烧产物总体积(单位 m³/kg):

$$V_g = V_{RO_2} + V_{H_2O} + V_{N_2} + V_{O_2}$$

(7)燃气组分体积百分比:

$$r_{RO_2} = V_{RO_2}/V_g$$

$$r_{H_2O} = V_{H_2O}/V_g$$

$$r_{N_2} = V_{N_2}/V_g$$

$$r_{O_2} = V_{O_2}/V_g$$

(8)根据燃料物理化学数据表选择燃料密度 ρ_f,单位 kg/m³。

(9)燃料比热容(单位 kJ/(kg·K))。

①液体燃料

$$c_f = \frac{4.19}{\sqrt{\rho_f \cdot 10^{-3}}}[0.403 + 0.000\ 81(T_f - 273)]$$

②气体燃料

$$c_f \approx 1.9 \sim 2.0$$

(10)根据表 6.3 选择空气比定压热容 $c_{pa}(T_2)$,单位 kJ/(kg·K)。

(11)理论温度燃烧产物焓值(单位 kJ/kg):

$$I_{g.t} = \frac{H_u\eta_{bu} + \alpha^* L_0 c_{pa} T_2 + c_f T_f}{1 + \alpha^* L_0}$$

(12)取理论温度零次近似值 T_t^0 等于 2 100 ~ 2 500 K。

(13)根据表 6.3 选取各组分比定压热容 $c_{pCO_2}(T_t^0)$、$c_{pH_2O}(T_t^0)$、$c_{pN_2}(T_t^0)$、$c_{pO_2}(T_t^0)$,单位 kJ/(kg·K)。

（14）燃烧产物比定压热容（单位 kJ/(kg·K)）：

$$c_{pg} = c_{p_{CO_2}}g_{RO_2} + c_{p_{H_2O}}g_{H_2O} + c_{p_{N_2}}g_{N_2} + c_{p_{O_2}}g_{O_2}$$

（15）理论燃烧温度（单位 K）：

$$T_t^1 = I_{g.t}/c_{pg}$$

（16）验证收敛条件：

$$\frac{|T_t^1 - T_t^0|}{T_t^1} \leq 0.03$$

如验证结果不满足该条件，则取 $T_t^0 = T_t^1$，返回第 13 项重新进行计算。

（17）最终温度（单位 K）：

$$T_t = T_t^1$$

空气量计算

（18）根据图 6.3(a)确定计算截面编号。

（19）火焰筒相应截面开孔几何面积 $F_j \cdot 10^4$（单位 m^2）：

$$F_1 = f_{sw}$$
$$F_2 = f_{co1}$$
$$F_3 = f_{co2}$$
$$F_4 = f_{co3}$$
$$F_5 = F_{bu.o}$$
$$F_6 = f_{co4}$$
$$F_7 = f_{co5}$$
$$F_8 = f_{co6}$$
$$F_9 = F_{mix1}$$
$$F_{10} = F_{mix2}$$

（20）选取相对流量系数 k_j：

$$k_1 = 1.5 \sim 1.6$$
$$k_2 = k_3 = k_4 = k_6 = k_7 = k_8 = 1.02 \sim 1.04$$
$$k_9 = 1.1 \sim 1.15$$
$$k_{10} = 1.15 \sim 1.17$$

（21）含流量系数因子的开孔面积（单位 m^2）：

$$F_{jk} \cdot 10^4 = F_j k_j$$

（22）管口后所有开孔面积（单位 m^2）：

$$F_{j\sum} \cdot 10^4 = \sum_1^j F_{jk}$$

（23）相对开孔面积：

$$\overline{F}_{jk} = F_{jk} / \sum_1^{10} F_{jk}$$

（24）开孔空气流量（单位 kg/s）：

$$G_{aj}^o = G_a^{ft} \overline{F}_{jk}$$

（25）火焰筒空气流量（单位 kg/s）：

$$G_{aj}^{ft} = G_{sw} + \sum_{2}^{j-1} G_{aj}^{0}$$

式中，$G_{sw} = G_{a1}^{0}$。

（26）含冷却空气在内的余气系数：

$$\alpha_j = 3\,600 G_{aj}^{ft} / (L_0 G_{f.h}^{ft})$$

（27）主燃截面和掺混截面空气流量（单位 kg/s）：

$$G_{acj}^{ft} = G_{sw} + 0.1 \sum_{2}^{j-1} G_{coj} + \sum_{2}^{j-1} G_{bu.oj}$$

式中，$G_{coj} = G_{aj}^{0}$，$\sum_{2}^{5} G_{bu.o} = G_{a5}^{0}$。

（28）余气系数：

$$\alpha_{flj} = 3\,600 G_{acj}^{ft} / (L_0 G_{f.h}^{ft})$$

火焰筒轴向烧尽温度计算

（29）根据图 6.3(a) 选择计算截面编号。

（30）根据图 6.3(a) 选择喷嘴口距离（单位 m）。

根据火焰筒长度和结构设计方案选择冷却孔位置。

（31）相对燃料烧尽长度：

$$\bar{l}_j = l_j / l_2$$

（32）火焰有效温度（一次近似值）（单位 K）：

$$T_{fl}^* = T_t^{\alpha = \alpha_{bu}}$$

（33）主燃区后端三原子气体辐射弱化系数（一次近似值）（单位 1/m）：

$$k_{g9}^* = \frac{0.8 + 1.6 r_{H_2O}}{\sqrt{d_m}} \left(1 - 0.38 \frac{T_{fl}^*}{1\,000} \right) \sqrt{10^{-5} p_2 (r_{H_2O} + r_{RO_2})}$$

（34）任意截面三原子气体辐射弱化系数（一次近似值）（单位 1/m）：

$$k_{gj}^* = (0.94 + 0.06\bar{l}_j) k_{g9}^*$$

（35）根据火焰筒轴向空气量计算结果选择余气系数 α_{flj}。

（36）试验系数：

$$a_{flj} = -2.5\bar{l}_k + 3.25$$

（37）试验系数：

$$n_{flj} = -0.43\bar{l}_j + 1.43$$

（38）烟黑颗粒辐射弱化系数（一次近似值）（单位 1/m）：

$$k_{sj}^* = (a_{flj}/T_{fl}^*)(p_2/10^5)^{n_{flj}} \left(1 + \frac{1.85}{\alpha_{flj}} \right) (1.6 \times 10^{-3} T_{fl}^* - 0.5)(C^w/H^w)^2$$

（39）辐射平均弱化系数（单位 1/m）：

$$k_{at}^* = \frac{1}{8} \sum_{j=2}^{9} (k_{gj}^* + k_{sj}^*)$$

（40）火焰平均黑度

$$\varepsilon_{fl.av} = 1 - e^{-k_{at}^* S}$$

式中，$S = 4v/(\pi d_m l)$。

（41）波尔兹曼常数：

$$Bo = \frac{4.87\eta_{bu}G_{f.h}^{ft}c_{pg}^{\alpha=\alpha_{bu}}}{10^{-8}\varepsilon_{fl.av}(T_{fl}^*)^3\pi d_m l_2}$$

（42）主燃区末端火焰温度（单位 K）：

$$T_{fl9} = \begin{cases} T_{fl}^*, & Bo \geqslant 60 \\ T_{fl}^*(0.61 + 0.012\,5Bo - 10^{-4}Bo^2), & Bo < 60 \end{cases}$$

（43）截面温度不均匀系数：

$$\zeta_j = \frac{1}{1 - (1 - \bar{l}_j)\left[(T_t^{\alpha=1} - T_{fl9})/T_t^{\alpha=1}\right]}$$

（44）火焰有效温度（单位 K）：

$$T_{flj} = \xi_j T_{fl9}(1 - e^{-0.7/(1-\sqrt{l_j})})$$

（45）主燃区截面内三原子气体辐射弱化系数（单位 1/m）：

$$k_{g9} = \frac{0.8 + 1.6r_{H_2O}}{\sqrt{d_m}}\left(1 - 0.38\frac{T_{fl9}}{1\,000}\right)\sqrt{10^{-5}p_2(r_{H_2O} + r_{RO_2})}$$

（46）三原子气体辐射弱化系数（单位 1/m）：

$$k_{gj} = (0.94 + 0.06\bar{l}_j)k_{g9}$$

（47）烟黑颗粒辐射弱化系数，1/m

$$k_{sj} = (a_{flj}/T_{flj})(p_2/10^5)^{n_{flj}}\left(1 + \frac{1.85}{\alpha_{flj}}\right)(1.6 \cdot 10^{-3}T_{flj} - 0.5)(C^w/H^w)^2$$

（48）火焰黑度：

$$\varepsilon_{flj} = 1 - e^{-(k_{gj}+k_{sj})d_m}$$

（49）气体密度（单位 kg/m³）：

$$\rho_{gj} = p_2/(289T_{flj})$$

（50）根据图 6.3（a）选取火焰筒计算截面中径，d_j，m。中径取值范围：$d_2 = (0.5 \sim 0.6)d_m$；$d_3 = (0.8 \sim 0.9)d_m$。

（51）火焰筒内部气体假定流动速度（单位 m/s）：

$$W_{gj} = 4\left(\frac{G_{f.h}^{ft}}{3\,600} + G_{aj}^{ft}\right)\bigg/(\rho_{gj}\pi d_j^2)$$

（52）滞留时间（单位 s）：

$$\Delta t_{stj} \cdot 10^3 = \Delta l_j/W_{gj}$$

式中，$\Delta l_j = l_j - l_{j-1}$。

（53）主燃区总滞留时间（单位 s）：

$$\Delta t_{st} \cdot 10^3 = \sum_{j=2}^{9}\Delta t_{st}$$

（54）主燃区轴向平均温度（单位 K）：

$$T_{fl.av} = \frac{\sum_{j=2}^{9}(\Delta t_{stj}T_{flj})}{\Delta t_{st}}$$

（55）油滴最大直径（单位 m）：

$$d_{d\,max} = (1.9 \sim 2.6)d_{d.av}$$

式中，机械雾化：$d_{d.av} = (120 \sim 180) \cdot 10^{-6}$ m；空气机械雾化，$d_{d.av} = (30 \sim 80) \cdot 10^{-6}$ m。

（56）气化参数（单位 s/m²）：

$$t/d_d^2 = \Delta t_{st}/d_{d\,max}^2$$

（57）根据图 6.4 计算相对直径变化量 x。

（58）假设雾化均匀度 $n = 2 \sim 4$，根据图 6.5 求出燃料燃烧效率 η_{bu9}。

（59）火焰筒各截面燃料燃烧效率：

$$\eta_{buj} = \eta_{bu9}\bar{l}_j^{0.04\bar{p}_2/\alpha_{flj}}$$

式中，$\bar{p}_2 = p_2/0.101\,2 \cdot 10^6$。

课后练习题

1. 分析列出影响船用燃气轮机燃烧室部件工作状态的燃烧室主要工况参数和几何参数。

2. 请列出影响多级扩压器流体损失的主要因素。

3. 如何计算燃烧室火焰筒开孔分配系数？

4. 请列出火焰筒主燃区热强度计算公式。

5. 请分析一下影响烃类燃料燃烧理论温度的主要因素。

6. 请简述主燃区和掺混区余气系数的物理概念。

7. 改变总余气系数，燃烧产物体积将会如何改变？

8. 哪些主要因素会影响火焰有效温度？

9. 请列出计算火焰平均黑度的计算关系式。

10. 液体燃料燃烧效率与雾化液滴最大直径之间存在哪些关联？

第7章 多级轴流式涡轮气动力学计算

7.1 涡轮设计的主要任务

众所周知,燃气轮机工作介质的参数在通流部分内沿气流方向会发生改变。实际上,由于叶片装置结构复杂、气流与叶片表面之间存在摩擦和附面层等原因,在通流部分任一横截面的不同点上,工质的参数都不尽相同。总的来说,在轴流式燃气轮机中流动的是三维立体不稳定气流。

涡轮设计的主要目的是确定通流部分几个最主要的气动参数、结构参数和运行参数,以确保燃气轮机机组能够达到热力循环计算时设定的涡轮通流部分效率指标,即涡轮内效率值 η_i^*。

如此一来,在进行涡轮设计时可以尽量简化计算过程,使用若干特定气流流道截面的工质平均参数进行计算。在计算参数平均值时,可利用标准气流替代不均匀的真实气流。所采用的标准气流需要考虑的参数数量较少,但却保留了真实气流比较重要的热力过程特性。在设计涡轮时,应尽量保证所设计的涡轮气流接近于标准气流,即所设计涡轮的几何特性和运动特性要满足真实气流平均参数计算的多项假定条件,这一点非常重要。

在进行涡轮设计计算时,应当以保证涡轮通流部分在热力循环计算求得的工质初始参数和最终参数条件下达到最大效率为前提,计算出通流部分的几何参数。通常情况下,涡轮设计计算都使用一维工质流模型。可我们发现,在设计新型通流部分时,在设计计算阶段也可以使用现代的三维气流模型。

涡轮校核计算的目的是对设计计算得到的通流部分工质流动条件进行校核,并通过改变工质流三维参数的方式对工质流动条件加以修正。校核计算通常使用二维和三维数学模型。

7.2 涡轮通流部分形状简图及初始计算参数

根据燃气轮机机组涡轮几何尺寸计算结果,初步选定涡轮径向和轴向尺寸、叶片装置间环形面积、级数和通流部分形状方案。根据燃气轮机关键部件总体布置条件,按照经济指标、工艺指标和重量尺寸指标最终选定涡轮通流部分形状方案。目前,常用的通流部分形状方案如图7.1所示。

(1)等外径,内径逐渐减小(图7.1,a);

(2)等内径,外径逐渐增加(图7.1,b);

(3)等中径,外径逐渐增加,且内径逐渐减小(图7.1,b);

(4)组合式通流部分(图7.1,c)。

与其他形式的涡轮相比,等外径涡轮 $D_{ext} = \text{const}$ 的级数最少。如果涡轮只有一级,则等外径涡轮级内做功大于其他形式涡轮。这是因为,在选定最大外径后,等外径涡轮前端各

级在指定转速下的中径和内径圆周速度大于其他形式
涡轮。然而,此类等外径涡轮的前几级叶片相对较短。

等内径涡轮 D_{inn} = const 前端各级圆周速度较小,
为了弥补这一点需要相应增加通流部分级数或者提高
前端各级负荷,因此也必然导致涡轮效率降低。此类
型通流部分拥有一定的加工优势:一级叶片较长,这一
点对于小尺寸涡轮意义非常重大;叶根部分没有倾斜,
易于加工,便于进行叶片加工质量检查;所有涡轮级可
采用相同形式的榫根连接。

等中径涡轮 D_{med} = const 介于上述两种涡轮之间。

更常见的是变径通流部分和组合式通流部分。变
径通流部分的三个直径 D_{ext},D_{med},D_{inn} 均发生改变,而
组合式通流部分的前后各级采用不同的结构形式,例
如:前端各级采用 D_{med} = const 形式,而其余各级采用
D_{ext} = const 形式。此类通流部分常用于设计带自由动
力涡轮的双轴或三轴涡轮。由于此类涡轮的高压级、
低压级和动力涡轮级的直径尺寸差距较大,故此可根
据各级的结构特点将个别涡轮单级或涡轮级组在轴向
上分隔开,形成级间环形通道。

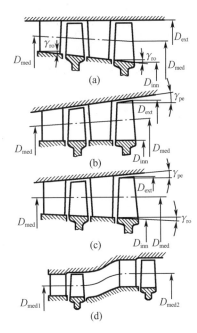

图 7.1　轴流式涡轮通流部分
子午面图

双级涡轮通流部分的结构简图造型如图 7.2 所示。我们在研究时发现,喷嘴叶片和动
叶片的轴向宽度是一个沿叶高改变的变量。以喷嘴叶片叶顶宽度与叶根宽度之比 $B_{nb.pe}/$
$B_{nb.ro}$ 为例,该比值从高压涡轮的 1.0 ~ 1.15 增加到动力涡轮的 1.3 ~ 1.5。而动叶片的叶顶
宽度与叶根宽度之比 $B_{rb.pe}/B_{rb.ro}$,则从高压涡轮的 0.9 ~ 0.8 降到了动力涡轮的 0.7 ~ 0.6。

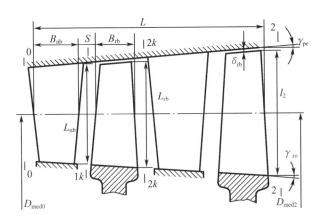

图 7.2　轴流式涡轮通流部分尺寸

按照燃气轮机机组热力循环参数计算分析结果,根据设计人员的设计经验选取涡轮气
动力学计算的输入参数。

在开始设计涡轮之前已知下列参数:涡轮前燃气滞止气流参数(压力 p_0^*,N/m^2;温度
T_0^*,K);涡轮后燃气滞止气流参数(p_2^*,N/m^2;温度 T_2^*,K);燃气质量流量 G_g,kg/s;涡轮进

口中径 D_{med1}，m；工作温度范围内燃气比定压热容 c_{pg}，J/（kgK）；气体常数 R，J/（kgK）；等熵指数 k；涡轮机械效率 η_m。

我们在研究中发现，多级涡轮的级间焓降分配是一个非常重要和关键的问题，需要将其与基元级允许焓降、反动度和通流部分子午扩张等问题关联考虑。一般情况下，可以选择任意一种级间焓降变化规律，然后通过方案计算优化焓降分配。

k 级等熵焓降：

$$h_{ak} = a_k \frac{H_a^*}{z}$$

式中　z——级数；

$a_k = $——加载系数，取值范围 $0.8 \sim 1.2$，且 $a_1 + a_2 + \cdots + a_z = z$。

7.3　轴流式涡轮中径计算

多级涡轮气动力学计算步骤如下。

（1）涡轮前后总参数等熵焓降（单位 J/kg）：

$$H_a^{**} = c_{pg} T_0^* \left[1 - (p_2^*/p_0^*)^{\frac{k-1}{k}} \right]$$

（2）涡轮可用焓降（单位 J/kg）：

$$H_a^* = (1 + \xi_{out}) H_a^{**}$$

式中，流出速度损失系数 $\xi_{out} = 0.03 \sim 0.05$。

（3）级后静压（单位 N/m²）：

$$p_2 = p_0^* \left[1 - \frac{(H_a^*/z) \sum a_i}{c_{pg} T_0^*} \right]^{\frac{k}{k-1}}$$

（4）级可用焓降（单位 J/kg）。

①Ⅰ级

$$h_a^* = a_1 \frac{H_a^*}{z}$$

②其余各级

$$h_a^* = c_{pg} T_{2(k-1)}^* \left[1 - (p_{2k}/p_{2(k-1)}^*)^{\frac{k-1}{k}} \right]$$

（5）焓降对应理论速度（单位 m/s）：

$$c_a = \sqrt{2h_a^*}$$

（6）根据涡轮几何尺寸计算结果选取比值 $\lambda = D_{med}/l_{rb}$（高压涡轮，$\lambda = 12 \sim 18$；低压涡轮，$\lambda = 6 \sim 10$；动力涡轮，$\lambda = 4 \sim 6$）。在确定动叶片长度后，重新对该比值进行确认。

（7）叶根反动度：

$$\rho_{ro} = 0.05 \sim 0.10$$

（8）级中径反动度：

$$\rho = \rho_{ro} + \frac{1.8}{1.8 + \lambda}, \ \lambda \geqslant 5$$

$$\rho = \rho_{ro} + \frac{2\lambda - 1}{\lambda^2}, \ \lambda < 5$$

(9)喷嘴出口气流角(单位(°))。

①I级:α_1取值(高压涡轮,$\alpha_1 = 13° \sim 15°$;低压涡轮,$\alpha_1 = 14° \sim 18°$;动力涡轮,$\alpha_1 = 16° \sim 25°$)。

②其余各级:

$$\alpha_1 = \arcsin \frac{G_{nb}}{\pi D_{med1} l_{nb} \rho_1 c_1}$$

(10)选取喷嘴速度系数φ(冷却喷嘴,$\varphi = 0.96 \sim 0.975$;非冷却喷嘴,$\varphi = 0.97 \sim 0.98$)。

(11)喷嘴实际流出速度(单位 m/s):

$$c_1 = \varphi c_a \sqrt{1 - \rho}$$

(12)I级特性指标:

$$\nu_1 = \frac{u_1}{c_1} = \frac{\cos \alpha_1}{2(1 - \rho)}$$

(13)喷嘴中径圆周速度(单位 m/s):

$$u_1 = c_1 \nu_1$$

(14)级转速(单位 r/min):

$$n_t = \frac{u_1 60}{\pi D_{med1}}$$

(15)喷嘴出口气流静温(单位 K):

$$T_1 = T_{0k}^* - \frac{c_1^2}{2c_{pg}}$$

(16)喷嘴出口静压(单位 N/m²):

$$p_1 = p_{0k}^* \left[1 - (1 - \rho) h_a^* / (c_{pg} T_0^*) \right]^{\frac{k}{k-1}}$$

(17)喷嘴出口燃气密度(单位 kg/m³):

$$\rho_1 = p_1 / (R T_1)$$

(18)I级喷嘴叶片出气边长度(单位 m):

$$l_{nb1} = \frac{G_{nb}}{\pi D_{med1} c_1 \sin \alpha_1 \rho_1}$$

(19)选取通流部分总扩张角(单位(°)):

$$\gamma = \gamma_{pe} + \gamma_{ro}$$

(20)选取通流部分轴向间隙S(单位 m)。

(21)根据图7.3确定叶栅轴向尺寸$\beta_{nb} = f(D_{med1}/l_{nb})$和$B_{rb} = f(\lambda)$,单位 m。最终确定的叶栅轴向尺寸应满足所设计的燃气轮机涡轮结构要求。

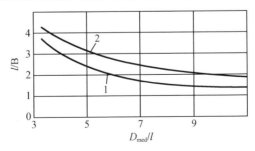

图7.3 涡轮叶栅相对宽度曲线图

1—喷嘴叶片;2—动叶片

(22) k - 叶片出气边长度(单位 m):

$$l_{nb} = l_{nbI} + \left[(2k - 2)S + \sum_{2}^{k} B_{nb} + \sum_{1}^{k-1} B_{rb} \right] (\tan \gamma_{ro} + \tan \gamma_{pe})$$

$$l_{rb} = l_{nbI} + \left[(2k - 1)S + \sum_{2}^{k} B_{nb} + \sum_{1}^{k} B_{rb} \right] (\tan \gamma_{ro} + \tan \gamma_{pe})$$

(23) 喷嘴叶栅相对节距。

①冷却涡轮级:

$$\bar{t}_{nb} = t_{nb}/l_{nb} = 0.8 \sim 0.95$$

②非冷却涡轮级:

$$\bar{t}_{nb} = 0.7 \sim 0.85$$

(24) 根据图 7.4 确定叶型安装角(单位(°)):

$$\alpha_{S} = f(\alpha_0 - \alpha_1)$$

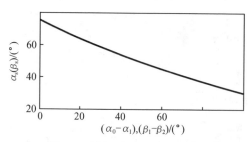

图 7.4　叶栅叶型安装角曲线图

(25) 喷嘴叶片叶型弦长(单位 m):

$$b_{nb} = B_{nb}/\sin \alpha_{s}$$

第(26) ~ (46)项为冷却喷嘴叶片计算步骤。

(26) 喷嘴叶片周长与弦长之比(弦周比):

$$\overline{\Pi} = \Pi_{nb}/b_{nb} = 2.2 \sim 2.6$$

(27) 根据图 7.5 确定气体运动黏度系数(单位 m^2/s):

$$\nu_{nb} = f(T_1)$$

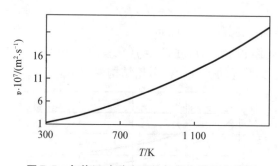

图 7.5　气体运动黏度系数与温度关系曲线图

(28) 喷嘴叶栅出口雷诺数:

$$Re_{nb} = \frac{c_1 b_{nb}}{\nu_{nb}}$$

(29)喷嘴叶栅气流运动特性系数:

$$P_\alpha = \frac{\sin \alpha_0}{\sin \alpha_1} \sqrt{\frac{2\sin \alpha_s}{\bar{t}_c \sin (\alpha_0 + \alpha_1) \cos^2 \dfrac{\alpha_0 - \alpha_1}{2}} - 1}$$

(30)喷嘴叶片冷却空气相对流量:

$$\bar{G}_{co.nb} = \frac{G_{co.nb}}{G_a} = g_{e.nb} \frac{25\Pi_{nb}(T_{nb}/T_{a.in})^{0.25}}{Re_{nb}^{0.34} P_\alpha^{0.58} \bar{t}_{nb} \sin \alpha_2} \frac{\Delta T_{nb}}{T_{p,nb} - T_{a.in}}$$

式中 $g_{e.nb}$——喷嘴叶片冷却空气单位流量系数(燃气轮机机组热力循环计算结果);

T_{nb}, K——喷嘴叶片前燃气温度(高压涡轮 I 级, $T_{nb} = T_0^* + (50 \sim 150)$;涡轮其余各级, $T_{nb} = T_{2(k-1)}^*$);

$T_{a,in}$, K——冷却部件进气温度($T_{a.in} = T_2 + (40 \sim 70)$,式中, T_2 为高压压气机出口空气温度);

$T_{p.nb}$, K——喷嘴叶片允许温度(燃气轮机机组热力循环计算结果);

ΔT_{nb}, K——喷嘴叶片冷却温度($\Delta T_{nb} = T_{nb} - T_{p.nb}$)。

(31)喷嘴叶片冷却空气流量(单位 kg/s):

$$G_{co.nb} = G_a \bar{G}_{co.nb}$$

式中, G_a 为低压压气机空气流量(燃气轮机机组热力循环计算结果)。

(32)动叶栅混合气体流量,含通流部分冷却空气(单位 kg/s):

$$G_{mix} = G_{nb} + G_{co.nb}$$

式中, G_{nb} 为喷嘴导向器燃气流量(I 级: $G_{nb} = G_g$)。

(33)喷嘴相对冷却热

$$\bar{q}_{co.nb} = \frac{q_{co.nb}}{h_a^*} = \frac{0.28\bar{\Pi}_{nb}\Delta T_{nb}/T_{nb}}{Re_{nb}^{0.34} P_\alpha^{0.58} \bar{t}_{nb} \sin \alpha_1} \frac{1}{1 - (p_2/p_{0k}^*)^{\frac{k-1}{k}}}$$

(34)喷嘴叶栅换热系数:

$$\tau_{nb} = \frac{\bar{q}_{co.nb}}{1 - \rho}$$

(35)冷却喷嘴叶栅燃气膨胀多变指数:

$$n_{nb} = \frac{1}{1 - \dfrac{k-1}{k}(\varphi^2 + \tau_{nb})}$$

(36)考虑冷却过程热量传导因素的喷嘴叶栅焓降(单位 J/kg):

$$h_{nb.co}^* = \frac{n_{nb}}{n_{nb} - 1} RT_0^* \left[1 - (p_1/p_{0k}^*)^{\frac{n_{nb}-1}{n_{nb}}} \right]$$

(37)焓降 $h_{nb.cc}^*$ 对应速度(单位 m/s):

$$c_{1g} = \varphi \sqrt{2h_{nb.co}^*}$$

(38)喷嘴叶栅出口燃气温度(单位 K):

$$T_{1g} = T_{0k}^* - \frac{c_{1g}^2}{2c_{pg}}$$

（39）比热容比：

$$\bar{c}_p = \frac{c_{pa}}{c_{pg}} = (T_{a.in}/T_{1g})^{0.25}$$

（40）空气相对速度：

$$\bar{c}_a = c_{1a}/c_{1g} = 0.4 \sim 0.7$$

（41）掺混冷却空气后的喷嘴叶栅出口气流轴向分速度变化系数：

$$\theta_{anb} = \frac{1 + \bar{G}_{co.nb}\bar{c}_a \sin \alpha_{1a}/\sin \alpha_1}{1 + \bar{G}_{co.nb}}$$

折合计算公式中，α_{1a} 为喷嘴冷却空气出口气流角（由出气缝隙结构形式决定；一次近似 $\alpha_{1a} \approx \alpha_1$）；

（42）喷嘴叶栅出口气流圆周分速度变化系数：

$$\theta_{unb} = \frac{1 + \bar{G}_{co.nb} - \bar{c}_a \cos \alpha_{1a}/\cos \alpha_1}{1 + \bar{G}_{co.nb}}$$

（43）掺混冷却空气后燃气降温系数：

$$\theta_{\tau nb} = \frac{1 + \dfrac{T_{a.in}}{T_{1g}}\bar{G}_{co.nb} - \bar{c}_p}{1 + \bar{G}_{co.nb}}$$

（44）冷却叶栅后气流温度（单位 K）：

$$T_{1mix} = T_{1g}\theta_{\tau mb}$$

（45）考虑喷嘴冷却及掺混空气影响作用的喷嘴出口气流速度（单位 m/s）：

$$c_{1mix} = c_{1g}\sqrt{(\theta_{anb}\sin \alpha_1)^2 + (\theta_{unb}\cos \alpha_1)^2}$$

（46）冷却喷嘴叶栅出口气流角（单位（°））：

$$\alpha_{1mix} = \arctan\left(\frac{\theta_{anb}}{\theta_{unb}}\tan \alpha_1\right)$$

（47）动叶片进口气流相对速度（单位 m/s）。

① 冷却涡轮级：

$$w_{1mix} = \sqrt{c_{1mix}^2 + u_1^2 - 2u_1 c_{1mix}\cos \alpha_{1mix}}$$

② 非冷却涡轮级：

$$w_1 = \sqrt{c_1^2 + u_1^2 - 2u_1 c_1 \cos \alpha_1}$$

（48）动叶片相对进口气流角（单位（°））。

① 冷却涡轮级：

$$\beta_{1mix} = \arcsin \frac{c_{1mix}\sin \alpha_{1mix}}{w_{1mix}}$$

② 非冷却涡轮级：

$$\beta_1 = \arcsin \frac{c_1 \sin \alpha_1}{w_1}$$

(49)出口中径(m)。

①k - 叶轮动叶片:

$$D_{\text{med2}} = (D_{\text{med1}})_1 + 2\left[(2k-1)S + \sum_2^k B_{\text{nb}} + \sum_1^k B_{\text{rb}}\right]\tan\frac{\gamma_{\text{pe}} - \gamma_{\text{ro}}}{2}$$

②喷嘴叶片:

$$D_{\text{med1}} = (D_{\text{med1}})_1 + 2\left[(2k-2)S + \sum_2^k B_{\text{nb}} + \sum_1^{k-1} B_{\text{rb}}\right]\tan\frac{\gamma_{\text{be}} - \gamma_{\text{ro}}}{2}$$

(50)动叶栅后中径圆周速度(单位 m/s):

$$u_2 = \pi D_{\text{med2}} n_t / 60$$

(51)选取动叶栅速度系数 ψ(冷却动叶片,$\psi = 0.95 \sim 0.965$;非冷却动叶片,$\psi = 0.96 \sim 0.97$)

(52)动叶栅出口气体相对速度(单位 m/s)。

①冷却涡轮级:

$$w_2 = \psi\sqrt{\rho c_a^2 + w_{1\text{mix}}^2}$$

②非冷却涡轮级:

$$w_2 = \psi\sqrt{\rho c_a^2 + w_1^2}$$

(53)动叶栅出口气体静温(单位 K)。

①冷却涡轮级:

$$T_2 = T_{1\text{mix}} - \frac{w_2^2 - w_{1\text{mix}}^2 + u_1^2 - u_2^2}{2c_{pg}}$$

②非冷却涡轮级:

$$T_2 = T_1 - \frac{w_2^2 - w_1^2 + u_1^2 - u_2^2}{2c_{pg}}$$

(54)动叶栅出口气体密度(单位 kg/m³):

$$\rho_2 = p_2 / (R T_2)$$

(55)动叶栅出口气流角(单位(°))。

①冷却涡轮级:

$$\beta_2 = \arcsin\frac{G_{\text{mix}}}{\pi D_{\text{med2}}\rho_2 w_2 l_{\text{rb}}}$$

②非冷却涡轮级:

$$\beta_2 = \arcsin\frac{G}{\pi D_{\text{med2}}\rho_2 w_2 l_{\text{rb}}}$$

(56)动叶栅相对节距。

①冷却涡轮级:

$$\bar{t}_{\text{rb}} = t_{\text{rb}} / b_{\text{rb}} = 0.4\rho + 0.65$$

②非冷却涡轮级:

$$\bar{t}_{\text{rb}} = 0.4\rho + 0.6$$

(57)根据图7.4确定叶型安装角(单位(°)):

$$\beta_S = f(\beta_1 - \beta_2)$$

(58)动叶片叶型弦长(单位 m):

$$b_{rb} = B_{rb}/\sin \beta_s$$

第(59)~(79)项为冷却动叶片计算步骤。

(59)动叶片周长与弦长之比(弦周比):

$$\overline{\Pi}_{rb} = \Pi_{rb}/b_{rb} = 2.4 \sim 2.7$$

(60)按图 7.5 选取气体运动黏度系数(单位 m^2/s):

$$\nu_{rb} = f(T_2)$$

(61)动叶栅出口雷诺数:

$$Re_{rb} = \frac{w_2 b_{2b}}{\nu_{rb}}$$

(62)动叶栅气流运动特性系数:

$$P_\beta = \frac{\sin \beta_{1mix}}{\sin \beta_2} \sqrt{\frac{2\sin \beta_y}{\bar{t}_p \sin(\beta_{1mix} + \beta_2)\cos^2 \frac{\beta_{1mix} - \beta_2}{2}} - 1}$$

(63)动叶栅旋转系数:

$$S_u = \frac{u_2 l_{rb}}{w_2 D_{med2}}$$

(64)动叶片冷却空气相对流量:

$$\overline{G}_{co.rb} = \frac{G_{co.rb}}{G_a} = g_{e.rb} \frac{25\overline{\Pi}_{rb}(1 + 0.8S_u^{0.42})}{Re_{rb}^{0.34} P_\beta^{0.58} \bar{t}_{rb}\sin \beta_2} \frac{\Delta T_{rb}}{T_{p.rb} - T_{a.in}} \left(\frac{T_{nb}}{T_{a.in}}\right)^{0.25}$$

式中 $g_{e.rb}$——动叶片冷却空气单位流量系数(燃气轮机机组热力循环计算结果);

T_{rb},K——动叶片前燃气温度($T_{rb} \approx T_{1mix}$);

T_{rb},K——动叶片允许温度(燃气轮机机组热力循环计算结果);

ΔT_{rb},K——动叶片冷却温度($\Delta T_{rb} = T_{rb} - T_{p.rb}$)。

(65)动叶片冷却空气流量(单位 kg/s):

$$G_{co.rb} = G_a \overline{G}_{co.rb}$$

(66)次级喷嘴导向器混合气流流量(单位 kg/s):

$$G_{nb} = G_{mix} + G_{co.rb}$$

(67)动叶片相对冷却热:

$$\bar{q}_{co.rb} = \frac{q_{co.rb}}{h_a^*} = \frac{0.28\overline{\Pi}_{rb}(1 + 0.8S_u^{0.42})\Delta T_{rb}/T_{rb}}{Re_{rb}^{0.34} P_\beta^{0.58} \bar{t}_{rb}\sin \beta_2} \frac{1}{1 - (p_2/p_{0k}^*)^{\frac{k-1}{k}}}$$

(68)动叶片导热系数:

$$\tau = \frac{\overline{q}_{co.rb}}{\rho}$$

(69)考虑冷却因素在内的动叶栅气体膨胀多变指数:

$$n_{rb} = \frac{1}{1 - \frac{k-1}{k}(\psi^2 + \tau_{rb})}$$

(70)考虑冷却过程热量传导因素在内的动叶栅焓降(单位 J/kg):

$$h_{rb.co} = \frac{n_{rb}}{n_{rb} - 1} R T_{1mix} \left[1 - (p_2/p_1)^{\frac{n_{rb}-1}{n_{rb}}} \right]$$

(71)焓降 $h_{rb.co}^*$ 对应流速(单位 m/s):

$$w_{2g} = \psi \sqrt{2h_{rb.co} + w_{1mix}^2}$$

(72)考虑冷却因素在内的动叶栅出口燃气温度(单位 K):

$$T_{2g} = T_{1g} - \frac{w_{2g}^2 - w_{1mix}^2 + u_1^2 - u_2^2}{2c_{pg}}$$

(73)空气相对速度(单位 m/s):

$$\overline{w}_a = w_a/w_{2g} = 0.6 \sim 0.7$$

(74)掺混冷却空气后动叶栅出口气流轴向分速度变化系数:

$$\theta_{arb} = 1 + \overline{G}_{co.rb} \overline{w}_a \sin \beta_{2a}/\sin \beta_2$$

式中,β_{2a} 为动叶栅冷却空气出口气流角(由出气缝隙结构形式决定,一次近似取值 $\beta_{2a} \approx \beta_2$)。

(75)喷嘴叶栅气流圆周分速度变化系数:

$$\theta_{urb} = 1 + \overline{G}_{co.rb} \overline{w}_a \cos \beta_{2a}/\cos \beta_2$$

(76)掺混冷却空气后燃气温度变化系数:

$$\theta_{\tau rb} = \frac{1 + \dfrac{T_{a.in}}{T_{2g}} G_{co.rb} \overline{c}_p}{1 + \overline{G}_{co.rb}}$$

(77)冷却动叶片后气流温度(单位 K):

$$T_{2mix} = T_{2g} \theta_{\tau rb}$$

(78)掺混冷却空气后冷却动叶栅出口气流速度(单位 m/s):

$$w_{2mix} = w_{2g} \sqrt{(\theta_{arb} \sin \beta_2)^2 + (\theta_{urb} \cos \beta_2)^2}$$

(79)冷却动叶栅出口气流角(单位(°)):

$$\beta_{2mix} = \arctan\left(\frac{\theta_{arb}}{\theta_{urb}} \tan \beta_2 \right)$$

(80)动叶栅出口气流绝对速度(单位 m/s)。

①冷却涡轮级:

$$c_{2mix} = \sqrt{w_{2mix}^2 + u_2^2 - 2u_2 w_{2mix} \cos \beta_{2mix}}$$

②非冷却涡轮级:

$$c_2 = \sqrt{w_2^2 + u_2^2 - 2u_2 w_2 \cos \beta_2}$$

(81)级出口绝对速度气流角(单位(°))。

①冷却涡轮级:

$$\alpha_{2mix} = \arcsin \frac{w_{2mix} \sin \beta_{2mix}}{c_{2mix}}, \quad u_2 < w_2 \sin \beta_2$$

$$\alpha_{2mix} = 180° - \arcsin \frac{w_{2mix} \sin \beta_{2mix}}{c_{2mix}}, \quad u_2 > w_2 \sin \beta_2$$

②非冷却涡轮级：

$$\alpha_2 = \arcsin \frac{w_2 \sin \beta_2}{c_2}, \ u_2 < w_2 \sin \beta_2$$

$$\alpha_2 = 180° - \arcsin \frac{w_2 \sin \beta_2}{c_2}, \ u_2 > w_2 \sin \beta_2$$

(82)喷嘴叶栅出口气流绝对速度圆周分速度(单位 m/s)。

①冷却涡轮级：

$$c_{1u\text{mix}} = c_{1\text{mix}} \cos \alpha_{1\text{mix}}$$

②非冷却涡轮级：

$$c_{1u} = c_1 \cos \alpha_1$$

(83)动叶栅出口气流绝对速度圆周分速度(单位 m/s)。

①冷却涡轮级：

$$c_{2u\text{mix}} = c_{2\text{mix}} \cos \alpha_{2\text{mix}}$$

②非冷却涡轮级：

$$c_{2u} = c_2 \cos \alpha_2$$

(84)级圆周焓降(单位 J/kg)。

①冷却涡轮级：

$$h_u = u_1 c_{1u\text{mix}} \pm u_2 c_{2u\text{mix}}$$

②非冷却涡轮级：

$$h_u = u_1 c_{1u} \pm u_2 c_{2u}$$

(85)级圆周效率。

①冷却涡轮级：

$$\eta_u = \frac{h_u}{h_a^*} \frac{G_{\text{mix}}}{G_{\text{nb}}}$$

②非冷却涡轮级：

$$\eta_u = \frac{h_u}{h_a^*}$$

(86)轮盘燃气摩擦损失(单位 J/kg)。

①冷却涡轮级：

$$q_{\text{fr}} = (6 \sim 10) \cdot 10^{-4} \frac{\lambda}{\sin \alpha_{1\text{mix}}} \left(\frac{u_2}{c_a} \right)^3 h_a^*$$

②非冷却涡轮级：

$$q_{\text{fr}} = (6 \sim 10) \cdot 10^{-4} \frac{\lambda}{\sin \alpha_1} \left(\frac{u_2}{c_a} \right)^3 h_a^*$$

(87)相对径向间隙：

$$\overline{\delta}_r = \delta_r / l_{\text{rb}} = 0.005 \sim 0.010$$

(88)叶片装置间隙漏气损失(单位 J/kg)：

$$q_{\text{ef}} = 1.37(1 + 1.6\rho)(1 + 1/\lambda)\overline{\delta}_r h_u$$

(89)级后静温(单位 K)。

①冷却涡轮级:

$$T'_2 = T_{2\text{mix}} + \frac{q_{\text{ef}} + q_{\text{fr}}}{c_{pg}}$$

②非冷却涡轮级:

$$T'_2 = T_2 + \frac{q_{\text{ef}} + q_{\text{fr}}}{c_{pg}}$$

(90)级后滞止气流温度(单位 K)。

①冷却涡轮级:

$$T_2^* = T'_2 + \frac{c_{2\text{mix}}^2}{2c_{pg}}$$

②非冷却涡轮级:

$$T_2^* = T'_2 + \frac{c_2^2}{2c_{pg}}$$

(91)级后滞止气流压力(单位 N/m²)。

$$p_2^* = p_2 \left(\frac{T_2^*}{T'_2} \right)^{\frac{k}{k-1}}$$

(92)冷却抽吸功(仅针对冷却级)(单位 J/kg):

$$h_{\text{p}} = \xi_{\text{p}} (u_i^2 - u_{\text{in}}^2)$$

式中 ξ_{p}——抽吸功损失补偿系数($\xi_{\text{p}} = 0.5 \sim 0.7$);

u_i——排气圆周速度(经出气边排气,$u_i \approx u_2$;经端部排气,$u_i \approx u_2 (1 + l_{\text{rb}}/D_{\text{med2}})$),m/s;

u_{in}——冷却空气进气圆周速度($u_{\text{in}} \approx 0$),m/s。

(93)级内焓降(单位 J/kg)。

①冷却涡轮级:

$$h_i = h_u - (q_{\text{ef}} + q_{\text{fr}}) - h_{\text{p}} \overline{G}_{\text{co. rb}}$$

②非冷却涡轮级:

$$h_i = h_u - (q_{\text{ef}} + q_{\text{fr}})$$

(94)级内效率。

①冷却涡轮级:

$$\eta_{ist} = \frac{h_i}{h_a^*} \frac{G_{\text{mix}}}{G_{\text{nb}}}$$

②非冷却涡轮级:

$$\eta_{ist} = \frac{h_i}{h_a^*}$$

(95)级内功率(单位 W)。

①冷却涡轮级:

$$N_{ist} = G_{\text{mix}} h_i$$

②非冷却涡轮级:

$$N_{ist} = G_{\text{nb}} h_i$$

(96)内效率。

①冷却涡轮：

$$\eta_i = \frac{\sum G_{mix}h_i}{G_g H_a^*}$$

②非冷却涡轮：

$$\eta_i = \frac{\sum h_i}{H_a^*}$$

(97)滞止内效率。

①冷却涡轮：

$$\eta_i^* = \frac{\sum G_{mix}h_i}{G_g H_a^{**}}$$

②非冷却涡轮：

$$\eta_i^* = \frac{\sum h_i}{H_a^{**}}$$

(98)涡轮有效功率(单位 W)：

$$N_e = \eta_m \sum N_{ist}$$

课后练习题

1. 请简述多级燃气涡轮的设计计算和校核计算目的。

2. 请分析一下轴流式涡轮通流部分不同形状方案的主要特点。

3. 如何确定燃气涡轮级转速？

4. 请分析一下涡轮中径气动力学计算主要特点。

5. 冷却涡轮的计算方法有何特殊之处？

6. 在气动力学计算方法中如何考虑轴流式涡轮的能量损失？

7. 请分析一下涡轮内焓降取决于哪些决定因素。

8. 如何计算轴流式涡轮内效率？

第8章 船用燃气轮机机组 变工况计算研究

8.1 船用燃气轮机机组变工况运行参数 计算的必要性及主要定义和术语

船用(舰用)燃气轮机的运行工况范围很广。所谓"工况"是指燃气轮机工质在关键部件和主要截面内的参数不随时间变化的长期稳定工作过程。在这一长期稳定运行过程中,燃气轮机的外部特性,即燃气轮机功率、轴扭矩和燃料消耗率与涡轮或者压气机转子转速的关系曲线同样不随时间而改变。

船只全速航行工况与燃气轮机额定工况相对应。额定工况是燃气轮机最重要的运行工况。故此,额定工况通常被定义为基本计算工况。燃气轮机在该工况下的主要参数均与船用燃气轮机机组全工况设计计算参数相对应。

除额定工况以外的所有稳定运行工况均被定义为变工况。变工况可分为部分负荷工况和超负荷工况。燃气轮机在部分负荷工况下的有效功率永远小于额定功率,而在超负荷工况下的有效功率则高于额定功率。

燃气轮机机组从一个稳定工况切换到另一个稳定工况的过程称之为过渡工况。与稳定工况一样,过渡工况的数量也非常之多。与稳定工况不同,过渡工况是动态过程。在过渡工况发生的过程中,所有参数,或者是,几乎所有参数均随时间而改变。

燃气轮机机组升工况规范及工况持续运行时间与船舶或者舰船类型相关。如果说民用运输船只主动力装置升工况规范中的典型工况都是接近于额定工况的高工况,那么舰用燃气轮机机组的情况则完全不同。

如图 8.1,图上所示即为根据 A. Г. 库尔佐夫的统计数据建立的主要类型军用舰船动力装置的通用加载特性曲线。运输民船主动力装置加载曲线上的最大负荷对应的是100%额定功率,此后曲线陡降至中速,继而降至零,在低速工况下略有上升。需要指出的是,在本文中,$\bar{\tau}_i = \tau_i / T$ 为机组各工况总运行时间与总寿命之比;$\bar{N}_i = N_i / N_n$ 为燃气轮机机组工况相对功率,即指某工况功率与机组额定功率之比。

通过分析不同用途燃气轮机机组的加载曲线可知,为了完成船用动力装置设计计算,例如计算舰船规定续航力保障燃料储备量,必须要有燃气轮机部分负荷工况和超负荷工况燃料消耗率的准确关系曲线。此外,为了完成燃气轮机强度和寿命计算,还必须要有另外一些关系曲线:涡轮前燃气温度变化和涡轮压气机转子转速变化等多个燃气轮机设计参数的工况曲线。根据燃气轮机变工况理论完成燃气轮机变工况参数计算,即可得到上述各项计算所需数据。

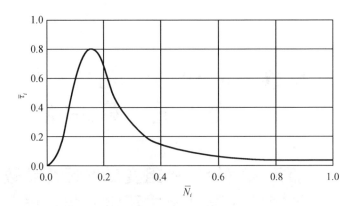

图8.1　主要类型舰船动力装置加载特性曲线图

8.2　相似理论在燃气轮机变工况计算研究和试验研究中的应用

由于燃气轮机机组的运行条件随时都在发生变化,例如机组功率的增减、环境参数的改变、船只运行指标的调整等,船用燃气轮机的运行工况实际上从来都无法真正达到额定计算工况。此外,在制造和调试一台新燃气轮机时,发动机及其部件(压气机、燃烧室、涡轮)的试验研究全部在实验室条件下完成,其运行条件与实际运行条件有着巨大差别。因此,在进行燃气轮机机组的试验研究和计算研究时首先需要解决以下两个基本问题:

问题1:同一涡轮、压气机和燃气轮机在不同条件下工作过程的相似条件;

问题2:创造涡轮机工作过程相似条件(例如在压气机模型和压气机本体上)。

研究表明,在模拟叶片机构(燃气轮机涡轮、压气机等气流流通部件)稳定工作过程时,以下相似要求在绝大多数情况下都是确定燃气气流相似的决定性条件:

(1)几何相似。

(2)运动相似,包括涡轮级 U/C_1 特性指标相等。

(3)雷诺数相似。雷诺数表征气流粘度特性,等于惯性力与粘力之比。在确定雷诺数时,通常会使用以下表达式:

$$Re = \frac{\rho c l}{\mu}$$

式中　ρ——气流密度;

c——气流运动速度;

l——气流流道特征几何尺寸:涡轮叶高、管内径等;

μ——气体动力粘度系数。

(4)气流马赫数相似。马赫数表征气体可压缩性,等于气流速度与音速之比,即

$$M = \frac{c}{a}$$

式中,a 为声音在气流中的传播速度。

(5)等熵指数 k 相似。

事实上,在实际进行研究时,不可能同时完全满足上述所有相似条件,因此通常只能保

证部分气流相似要求。此外,在完成具体设计任务时,也可以大幅缩减相似约束的数量,忽略一些不太重要的、对气流过程影响较弱的条件。

比如,在对叶片旋转机构和燃气轮机整机进行研究时,可以忽略雷诺数相似要求,代之以在自模区(雷诺数)进行试验的约束条件,即 $Re \geqslant (3 \sim 5) \times 10^5$。燃气轮机的实际结构通常能够自动满足这一要求,因此气体粘度对燃气轮机内部气流流动特性的影响通常可以忽略不计。

如果涡轮叶栅、涡轮级和涡轮本体可以通过等比例改变几何尺寸的方式从其中一个结构得到另一个结构,包括通流部分间隙和涡轮叶片表面粗糙度,则认为这些结构之间具有几何相似性。同一个涡轮,或者同一台燃气轮机,如果通流部分内部不含可调构件,则自动认为其在所有工况下均满足几何相似条件。若燃气轮机压气机部件前几级设有可转导向器,或者涡轮部件采用可转喷嘴导向器,则只有在上述构件处于相同位置时才满足相似条件。

如两台涡轮在叶片通道的任一相似点上,气流速度矢量成正比,且方向相同,则认为两台涡轮满足运动相似条件。因此,两个涡轮级,或者两台涡轮的速度三角形和特性均应相似。

在燃气轮机构造中,除了我们研究过的气流流道以外,还有燃烧室。在燃气轮机运行过程中,燃烧室内极其复杂的物理化学过程同样可以通过大量相似准则进行判断,其中仅最基本的准则就有九项。然而,在实际操作时,在燃气轮机工况参数变化范围内的气流雷诺数自模区中,燃烧室内部的燃料燃烧过程可以认为不受大多数判定准则的限制。目前已经确认,如果燃烧室进口马赫数和热输入量相同,则燃烧室出口平均参数变化趋势基本相似,且能够保证燃气轮机高压涡轮出口马赫数基本相同。

鉴于此,满足同一燃气轮机所有部件在相似工况下气流相似要求的充分必要条件就是控制圆周速度保证发动机进口截面马赫数不变:

$$M_u = \frac{U}{\sqrt{k_a R_a T_{at}}} = \mathrm{idem}$$

以及,通过控制轴向速度保持马赫数不变:

$$M_{C_0} = \frac{C_0}{\sqrt{k_a R_a T_{at}}} = \mathrm{idem}$$

式中　U——压气机叶片叶顶圆周速度;

　　　C_0——燃气轮机进口空气轴向速度;

　　　k_a——空气绝热指数;

　　　R_a——空气气体常数;

　　　T_{at}——燃气轮机进口空气静温。

燃气轮机变工况计算经常使用的气动函数 λ 通过气流总温 T^* 进行计算,这与马赫数不同。计算通常使用下式:

$$\lambda = \frac{c}{a_{cr}} = \frac{c}{\sqrt{2 \dfrac{k}{k+1} R T^*}}$$

已知,该气动函数为气流速度与临界速度之比。此处,临界速度指马赫数为1的气流速度,与其对应的是特定气流临界温度:

$$T_{cr} = \frac{2}{k+1}T^* \tag{8.1}$$

马赫数与气动函数之间存在着特定的对应关系。在后文中,会经常使用这种对应关系作出推论和论证。确实,流道内气流流动临界状态可用以下公式进行描述:

$$M = \frac{C_{cr}}{\sqrt{kRt_{rc}}} = 1 \tag{8.2}$$

将式(8.1)代入式(8.2)可得式(8.3):

$$M = \frac{C_{cr}}{\sqrt{kR\dfrac{2}{k+1}T^*}} = \frac{C_{cr}}{\sqrt{2\dfrac{k}{k+1}RT^*}} = \lambda \tag{8.3}$$

公式(8.3)再次证明了气动力学领域一个早已被众人认可的论点,即在临界气流条件下 $C_{cr} = a$;$\lambda = M = 1$。

还有另外一些参数关系式,只要马赫数 M_{C_0} 和 M_u,或者气动函数 λ_{C_0} 和 λ_u 保持不变,则这些参数关系式也保持定常。这样的参数关系式也可作为燃气轮机运行工况相似的判定标准。

如利用压气机转子转速(在燃气轮机试验过程中可对该参数进行准确测量)表示燃气轮机进口截面低压压气机动叶片叶顶圆周速度,可以得到新的相似判定准则:

$$U_{ext} = \frac{\pi D_{ext} n_c}{60} \tag{8.4}$$

式中 D_{ext}——按动叶片叶顶尺寸测量的压气机外径,m;

n_c——压气机转子转速,r/min。

将(8.4)代入气动函数计算公式,可得

$$\lambda_U = \frac{U_{ext}}{\sqrt{2\dfrac{k}{k+1}R_a T_{at}^*}} = \frac{\pi D_{ext} n_c}{60\sqrt{2\dfrac{k}{k+1}R_a}}\frac{1}{\sqrt{T_{at}^*}} = \text{const}\frac{n_c}{\sqrt{T_{at}^*}}$$

这样,我们可以得到另外一个燃气轮机运行工况相似判定准则:

$$\frac{n_c}{\sqrt{T_{at}^*}} = \text{idem} \tag{8.5}$$

该准则也称为压气机转速参数。λ_u 值保持不变,则该参数不变。

根据相似理论基本原理,加之前文得出的马赫数 M_{C_0} 和 M_u 恒定准则,可以得出这样一个结论:在燃气轮机相似截面上,气体一系列无量纲参数在燃气轮机相似运行工况下应当保持不变。气流静态参数满足以下关系:

$$\frac{P_i}{P_{at}} = \text{idem};\ \frac{T_i}{T_{at}} = \text{idem};\ \frac{C_i}{\sqrt{T_{at}}} = \text{idem};\ \eta_i = \text{idem} \tag{8.6}$$

式中 i——燃气轮机通流部分任意 i 截面;

j——燃气轮机部件(压气机、涡轮)编号。

同理可以得出以气动函数 λ_{C_0},λ_u 保持定常值为前提的燃气轮机相似截面气流滞止参数对比关系式,即

$$\frac{P_i^*}{P_{at}^*} = \text{idem};\ \frac{T_i^*}{T_{at}^*} = \text{idem};\ \frac{C_i}{\sqrt{T_{at}^*}} = \text{idem};\ \eta_i^* = \text{idem} \tag{8.7}$$

综上所述,我们可以做出如下假设,作为保证燃气轮机运行工况近似相似的基础:

(1)燃气轮机通流部分部件几何相似;

(2)鉴于气流在涡轮、压气机、过渡段等气流流道内有自模性,可忽略雷诺数对运行工况相似性的影响;

(3)假设与外界之间不存在热交换,空气和燃烧产物的热物性与燃气轮机工质温度和组分的变化无关;

(4)如燃烧室进口马赫数 M_{c_0} 保持定常,燃气轮机燃烧室内部发生的物理化学及热工过程近似相似;

(5)假设燃气轮机进口各工况压力场、温度场和轴向速度相似。

实践表明,在进行燃气轮机变工况计算及分析处理试验数据时,上述假设不会使计算产生巨大误差。

8.3 标准(计算)大气条件燃气轮机
参数折合及折合计算公式

燃气轮机额定工况设计计算应在特定大气条件下完成:环境空气计算温度 $T_{at_d}^*$ 和计算压力 $P_{at_d}^*$。通常,在发动机设计技术任务书中会明确约定计算条件,有时也可将标准大气条件定为计算条件。根据国内外通用标准,标准大气条件为:

(1)燃气轮机进口空气总压:$P_{at}^* = 760 \text{ mmHg} = 1.013 \times 10^5 \text{ Pa}$;

(2)燃气轮机进口空气总温:$T_{at}^* = 288 \text{ K}$;

(3)空气相对湿度:60%。

生产企业制造的每台燃气轮机均需通过工厂试验检验参数是否满足技术任务书要求。制造完毕的燃气轮机被运到试验台进行试验。试验有可能在全年任何时段进行。试验时的大气温度和压力通常都不同于计算(标准)大气条件,即基本满足以下关系:

$$T_{at_d}^* \neq T_{at}^*$$

$$P_{at_d}^* \neq P_{at}^*$$

将燃气轮机试验结果折合为计算(标准)大气条件参数的目的是根据任意大气条件下试验测得的燃气轮机数据确定出该发动机在计算(标准)大气条件下的输出特性。

为此,需根据试验时的实际大气条件,建立起一个与计算(标准)大气条件运行工况相似的燃气轮机运行工况。在相似工况下,燃气轮机的参数绝对值:涡轮功率、空气流量和燃气流量、燃气轮机燃料消耗率等参数通常都不相同。然而,所有这些参数都可以利用广义参数来表示。广义参数基于相似理论,实际上可以作为相似判定准则使用。当发动机在相似工况下运行时,这些广义参数保持不变,仅与上文介绍的两项相似判定准则——马赫数 M_{c_0} 和 M_u 相关。

究其本质而言,涡轮和压气机的广义参数就是包含在已知方程中的用于对部件内发生的重要过程进行数学描述的一次参数集合。参数集合的结构取决于原始方程的组成,即由所研究过程的物理特性决定。使用相似参数集合可以减少变量的数量,我们不再需要逐一研究各个变量,只需研究特定的参数组合即可。每个相似判定准则的具体数值都对应着多种参数组合方案,因此以判据形式呈现的计算结果拥有广义性。我们之前已经得到过一个广义参数,即压气机转速。

接下来,我们在寻找燃气轮机压气机工质质量流量广义参数时,需要用到另外一个涡轮机相似理论,即压气机空气体积流量,其表达式为

$$\frac{V_a}{\sqrt{T^*}} = \mathrm{idem} \tag{8.8}$$

式中 V_a——压气机进口截面工质体积流量;

T^*——进口截面工质温度。

压气机进口截面工质体积流量还可用以下表达式表述:

$$V_a = F_a C_{ax} \tag{8.9}$$

式中 F_a——压气机进口截面环形面积;

C_{ax}——压气机进口截面气流轴向速度。

压气机进口截面空气质量流量计算表达式可表示为

$$G_a = F_a C_{ax} \rho_a \tag{8.10}$$

式中:空气密度可用状态方程求解:

$$\rho_a = \frac{P_a^*}{R_a T_a^*} \tag{8.11}$$

将式(8.9)和式(8.10)代入式(8.11),可得压气机进口截面空气体积流量和质量流量之间的关系表达式:

$$G_a = \frac{V_a P_a^*}{R_a T_a^*}$$

将表达式进行整理后代入式(8.8),可得

$$\frac{G_a R_a T_a^*}{P_a^*} = \mathrm{const} \frac{G_a \sqrt{T_a^*}}{P_a^*}$$

最终,我们可以得出燃气轮机压气机工质质量流量广义参数。其数学表达式为

$$\frac{G_a \sqrt{T_a^*}}{P_a^*} = \mathrm{idem} \tag{8.12}$$

需要强调一点,我们也可以用相同方法得到燃气轮机涡轮工质质量流量广义参数:

$$\frac{G_t \sqrt{T_3^*}}{P_3^* m_t F_3} = \mathrm{idem} \tag{8.13}$$

式中 G_t——涡轮进口燃气质量流量;

T_3^*——涡轮前燃气总温;

P_3^*——涡轮前燃气总压。

在式(8.13)中还包含了另外一个表示工质热物性的参数集合:

$$m_t = \sqrt{\frac{k_g}{R_g}\left(\frac{2}{k_g+1}\right)^{\frac{k_g+1}{k_g-1}}}$$

和涡轮一级喷嘴导向器出口截面环形总面积:

$$F_3 = \pi D_{3_{med}} l_{nb_1} \sin \alpha_{1.1}$$

式中 $D_{3_{med}}$——涡轮进口中径;

l_{nb_1}——涡轮一级喷嘴叶栅出口截面高度;

$\alpha_{1.1}$——涡轮一级喷嘴叶栅出口气流角。

在生产厂家试验台上进行燃气轮机试验时，由于发动机通常直接从试验间抽气，因此要尽量保证试验条件满足 $M_{C_0}=0$ 要求。只要保持适当的试验条件，就可以维持低压压气机转子转速广义参数值恒定不变：

$$\frac{n_{lpc}}{\sqrt{T_{at}^*}} = idem$$

其前提条件就是满足 $M_u = idem$，关于这一点前文已经做过论证。

这样一来，根据相似理论条件，燃气轮机稳定工况下发动机相应压力、温度、截面马赫数、压气机和涡轮效率，以及压气机增压比的关系均与计算（标准）大气条件下运行参数相同。只需利用仪表测量出压气机部件和动力涡轮转子转速绝对值、燃气轮机输出轴功率、燃气轮机进口空气流量、关键截面压力和温度，就可以将这些测量值折合为计算（标准）大气条件参数。计算时使用的公式称为燃气轮机试验数据在计算（标准）大气条件下的折合计算公式，计算得到的结果称为折合参数，下角标用"re"标注。

利用前文得到的压气机转子转速广义参数计算公式，根据相似工况参数定常原则，我们即可得出燃气轮机压气机转子转速在标准（计算）大气条件下的折合计算公式。通过这种方式得到的燃气轮机进口截面计算公式为

$$\frac{n_{c_{re}}}{\sqrt{T_{at_d}^*}} = \frac{n_{c_{me}}}{\sqrt{T_{at}^*}} = idem$$

式中，角标 me 表示该参数测量条件为 T_{at}^* 和 P_{at}^*。

由此可得，与测量工况相似的燃气轮机计算工况压气机转子转速计算公式：

$$n_{c_{re}} = n_{c_{me}} \sqrt{\frac{T_{at_d}^*}{T_{at}^*}} \tag{8.14}$$

该公式即为燃气轮机压气机转子转速在计算大气条件下的折合计算公式。

如将标准环境温度代入式（8.14），可得

$$n_{c_{iso}} = n_{c_{me}} \sqrt{\frac{288}{T_{at}^*}}$$

即燃气轮机压气机转子转速在标准大气条件（ISO 条件）下的折合计算公式。

此处，我们还需要介绍一下 ISO（International Organization for Standardization，国际标准化组织）条件的基本假设前提：试验条件为标准大气条件，燃气轮机气流流道无总压损失。

我们来整理一下燃气轮机压气机空气流量在标准（计算）大气条件下的折合计算公式：根据前文得到的工质质量流量广义参数计算表达式，即可写出在相似工况下燃气轮机压气机进口截面空气流量计算公式：

$$\frac{G_{c_{re}} \sqrt{T_{at_d}^*}}{P_{at_d}^*} = \frac{G_{c_{me}} \sqrt{T_{at}^*}}{P_{at}^*} = idem$$

此时，与测量流量相对应的燃气轮机相似工况下的压气机折合空气流量计算公式为

$$G_{c_{re}} = G_{c_{me}} \frac{P_{at_d}^*}{P_{at}^*} \sqrt{\frac{T_{at}^*}{T_{at_d}^*}} \tag{8.15}$$

将标准大气条件代入式（8.15），可得在标准大气条件（ISO 条件）下的压气机空气流量折合计算公式：

$$G_{c_{iso}} = G_{c_{me}} \frac{760}{P_{at}^*} \sqrt{\frac{T_{at}^*}{288}}$$

式中，P_{at}^* 为大气压力，mmHg。

从燃气轮机热力系统校核计算使用的燃气轮机功率计算公式可以导出燃气轮机功率在标准（计算）大气条件下的折合计算公式：

$$N_{gte} = G_{c_1} \beta_{t3} c_{p_g} \Delta T_{pt} \eta_m$$

此时，在燃气轮机进口计算条件下的折合功率可按下式计算：

$$N_{gte_{re}} = G_{c_{1_{re}}} \beta_{t3} c_{p_g} \Delta T_{pt} \eta_m \tag{8.16}$$

根据气流相似约束条件，燃气轮机相似截面相似工况下的温度参数可用以下关系式表示。

（1）动力涡轮前截面：

$$\frac{T_{3.3_{re}}^*}{T_{at_d}^*} = \frac{T_{3.3_{me}}^*}{T_{at}^*} = \text{idem}$$

（2）动力涡轮后截面：

$$\frac{T_{4_{re}}^*}{T_{at_d}^*} = \frac{T_{4_{me}}^*}{T_{at}^*} = \text{idem}$$

逐项进行计算，可得

$$\frac{T_{3.3_{re}}^* - T_{4_{re}}^*}{T_{at_d}^*} = \frac{T_{3.3_{me}}^* - T_{4_{me}}^*}{T_{at}^*}$$

由此可得

$$\frac{\Delta T_{pt_{re}}^*}{T_{at_d}^*} = \frac{\Delta T_{pt_{me}}^*}{T_{at}^*}$$

最终可得燃气轮机动力涡轮温降在标准（计算）大气条件下的折合计算公式：

$$\Delta T_{pt_{re}}^* = \Delta T_{pt_{me}}^* \frac{T_{at_d}^*}{T_{at}^*} \tag{8.17}$$

将式（8.15）和式（8.17）代入式（8.16），可得

$$N_{gte_{re}} = G_{c_{1me}} \frac{P_{at_d}^*}{P_{at}^*} \sqrt{\frac{T_{at}^*}{T_{at_d}^*}} \beta_{t3} c_{p_g} \Delta T_{pt_{me}}^* \frac{T_{at_d}^*}{T_{at}^*} \eta_m$$

将上述式子进行整理，即可得出燃气轮机输出功率在进口计算大气条件下的折合计算公式：

$$N_{gte_{re}} = N_{gte_{me}} \frac{P_{at_d}^*}{P_{at}^*} \sqrt{\frac{T_{at_d}^*}{T_{at}^*}} \tag{8.18}$$

燃气轮机功率在 ISO 条件（标准大气条件）下的折合计算公式为

$$N_{gte_{iso}} = N_{gte_{me}} \frac{760}{P_{at}^*} \sqrt{\frac{288}{T_{at}^*}}$$

燃气轮机燃料相对耗量：

$$g_f = \frac{q_{cc}}{H_u} \tag{8.19}$$

根据该式，我们可得出燃气轮机每小时燃料消耗量在计算（标准）大气条件下的折合计算公式。

用燃气温升替代式(8.19)分子中的燃烧室热输入量,可得

$$g_\text{f} = \frac{c_{p_\text{g}}\Delta T_\text{cc}}{H_u\eta_\text{cc}}$$

转换为工质绝对质量流量,即可得出燃气轮机每小时燃料消耗量计算表达式:

$$G_{\text{f}_\text{h}} = \frac{c_{p_\text{g}}\Delta T_\text{cc}}{H_u\eta_\text{cc}}G_{\text{a}_\text{cc}} \cdot 3\ 600 \quad (kg/h)$$

由此,燃气轮机每小时折合燃料消耗量计算公式可以表述为

$$G_{\text{f}_{\text{h}_\text{re}}} = \frac{c_{p_\text{g}}\Delta T_{\text{cc}_\text{re}}}{H_u\eta_\text{cc}}G_{\text{a}_{\text{cc}_\text{re}}} \cdot 3\ 600 \tag{8.20}$$

燃烧室进口空气流量可以通过燃气轮机低压压气机进口空气流量表示,即

$$G_{\text{a}_\text{cc}} = \alpha_\text{cc}G_{\text{c}_1} \tag{8.21}$$

根据动力涡轮折合温降计算公式推导方法,可以得出

$$\Delta T_{\text{cc}_\text{re}} = \Delta T_{\text{cc}_\text{me}}\frac{T^*_{\text{at}_\text{d}}}{T^*_\text{at}} \tag{8.22}$$

将式(8.21)、式(8.22)和式(8.15)代入式(8.20),可得

$$G_{\text{f}_{\text{h}_\text{re}}} = \frac{c_{p_\text{g}}\Delta T_{\text{cc}_\text{me}}}{H_u\eta_\text{cc}}\frac{T^*_{\text{at}_\text{d}}}{T^*_\text{at}}G_{\text{c}_{1\text{me}}}\frac{P^*_{\text{at}_\text{d}}}{P^*_\text{at}}\sqrt{\frac{T^*_\text{at}}{T^*_{\text{at}_\text{d}}}}\alpha_\text{cc} \cdot 3\ 600$$

经过整理,最终可以得出燃气轮机每小时燃料消耗量在发动机进口计算条件下的折合计算公式:

$$G_{\text{f}_{\text{h}_\text{re}}} = G_{\text{f}_{\text{h}_\text{me}}}\frac{P^*_{\text{at}_\text{d}}}{P^*_\text{at}}\sqrt{\frac{T^*_{\text{at}_\text{d}}}{T^*_\text{at}}} \tag{8.23}$$

燃气轮机每小时燃料消耗量在 ISO 条件下的折合计算公式可表示为

$$G_{\text{f}_{\text{h}_\text{iso}}} = G_{\text{f}_{\text{h}_\text{re}}}\frac{760}{P^*_\text{at}}\sqrt{\frac{288}{T^*_\text{at}}}$$

接下来,我们尝试整理一下燃气轮机燃料消耗率在发动机进口计算(标准)大气条件下的折合计算公式。已知燃气轮机燃料消耗率可按下式计算:

$$C_N = \frac{G_{\text{f}_\text{h}}}{N_\text{gte}}$$

那么,根据前文得到的式(8.18)和式(8.23),可以得到燃气轮机折合燃料消耗率:

$$C_{N_\text{re}} = \frac{G_{\text{f}_{\text{h}_\text{re}}}}{N_{\text{gte}_\text{re}}} = \frac{G_{\text{f}_{\text{h}_\text{me}}}\dfrac{P^*_{\text{at}_\text{d}}}{P^*_\text{at}}\sqrt{\dfrac{T^*_{\text{at}_\text{d}}}{T^*_\text{at}}}}{N_{\text{gte}_\text{re}}\dfrac{P^*_{\text{at}_\text{d}}}{P^*_\text{at}}\sqrt{\dfrac{T^*_{\text{at}_\text{d}}}{T^*_\text{at}}}} = \frac{G_{\text{f}_{\text{h}_\text{me}}}}{N_{\text{gte}_\text{me}}} = C_{N_\text{me}}$$

由此可得,燃气轮机折合燃料消耗率等于实测值。故此,我们可以得出结论:在燃气轮机相似工况下,发动机效率不变。

8.4 折合计算公式在船用燃气轮机运行特性研究中的应用

本章节着重研究驱动定距螺旋桨的双轴船用燃气轮机输出特性。所谓船用燃气轮机输出特性是指燃气轮机输出轴功率与转速的关系曲线,在考虑减速器传动比、减速器和螺旋桨轴系功率损失等因素后应与螺旋桨特性曲线相符。该输出特性可通过试验和计算两种方法确定。

首先需要强调一点,本书常用的螺旋桨规律以一系列假设条件为前提,简而言之可归纳为以下几点:

(1)螺旋桨转速与船速成正比;

(2)螺旋桨扭矩大致与螺旋桨转速平方成正比;

(3)螺旋桨耗功大致与螺旋桨转速立方成正比。

因此,如图8.2所示燃气轮机输出特性曲线可近似用下式表述:

$$N_e = a n_{pt}^3 \qquad (8.24)$$

式中,a 为动力装置单机单测的定常系数。

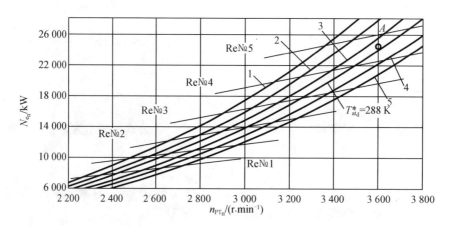

图8.2 船用燃气轮机在不同环境温度下的输出特性曲线图
1—230 K;2—250 K;3—270 K;4—310 K;5—330 K

注意:针对排水型船只,式(8.24)所含指数取值范围为2.8~3.2。

那么,已知点 A 燃气轮机动力涡轮转子功率 N_{e_n} 和转速 n_{pt_n} 额定值,即可得到计算温度 $T_{at_d}^*$(此处为 288 K)和压力 $P_{at_d}^*$ 对应的曲线其余各点。

在燃气轮机整个运行过程中,大气各项参数会在很大范围内波动变化。然而,大气压力的变化通常可以忽略不计,主要关注和评估的是燃气轮机参数在 −40 ℃ ~ +40 ℃ 温度范围内的变化趋势。如图8.2所示为燃气轮机在 230~330 K 温度范围内的计算特性曲线。

如需针对其余环境温度(不同于 $T_{at_d}^*$)建立燃气轮机输出特性曲线,可以使用前文导出的燃气轮机在计算大气条件下的折合计算公式。步骤如下:根据动力涡轮转子转速取若干点,重新计算各点 N_{e_i} 和 n_{pt_i}。

各点动力涡轮轴转速:

$$n_{\text{pt}_i} = n_{\text{pt}_{\text{re}i}} \sqrt{\frac{T_{\text{at}}^*}{T_{\text{at}_d}^*}} = n_{\text{pt}_{\text{re}i}} \sqrt{\frac{T_{\text{at}}^*}{288}} \qquad (8.25)$$

各点燃气轮机功率:

$$N_{\text{e}_i} = N_{\text{e}_{\text{re}i}} \sqrt{\frac{T_{\text{at}}^*}{T_{\text{at}_d}^*}} = N_{\text{e}_{\text{re}i}} \sqrt{\frac{T_{\text{at}}^*}{288}} \qquad (8.26)$$

在式(8.25)和式(8.26)中,所有带"re"角标的参数均对应 $T_{\text{at}_d}^* = 288$ K 曲线。

在建立发动机输出特性曲线时,将同一工况(通过 n_{pt_i} 值设定)换算得到的各点彼此连接成线,若线上各点均符合相似理论,则这些曲线可称为相似工况线。这些相似工况线可以满足诸如 $\pi_{\text{c}_\Sigma} = \text{idem}$;$C_{N_e} = \text{idem}$;$\eta_e^* = \text{idem}$ 等条件。如图 8.2 所示№1 ~ №5 皆为相似工况线。

在得到燃气轮机输出特性后,可以通过计算方法建立燃气轮机极限允许功率与环境温度的关系曲线。

前文已经介绍过,燃气轮机所有参数的绝对数值均会跟随环境温度而改变。在发动机运行过程中,需要根据涡轮叶片强度条件严格设定燃气轮机高压涡轮前燃气温度要求。通常认为,高压涡轮前燃气温度不应当超过燃气轮机额定工况温度值。通常情况下,允许燃气轮机超负荷 20% 以内短时运行,且需严格遵守强度条件限制。因此,生产厂家提供的燃气轮机运行特性就是燃气轮机极限允许功率与环境温度关系曲线,如图 8.3 所示。利用该特性曲线即可确定出燃气轮机在不超过高压涡轮前燃气温度和功率限制的前提下在不同环境温度下可以得到的最大功率。

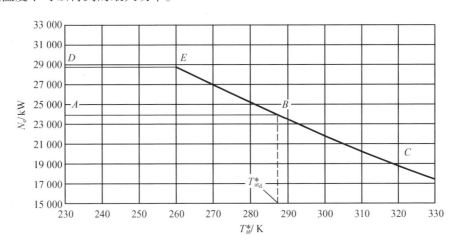

图8.3 燃气轮机极限允许功率与环境温度计算关系曲线图

利用已经建立起来的燃气轮机特性曲线和每台燃气轮机已有的高压涡轮前温度与功率关系曲线(图8.4),我们就可以得到需要的燃气轮机极限允许功率与环境温度关系曲线。AB 段对应 $N_{\text{e}_i} = N_{\text{e}_n}$,而 DE 段对应 $N_{\text{e}_i} = 1.2 N_{\text{e}_n}$。

对比两条特性曲线,基本可以确认:EBC 上 $T_3^* = T_{3_n}^*$,在 DE 段上 $T_3^* < T_{3_n}^*$,而在 AB 段内 $T_3^* \ll T_{3_n}^*$。

建立如图 8.3 所示运行特性曲线的方法如下:根据燃气轮机涡轮前燃气温度计算大气条件下的折合计算公式可以得到

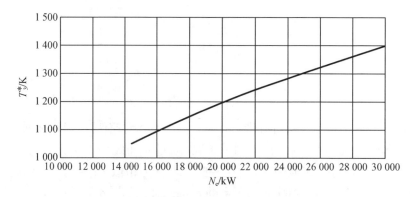

图 8.4　高压涡轮前燃气温度与燃气轮机功率关系曲线图

$$T^*_{3_{re}} = T^*_{3_{me}} \frac{T^*_{at_d}}{T^*_{at}}$$

在 EC 段内,假设燃气轮机在非计算大气条件下运行,针对任一 i 点可写出:

$$T^*_{3_{me_i}} = T^*_{3_{re_i}} \frac{T^*_{at_i}}{T^*_{at_d}} = T^*_{3_n}$$

由此可以得出:

$$T^*_{3_{re_i}} = T^*_{3_n} \frac{T^*_{at_d}}{T^*_{at_i}} \tag{8.27}$$

接下来,取多个环境温度值 $T^*_{at_i}$,按式(8.27)计算出高压涡轮前折合燃气温度 $T^*_{3_{re_i}}$,根据图 8.4 找出这些折合温度对应的燃气轮机折合功率 $N_{e_{re_i}}$,然后查找燃气轮机输出特性曲线图 8.2,并在计算空气温度 $T^*_{at_d} = 288$ K 的对应曲线上找到动力涡轮转子各折合转速值 $n_{pt_{re_i}}$,进而确定相应的燃气轮机相似工况线。接下来,在燃气轮机输出特性曲线图上沿着找到的相似工况线移动到与温度 $T^*_{at_i}$ 对应的燃气轮机功率曲线相交点,就可以找到燃气轮机在该工况下的最大允许功率值。根据结果建立曲线,如图 8.3 所示。

利用燃气轮机在计算(标准)大气条件下的折合计算公式、燃气轮机输出特性曲线和上文得到的燃气轮机极限功率与环境温度关系曲线,就可以估算出在不同环境温度下的燃气轮机最大功率工况效率。

在完成各项计算任务建立各种关系曲线时,我们必须要用到发动机生产厂家提供的燃气轮机效率与功率关系曲线,典型曲线如图 8.5 所示。从图 8.5 上可以直观地看出,燃气轮机在各工况下的运行功率越低,其效率也越低,且降幅明显,这主要是因为随着功率的降低涡轮前燃气温度和压气机总增压比也同步大幅降低。

在 230 ~ 330 K 范围内取多个环境温度计算值 $T^*_{at_i}$,按图 8.3 确定每个计算温度对应的极限功率 N_{e_i},并将其作为燃气轮机在该相似工况下的实测功率。

在确定最大允许功率的实测值后,利用燃气轮机输出特性曲线,沿相应相似工况线移动到温度 $T^*_{at_d} = 288$ K 对应的特性值,即可得到燃气轮机在不同计算温度下的折合功率 $N_{e_{re_i}}$。

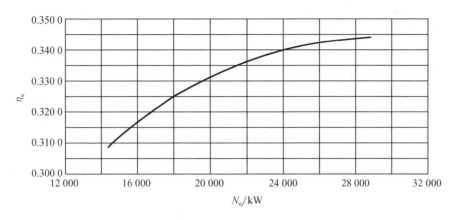

图 8.5　燃气轮机效率与功率关系曲线图

利用燃气轮机效率与功率关系曲线(图 8.5),针对上文得到的燃气轮机折合功率值,可以确定各计算环境温度下的燃气轮机效率 η_{e_i}。接下来,就可以利用计算结果建立起在最大允许功率工况下的环境温度与燃气轮机效率关系曲线图,如图 8.6 所示。

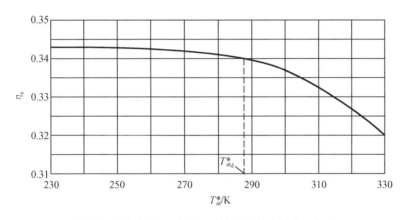

图 8.6　燃气轮机最大允许功率工况效率变化趋势图

通过上述方法得到的特性曲线有一个假设前提条件,即燃气轮机功率沿 ABC 变化(图 8.3)。从得到的效率与功率特性曲线可以看出,在低温环境下即使将燃气轮机极限功率限制在额定功率 N_{e_n} 值,但实际的燃气轮机效率依然会高于额定效率。

8.5　燃气轮机变工况计算使用的 压气机及涡轮特性曲线

如果燃气轮机运行工况发生改变,其压气机和涡轮的所有气动力学参数均会随之变化。随之发生变化的还有燃气轮机各部件工质流量和转子转速。当压气机和涡轮匹配在燃气轮机系统内共同运行时,上述参数必然会受到各部件气动及运动耦合的影响。在进行燃气轮机变工况参数计算时,通常在低压压气机和高压压气机特性曲线上标记压气机和涡轮共同工作点。将得到的共同工作点连接起来,就可以得到压气机和涡轮共同工作线。利用这些共同工作线可以对全工况范围内的压气机参数变化趋势及喘振裕度进行评估。此外,在进行燃气轮机变工况参数计算时,还需要用到燃气轮机涡轮特性曲线。

压气机特性曲线:压气机特性曲线为压气机工作过程参数及绝热效率与独立工况参数之间的关系曲线图。人们通常研究的是压气机空气增压比 π_c 及绝热效率 η_c 与进口空气流量 G_c 和转子转速 n_c 之间的关系曲线。

根据特性曲线建立方法的不同,可将特性曲线分为试验特性曲线、计算特性曲线和统计特性曲线。试验特性曲线根据压气机试验台试验结果建立而成。计算特性曲线根据已知通流部分几何尺寸的压气机逐级计算结果建立而成。统计特性曲线则根据大量压气机成品的试验曲线和计算特性统计分析结果建立而成。

根据压气机特性曲线所选工况参数类型的不同,可将特性曲线分为标准特性曲线和通用特性曲线两类。

标准特性曲线是指在恒定不变的压气机进口计算条件 $T_{at_d}^*$、$P_{at_d}^*$ 下得到的特性曲线,如图 8.7 所示。在压气机标准特性曲线上建立压气机转子等速线 $n_{c_i}=\text{idem}$,用来代表压气机增压特性:

$$\pi_c = f(G_c; n_c)$$

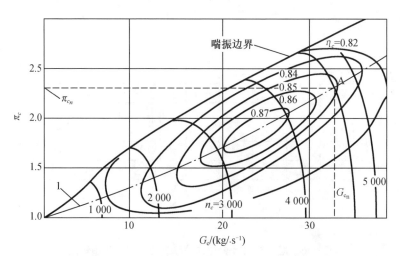

图 8.7　燃气轮机压气机标准特性曲线图

1—最大效率线

每条增压特性曲线在左侧区域都有一处明显的曲折。折点处的参数 $\pi_{c_{su_i}}$ 和 $G_{c_{su_i}}$ 有特定的组合方式,代表在压气机转子达到该转速 n_{c_i} 时喘振的影响开始逐渐加强。将等速线上的这些点连接起来得到的线即为压气机喘振边界线。压气机等绝热效率线($\eta_c = \text{idem}$)也可以建在压气机标准特性曲线图上,用来确定在任意工况参数组合条件下的压气机效率:

$$\eta_c = f(G_c; n_c)$$

以特定等速线 $n_{c_i}=\text{idem}$ 对应的任意增压特性曲线为例进行研究,就可以发现:随着空气流量的增加和增压比的降低,即离开喘振边界向下移动,压气机的绝热效率值先逐步增加,在达到顶点后开始下降。将等速线上对应压气机绝热效率最大值的各点用线连在一起,即可得到压气机最大绝热效率线。只因设计人员在设计压气机时都尽量追求在计算额定工况下达到最大绝热效率,故在特性曲线上与该值相对应的点 A 通常都刚好落在上面提到的最大绝热效率线上。因此,图 8.7 点 A 的参数 π_{c_n},G_{c_n},n_{c_n},η_{c_n} 均与燃气轮机额定功率

N_{e_n} 相对应。

压气机通用特性曲线是指以下类型的特性曲线:

$$\pi_c = f(G_{c_{re}}; n_{c_{re}})$$

$$\eta_c = f(G_{c_{re}}; n_{c_{re}})$$

式中,$G_{c_{re}}$ 为压气机折合流量,计算公式为

$$G_{c_{re}} = G_c \frac{P^*_{at_d}}{P^*_1} \sqrt{\frac{T^*_1}{T^*_{at_d}}}$$

式中,T^*_1 和 P^*_1 为压气机进口截面总参数。

按照燃气轮机进口条件折算的压气机转子转速:

$$n_{c_{re}} = n_c \sqrt{\frac{T^*_{at_d}}{T^*_1}}$$

通用特性曲线的形式与标准特性曲线基本相同。利用标准特性曲线,按照上述式子进行换算,然后根据计算结果重建曲线,即可得到通用特性曲线。在进行燃气轮机变工况计算时,就需要用到低压压气机和高压压气机通用特性曲线。

在燃气轮机初期设计阶段,通常为了方便起见会使用压气机广义特性曲线进行压气机变工况估算,如图8.8所示。

如图8.8所示压气机广义特性曲线是利用相对参数建立的统计特性曲线:

$$\overline{\pi}_c = \frac{\pi_c - 1}{\pi_{c_n} - 1}$$

$$\overline{G}_{c_{re}} = \frac{G_{c_{re}}}{G_{c_{re_n}}}$$

$$\overline{n}_{c_{re}} = \frac{n_{c_{re}}}{n_{c_{re_n}}}$$

$$\overline{\eta}_c = \frac{\eta_c}{\eta_{c_n}}$$

在针对某一具体燃气轮机开始进行变工况计算之前,先从广义特性曲线上取点进行换算,然后建立该燃气轮机的低压压气机和高压压气机通用特性曲线图。

燃气轮机轴流式涡轮特性曲线:涡轮功率、涡轮轴扭矩和通流部分燃气参数优先取决于涡轮进口燃气压力 P^*_3 和温度 T^*_3。假设进口燃气流量 G_t 和参数 P^*_3 及 T^*_3 保持不变,因通流部分几何尺寸已定,故只有涡轮轴负荷 N_t 或者涡轮后压力 P^*_4 的变化会影响涡轮做功。与此同时,涡轮转子转速 n_t 也会发生改变。

因此,对于已经确定了通流部分几何形状的涡轮,通常选择以下参数作为独立参变量:

T^*_3——涡轮进口燃气总温;

P^*_3——涡轮进口燃气总压;

G_t——涡轮进口燃气流量;

P^*_4——涡轮出口燃气总压;

n_t——涡轮转速。

涡轮各运行指标和工况参数与上述各独立参变量的关系曲线即为涡轮特性曲线。涡轮特性曲线通常也分为标准特性曲线和通用特性曲线。

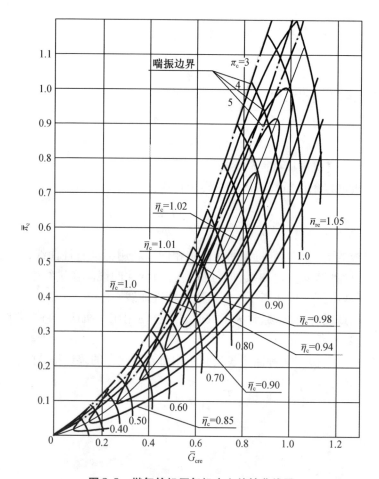

图8.8　燃气轮机压气机广义特性曲线图

涡轮标准特性曲线以涡轮工况指标和独立参变量的绝对坐标为参照系。我们以涡轮外部特性曲线为例进行一下研究。所谓外部特性曲线是指涡轮轴功率或者扭矩与转子转速在燃气流量和可分配焓降都不变的条件下建立的关系曲线,如图8.9所示。通常,设计人员仅建立燃气轮机动力涡轮外部特性曲线。

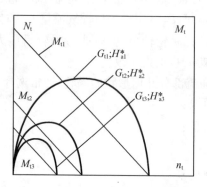

图8.9　涡轮标准外部特性曲线图

燃气流量 $G_{t_1}, G_{t_{21}}, \cdots, G_{t_n}$ 和可分配熔降 $H_{a_1}^*, H_{a_2}^*, \cdots, H_{a_n}^*$ 不能随意组合,通常由所选的燃气轮机调节规律决定。涡轮功率和转子转速关系曲线呈现抛物线形,这是由涡轮级的圆周效率随参数 U/C_1 的变化规律决定的。众所周知,涡轮级圆周效率同样按抛物线规律变化。

单级涡轮轴扭矩计算公式:

$$M_t = G_t P_u \frac{D_{\mathrm{med}}}{2}$$

式中　P_u——涡轮动叶片总圆周力;

　　　D_{med}——涡轮通流部分中径。

涡轮轴扭矩与涡轮功率之间的关联性可按以下关系式确定:

$$M_t = \frac{N_t}{\omega}$$

式中,ω 为涡轮转子角速度,(°/s)。

在进行燃气轮机变工况计算时,以下列各项参数为基础建立的涡轮通用特性曲线使用起来更为便利:

$$\overline{G}_t = \frac{G_t \sqrt{T_3^*}}{P_3^* m_t F_3}$$ ——涡轮燃气无量纲流量;

$$\frac{\Delta T_t}{T_3^*}$$ ——涡轮相对温降;

$$\frac{n_t}{\sqrt{T_3^*}}$$ ——涡轮转子转速参数;

$$\pi_t^* = \frac{P_3^*}{P_4^*}$$ ——涡轮膨胀比;

η_t^* ——涡轮总参数绝热效率。

注意:上文已经介绍过,这些参数均为涡轮相似工况参数。总体来说,涡轮通用特性曲线就是一组决定了任意三个运行参数中的两个参数在另一个参数保持任意数值不变时相关性的曲线。如图 8.10 所示即为比较常见的一个涡轮通用外部特性曲线图。

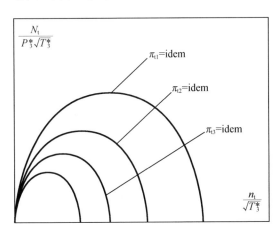

图 8.10　涡轮通用外部特性曲线图

燃气轮机轴流式涡轮的单线特性曲线:我们要研究的是涡轮作为燃气轮机热力系统的一个重要组成部件(涡轮—压气机系统、涡轮—螺旋桨系统)共同工作时的通用特性曲线。只要压气机通流部分几何尺寸不变,或者螺旋桨桨叶安装角不变,相应涡轮负荷的变化规律就不会改变。此时,可以近似认为参数 $n_t/\sqrt{T_3^*}$ 仅与参数 $\Delta T_t/T_3^*$ 唯一相关。只要满足这一条件,即可从涡轮特性曲线图上的众多曲线中找出一条确定的曲线,因为此时涡轮参数之间仅具有唯一相关性。这条涡轮特性曲线即称为单线特性曲线。计算经验表明,在运行工况范围内的整机涡轮广义参数与单线特性之间的偏差不超过 3%。利用这些单线特性得到的燃气轮机部分负荷工况计算参数与在 10% ~ 110% 额定负荷工况范围内测得的试验数据符合性良好。

涡轮单线特性计算的假定条件:

(1)参数 $n_t/\sqrt{T_3^*}$ 取定常值,等于燃气轮机额定工况数值;

(2)涡轮各级喷嘴叶栅出口气流角 α_1 和叶轮出口气流角 β_2 取定常值,等于燃气轮机额定工况数值;

(3)因涡轮在涡轮—压气机和涡轮—螺旋桨部套内共同工作时满足速度三角形相似条件,喷嘴叶栅和动叶栅速度系数在全部计算工况范围内均保持不变。

涡轮特性计算的数学模型以能量方程和连续方程为基础建立。与涡轮设计计算模型不同,此处已知涡轮通流部分几何形状。在进行涡轮特性计算时,利用气动函数编写计算公式,并将喷嘴叶栅和叶轮的出气截面定为检测面。

在燃气轮机额定工况点上下选取多组一级涡轮气动函数进行计算:

$$\lambda_{C_1} = \frac{C_1}{\sqrt{2\dfrac{\kappa_g}{\kappa_g+1}R_g T_3^*}}$$

计算完成后,根据该参数得出无量纲流量 $\overline{G}_t$、相对温降 $\Delta T_t/T_3^*$、涡轮膨胀比 π_t^* 等广义参数,并建立特性曲线:

$$\overline{G}_t = f(\lambda_{C_1})$$

$$\left(\frac{\Delta T}{T}\right)_t = f(\lambda_{C_1})$$

$$\pi_t^* = f(\lambda_{C_1})$$

在进行燃气轮机变工况计算时,还常常用到另外一个涡轮广义参数:

$$K_t = \overline{G}_t \pi_t^* \sqrt{1 - \left(\frac{\Delta T}{T}\right)_t}$$

因此,上文提到的特性曲线也可以该参数为基础进行重建,如图 8.11 所示。在参考文献中可以找到关于轴流式涡轮单线特性计算方法的详细介绍。

轴流式涡轮广义单线特性曲线:燃气轮机机组设计初期阶段,在进行燃气轮机机组热力系统及热力循环分析时,鉴于燃气轮机涡轮计算尚未全面完成,设计人员可以利用不同燃气轮机涡轮的单线特性曲线进行分析,总结出轴流式涡轮广义单线特性曲线,并以此为基础进行设计(图 8.12)。

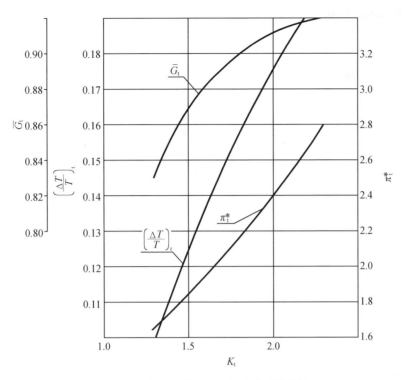

图 8.11　燃气轮机轴流式涡轮单线特性曲线图

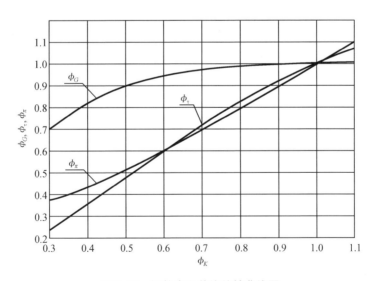

图 8.12　涡轮广义单线特性曲线图

根据广义单线特性曲线,设计人员可以得到一组涡轮工况参数和一个广义衡准数:

(1)涡轮燃气无量纲流量:

$$\phi_{G_i} = \frac{\overline{G}_{t_i}}{\overline{G}_{t_n}} \tag{8.28}$$

（2）涡轮相对膨胀比：

$$\phi_{\pi_i} = \frac{\pi_{t_i}^*}{\pi_{t_n}^*} \qquad (8.29)$$

（3）涡轮相对温降：

$$\phi_{\tau_i} = \frac{\left(\dfrac{\Delta T}{T}\right)_{t_i}}{\left(\dfrac{\Delta T}{T}\right)_{t_n}} \qquad (8.30)$$

（4）广义衡准数：

$$\varphi_{K_i} = \frac{\overline{G}_{t_i}\pi_{t_i}^* \sqrt{1 - \left(\dfrac{\Delta T}{T}\right)_{t_i}}}{\overline{G}_{t_n}\pi_{t_n}^* \sqrt{1 - \left(\dfrac{\Delta T}{T}\right)_{t_n}}} \qquad (8.31)$$

在按照前文方法完成燃气轮机机组额定工况热力系统校核计算和燃气轮机外形尺寸计算后，利用式（8.28）至式（8.31）和图 8.12 中的特性曲线完成各项计算内容，并根据计算结果建立起燃气轮机各涡轮的单线特性曲线，如图 8.11 所示。

8.6 基于涡轮单线特性曲线的船用燃气轮机变工况计算方法

本节将着重介绍基于涡轮单线特性曲线的燃气轮机部分负荷计算方法。

燃气轮机在任意工况下的运行状态都可以利用一系列方程进行描述。方程的数量取决于热力系统结构形式的复杂程度（比如有无换热器）、压气机的驱动方法和驱动耗功设备产生的功率支出。

为了保证机组内的燃气轮机稳定运行，在所有过渡工况下都必须满足以下条件：

（1）燃气轮机燃气发生器压气机耗功与驱动涡轮输出功等价；

（2）在减除发动机气流流道所有总压损失后，燃气轮机压气机增压比和涡轮膨胀比平衡；

（3）在考虑燃气轮机气流流道局部进抽气因素后，压气机、燃烧室空气流量与涡轮燃气流量等价。

上述各项条件均可通过相应的方程组加以描述。

下面，我们以最常见的由双轴燃气发生器和自由动力涡轮组成的船用燃气轮机为例，编写一个描述低压涡轮压气机转子部分工况做功状态的方程。

低压涡轮无量纲燃气流量：

$$\overline{G}_{t2} = \frac{G_{t2}\sqrt{T_{3.2}^*}}{P_{3.2}^* m_{t2} F_{3.2}} \qquad (8.32)$$

式中　$m_{t2} = \sqrt{\dfrac{k_{g2}}{R_g}\left(\dfrac{2}{k_{g2}+1}\right)^{\frac{k_{g2}+1}{k_{g2}-1}}}$——包含低压涡轮燃气热物性的参量；

$F_{3.2} = \pi D_{med_{3.2}} l_{nb_1} \sin \alpha_{1.1}$——低压涡轮一级喷嘴导向器出口截面积。

利用低压压气机参数表示低压涡轮参数,对式(8.32)进行转化,即可得出低压涡轮燃气流量:

$$G_{t_2} = G_{c_{1re}} \nu_{in} \beta_{t_2} \tag{8.33}$$

低压涡轮进口压力:

$$P_{3.2}^* = \frac{P_{3.1}^*}{\pi_{t_1}} \nu_{t_1} = \frac{P_{at}^* \nu_{in} \pi_{c_1} \pi_{c_2} \nu_c \nu_{cc} \nu_{t_1}}{\pi_{t_1}} \tag{8.34}$$

将式(8.33)和式(8.34)代入式(8.32),可得

$$\overline{G}_{t_2} = \frac{G_{c_{1re}} \nu_{in} \beta_{t_2} \sqrt{T_{3.2}^*} \pi_{t_1}}{P_{at}^* \nu_{in} \pi_{c_1} \nu_c \pi_{c_2} \nu_{cc} \nu_{t_1} m_{t_2} F_{3.2}} \tag{8.35}$$

整理式(8.35),用涡轮参数表示压气机参数:

$$\frac{G_{c_{1re}}}{\pi_{c_1} \pi_{c_2}} = \frac{\overline{G}_{t_2} P_{at}^* \nu_c \nu_{cc} \nu_{t_1} m_{t_2} F_{3.2}}{\beta_{t_2} \sqrt{T_{3.2}^*} \pi_{t_1}} \tag{8.36}$$

下面,我们借用之前在燃气轮机额定工况计算中得到的低压涡轮压气机转子功率平衡方程:

$$\Delta T_{t_2} = C_1 \Delta T_{c_1} \tag{8.37}$$

将式(8.36)左右两侧同时乘以 $\sqrt{\Delta T_{c_1}}$:

$$\frac{G_{c_{1re}} \sqrt{\Delta T_{c_1}}}{\pi_{c_1} \pi_{c_2}} = \frac{\overline{G}_{t_2} P_{at}^* \nu_c \nu_{cc} \nu_{t_1} m_{t_2} F_{3.2}}{\beta_{t_2} \pi_{t_1}} \sqrt{\frac{\Delta T_{c_1}}{T_{3.2}^*}} \tag{8.38}$$

然后,将式(8.37)代入式(8.38)右侧,便可得到描述低压涡轮压气机转子任意中间工况做功状态的方程:

$$\frac{G_{c_{1re}} \sqrt{\Delta T_{c_1}}}{\pi_{c_1} \pi_{c_2}} = \frac{\overline{G}_{t_2} P_{at}^* \nu_c \nu_{cc} \nu_{t_1} m_{t_2} F_{3.2}}{\beta_{t_2} \pi_{t_1} \sqrt{C_1}} \sqrt{\left(\frac{\Delta T_t}{T}\right)_{t_2}} \tag{8.39}$$

如果采用相同方法对同一台燃气轮机的高压涡轮压气机部件进行研究,亦可同理得出高压涡轮燃气无量纲流量计算表达式:

$$\overline{G}_{t_1} = \frac{G_{t_1} \sqrt{T_{3.1}^*}}{P_{3.1}^* m_{t_1} F_{3.1}} \tag{8.40}$$

高压涡轮燃气流量和高压压气机空气流量满足以下关系:

$$G_{t_1} = G_{c_2} \beta_{t_1} \tag{8.41}$$

如需使用高压压气机在燃气轮机进口条件下的折合特性曲线,此处应当用折合流量来表示式(8.41)中的压气机空气流量。根据折算公式,我们已知:

$$G_{c_{2re}} = G_{c_2} \frac{P_{at}^*}{P_{1.2}^*} \sqrt{\frac{T_{1.2}^*}{T_{at}^*}}$$

利用高压压气机进口参数计算表达式,完成代入和整理:

$$P_{1.2}^* = P_{at}^* \nu_{in} \pi_{c_1} \nu_c$$
$$T_{1.2}^* = T_{at}^* + \Delta T_{c_1}$$

由此可得

$$G_{c_2} = G_{c_{2re}} \frac{P_{1.2}^*}{P_{at}^*} \sqrt{\frac{T_{at}^*}{T_{1.2}^*}} = G_{c_{2re}} \frac{P_{at}^* \nu_{in} \pi_{c_1} \nu_c}{P_{at}^*} \sqrt{\frac{T_{at}^*}{T_{at}^* + \Delta T_{c_1}}}$$

最终可得

$$G_{c_2} = G_{c_{2re}} \frac{\pi_{c_1} \nu_{in} \nu_c}{\sqrt{1 + \dfrac{\Delta T_{c_1}}{T_{at}^*}}} \tag{8.42}$$

高压涡轮前燃气压力：

$$P_{3.1}^* = P_{at}^* \nu_{in} \pi_{c_1} \nu_c \pi_{c_2} \nu_{cc} \tag{8.43}$$

将式(8.42)代入式(8.41)，然后代入式(8.40)，根据式(8.43)可以得到高压涡轮燃气无量纲流量计算表达式：

$$\overline{G}_{t_1} = \frac{G_{c_{2re}} \pi_{c_1} \nu_{in} \nu_c \beta_{t_1} \sqrt{T_{3.1}^*}}{P_{at}^* \nu_{in} \pi_{c_1} \nu_c \pi_{c_2} \nu_{cc} \sqrt{1 + \dfrac{\Delta T_{c_1}}{T_{at}^*}} m_{t_1} F_{3.1}}$$

对得到的方程进行整理，将高压压气机参数整理到式子左侧：

$$\frac{G_{c_{2re}}}{\pi_{c_2}} = \frac{\overline{G}_{t_1} P_{at}^* \nu_{cc} m_{t_1} F_{3.1}}{\beta_{t_1} \sqrt{T_{3.1}^*}} \sqrt{1 + \frac{\Delta T_{c_1}}{T_{at}^*}} \tag{8.44}$$

上文已经介绍过，高压压气机空气折合温升与其物理参数之间存在如下关系：

$$\Delta T_{c_{2re}} = \Delta T_{c_2} \frac{T_{at}^*}{T_{1.2}^*} \tag{8.45}$$

在燃气轮机额定工况计算中，我们已知高压涡轮压气机部件功率平衡方程：

$$\Delta T_{t_1} = C_2 \Delta T_{c_2} \tag{8.46}$$

此处，我们将式(8.45)代入式(8.46)，可得

$$\Delta T_{t_1} = C_2 \Delta T_{c_{2re}} \frac{T_{1.2}^*}{T_{at}^*} = C_2 \Delta T_{c_{2re}} \frac{T_{at}^* + \Delta T_{c_1}}{T_{at}^*} = C_2 \Delta T_{c_{2re}} \left(1 + \frac{\Delta T_{c_1}}{T_{at}^*}\right) \tag{8.47}$$

令式(8.44)左右两侧同时乘以 $\sqrt{\Delta T_{c_{2re}}}$，可得：

$$\frac{G_{c_{2re}} \sqrt{\Delta T_{c_{2re}}}}{\pi_{c_2}} = \frac{\overline{G}_{t_1} P_{at}^* \nu_{cc} m_{t_1} F_{3.1} \sqrt{1 + \dfrac{\Delta T_{c_1}}{T_{at}^*}}}{\beta_{t_1} \sqrt{T_{3.1}^*}} \sqrt{\Delta T_{c_{2re}}} \tag{8.48}$$

将式(8.47)转化为以下形式：

$$\Delta T_{c_{2re}} = \frac{\Delta T_{t_1}}{C_2 \left(1 + \dfrac{\Delta T_{c_1}}{T_{at}^*}\right)}$$

然后将其代入方程(8.48)右侧表达式：

$$\frac{G_{c_{2re}} \sqrt{\Delta T_{c_{2re}}}}{\pi_{c_2}} = \frac{\overline{G}_{t_1} P_{at}^* \nu_{cc} m_{t_1} F_{3.1} \sqrt{1 + \dfrac{\Delta T_{c_1}}{T_{at}^*}}}{\beta_{t_1} \sqrt{C_2} \sqrt{1 + \dfrac{\Delta T_{c_1}}{T_{at}^*}}} \sqrt{\frac{\Delta T_{t_1}}{T_{3.1}^*}}$$

进行整理之后，我们便可得到高压涡轮压气机部件部分工况做功状态的计算方程：

$$\frac{G_{c_{2re}}\sqrt{\Delta T_{c_{2re}}}}{\pi_{c_2}} = \frac{\overline{G}_{t_1}P_{at}^*\nu_{cc}m_{t_1}F_{3.1}}{\beta_{t_1}\sqrt{C_2}}\sqrt{\left(\frac{\Delta T_t}{T}\right)_{t_1}} \tag{8.49}$$

我们从压气机增压比与涡轮膨胀比平衡方程中可以得到燃气轮机变工况计算方程组中的第一个方程。带自由动力涡轮的双轴燃气轮机方程可表示为

$$\pi_{t_1}\pi_{t_2}\pi_{t_3} = \nu_{in}\nu_c\nu_{cc}\nu_{t_1}\nu_{t_2}\nu_{go}\pi_{c_1}\pi_{c_2}$$

因 $\nu_{go} = \dfrac{P_{at}^*}{P_{go}^*}$，故我们最终可将方程整理为如下形式：

$$\pi_{c_1}\pi_{c_2} = \frac{P_{go}^*\pi_{t_1}\pi_{t_2}\pi_{t_3}}{P_{at}^*\nu_{in}\nu_c\nu_{cc}\nu_{t_1}\nu_{t_2}} \tag{8.50}$$

我们可以从高压压气机空气流量与低压压气机空气流量相关性表达式得出方程组的第二个方程。高压压气机空气流量与低压压气机空气流量相关性可用下式表述：

$$G_{c_2} = G_{c_1}\alpha_{c_2} \tag{8.51}$$

根据折算公式，我们可以得出发动机系统内的高压压气机和低压压气机实际空气流量与折合空气流量之间的关系表达式。

（1）高压压气机：

$$G_{c_{2re}} = G_{c_2}\frac{P_{at}^*}{P_{1.2}^*}\sqrt{\frac{T_{1.2}^*}{T_{at}^*}} = G_{c_2}\frac{P_{at}^*}{P_{1.1}^*\nu_c\pi_{c_1}}\sqrt{\frac{T_{1.2}^*}{T_{at}^*}}$$

由此可得

$$G_{c_2} = G_{c_{2re}}\frac{P_{1.1}^*\nu_c\pi_{c_1}}{P_{at}^*}\sqrt{\frac{T_{at}^*}{T_{1.2}^*}} \tag{8.52}$$

（2）低压压气机：因 $T_{1.2}^* = T_{at}^*$，故可得

$$G_{c_{1re}} = G_{c_1}\frac{P_{at}^*}{P_{1.1}^*}\sqrt{\frac{T_{1.1}^*}{T_{at}^*}} = G_{c_1}\frac{P_{at}^*}{P_{1.1}^*}$$

同理可得

$$G_{c_1} = G_{c_{1re}}\frac{P_{1.1}^*}{P_{at}^*} \tag{8.53}$$

将式（8.52）和式（8.53）代入式（8.50），可得

$$G_{c_{2re}}\frac{P_{1.1}^*\nu_c\pi_{c_1}}{P_{at}^*}\sqrt{\frac{T_{at}^*}{T_{1.2}^*}} = G_{c_{1re}}\frac{P_{1.1}^*}{P_{at}^*}\alpha_{c_2}$$

对上式进行转化，可得

$$G_{c_{2re}} = G_{c_{1re}}\alpha_{c_2}\frac{P_{1.1}^*P_{at}^*}{P_{at}^*P_{1.1}^*\nu_c\pi_{c_1}}\sqrt{\frac{T_{1.2}^*}{T_{at}^*}}$$

在约减和整理后，我们可以得出方程组中反映燃气轮机系统内低压压气机和高压压气机折合空气流量相关性的第二个方程的最终表达式：

$$G_{c_{2rep}} = G_{c_{1re}}\alpha_{c_2}\frac{\sqrt{1 + \dfrac{\Delta T_{c_1}}{T_{at}^*}}}{\nu_c\pi_{c_1}} \tag{8.54}$$

低压压气机空气实际温升可用下式表示：

$$\Delta T_{c_1} = \frac{T_{at}^* (\pi_{c_1}^{\frac{k_{a_1}-1}{k_{a_1}}} - 1)}{\eta_{c_1}} \tag{8.55}$$

高压压气机空气折合温升:

$$\Delta T_{c_2} = \frac{T_{at}^* (\pi_{c_2}^{\frac{k_{a_2}-1}{k_{a_2}}} - 1)}{\eta_{c_2}} \tag{8.56}$$

将式(8.55)代入式(8.39),即可得到方程组的第三个方程:

$$\frac{G_{c_{1re}} \sqrt{T_{at}^* (\pi_{c_1}^{\frac{k_{a_1}-1}{k_{a_1}}} - 1)}}{\pi_{c_1} \pi_{c_2} \sqrt{\eta_{c_1}}} = \frac{\overline{G}_{t_2} P_{at}^* \nu_c \nu_{cc} \nu_{t_1} m_{t_2} F_{3.2}}{\beta_{t_2} \pi_{t_1} \sqrt{C_1}} \sqrt{\left(\frac{\Delta T_t}{T}\right)_{t_2}} \tag{8.57}$$

将式(8.56)代入式(8.49),可以导出方程组的第四个方程:

$$\frac{G_{c_{2re}} \sqrt{T_{at}^* (\pi_{a_2}^{\frac{k_{a_2}-1}{k_{a_2}}} - 1)}}{\pi_{c_2} \sqrt{\eta_{c_2}}} = \frac{\overline{G}_{t_1} P_{at}^* \nu_{cc} m_{t_1} F_{3.1}}{\beta_{t_1} \sqrt{C_2}} \sqrt{\left(\frac{\Delta T_t}{T}\right)_{t_1}} \tag{8.58}$$

通过以上方法,我们一共得到了四个方程式(8.50)、式(8.54)、式(8.57)和式(8.58),将其组成方程组即可用来描述带自由动力涡轮的双轴燃气轮机部分工况做功状态。

在计算确定方程组包含的燃气轮机压气机和涡轮部分工况参数时,还需要借助我们之前已经得到的图形方程,即涡轮单线特性曲线和压气机通用特性曲线。

燃气轮机任一中间运行工况均对应一个不同于额定工况总压 $P_{go_n}^*$ 的确定的排气设备进口燃气总压值 $P_{go_i}^*$。我们已知表征排气设备损失系数随进口截面 λ_{go} 值变化趋势的试验关系曲线或者统计关系曲线 $\phi_{go} = f(\lambda_{go})$,只要计算出气动函数:

$$\pi\left(\frac{\lambda_{go}}{\phi_{go}}\right)_i = \frac{P_{at}^*}{P_{go_i}^*}$$

我们就可以根据气动函数表确定燃气轮机该工况对应的 λ_{go_i} 值。

按照下式可计算出排气设备进口截面燃气无量纲流量:

$$\overline{G}_{go_i} = q(\lambda_{go_i}) \frac{\pi\left(\dfrac{\lambda_{go}}{\phi_{go}}\right)_i}{\pi(\lambda_{go_i})}$$

根据排气设备进口截面连续方程,我们可将排气设备参数和燃气流经的最后一个涡轮——动力涡轮参数关联在一起,即可得

$$\frac{G_{go}}{G_{t_3}} = \frac{G_{c_1} \beta_{go}}{G_{c_1} \beta_{t_3}}$$

此后,可得

$$G_{t_3} = G_{go} \frac{\beta_{t_3}}{\beta_{go}} \tag{8.59}$$

通过无量纲流量表示 G_{t_3} 和 G_{go},可得

$$G_{t_3} = \frac{\overline{G}_{t_3} P_{3.3}^* m_{t_3} F_{3.3}}{\sqrt{T_{3.3}^*}}$$

$$G_{go} = \frac{\overline{G}_{go} P_{go}^* m_{go} F_{go}}{\sqrt{T_{4.3}^*}}$$

将得到的表达式代入式(8.59)可得

$$\frac{\overline{G}_{t_3} P_{3.3}^* m_{t_3} F_{3.3}}{\sqrt{T_{3.3}^*}} = \frac{\overline{G}_{go} P_{go}^* m_{go} F_{go}}{\sqrt{T_{4.3}^*}} \frac{\beta_{t_3}}{\beta_{go}} \tag{8.60}$$

将下列动力涡轮和排气设备参数计算表达式代入式(8.60):

$$P_{go}^* = \frac{P_{3.3}^*}{\pi_{t_3}}$$

$$T_{4.3}^* = T_{3.3}^* - \Delta T_{t_3}$$

可得

$$\frac{\overline{G}_{t_3} P_{3.3}^* m_{t_3} F_{3.3}}{\sqrt{T_{3.3}^*}} = \frac{\overline{G}_{go} P_{3.3}^* m_{go} F_{go}}{\pi_{t_3} \sqrt{T_{3.3}^* - \Delta T_{t_3}}} \frac{\beta_{t_3}}{\beta_{go}} \tag{8.61}$$

整理式(8.61),可得

$$\overline{G}_{t_3} \pi_{t_3} \sqrt{\frac{T_{3.3}^* - \Delta T_{t_3}}{T_{3.3}^*}} = \frac{\overline{G}_{go} m_{go} F_{go} \beta_{t_3}}{m_{t_3} F_{3.3} \beta_{go}}$$

最终可得

$$\overline{G}_{t_3} \pi_{t_3} \sqrt{1 - \left(\frac{\Delta T}{T}\right)_{t_3}} = \frac{\overline{G}_{go} m_{go} F_{go} \beta_{t_3}}{m_{t_3} F_{3.3} \beta_{go}} \tag{8.62}$$

针对燃气轮机任一运行工况点 i,完成式(8.62)右侧表达式的计算,得出动力涡轮参数值 K_{t_3}。根据该数值初步建立起动力涡轮单线特性曲线。利用所得特性曲线,我们可以计算出燃气轮机动力涡轮在 i 工况下的各项参数值:

$$\overline{G}_{t_{3_i}} = f(K_{t_{3_i}})$$

$$\pi_{t_{3_i}} = f(K_{t_{3_i}})$$

$$\left(\frac{\Delta T}{T}\right)_{t_{3_i}} = f(K_{t_{3_i}})$$

同理,我们还可以利用动力涡轮参数写出求取低压涡轮广义参数 K_{t_2} 的方程:

$$\overline{G}_{t_2} \pi_{t_2} \sqrt{1 - \left(\frac{\Delta T}{T}\right)_{t_2}} = \frac{\overline{G}_{t_3} m_{t_3} F_{3.3} \beta_{t_2} \nu_{t_2}}{m_{t_2} F_{3.2} \beta_{t_3}} \tag{8.63}$$

计算式(8.63)右侧表达式,代入燃气轮机 i 工况参数,便可得出低压涡轮该工况各项参数:

$$\overline{G}_{t_{2_i}} = f(K_{t_{2_i}})$$

$$\pi_{t_{2_i}} = f(K_{t_{2_i}})$$

$$\left(\frac{\Delta T}{T}\right)_{t_{2_i}} = f(K_{t_{2_i}})$$

同理,我们亦可写出高压涡轮广义参数与低压涡轮参数相关性方程:

$$\overline{G}_{t_1} \pi_{t_1} \sqrt{1 - \left(\frac{\Delta T}{T}\right)_{t_1}} = \frac{\overline{G}_{t_2} m_{t_2} F_{3.2} \beta_{t_1} \nu_{t_1}}{m_{t_1} F_{3.1} \beta_{t_2}} \tag{8.64}$$

按照上述方法,利用高压涡轮单线特性曲线,便可求出燃气轮机高压涡轮 i 工况各项参数值:

$$\overline{G}_{t_{1_i}} = f(K_{t_{1_i}})$$

$$\pi_{t_{1_i}} = f(K_{t_{1_i}})$$

$$\left(\frac{\Delta T}{T}\right)_{t_{1_i}} = f(K_{t_{1_i}})$$

至此,我们已经完成了由排气设备燃气流动状态所决定的燃气轮机各涡轮 i 工况各项参数 $\overline{G}_{t_1}$、π_{t_1}、$\left(\dfrac{\Delta T}{T}\right)_{t_{1_i}}$ 的计算内容。已知,计算使用的各项系数不会随工况改变,始终等于燃气轮机额定工况所选数值。此后,我们只需代入这些系数,利用计算所得的涡轮各项参数完成式(8.50)、式(8.57)、式(8.58)右半部分表达式的计算。从上述式子的左半部分表达式和方程(8.54)中,亦可求出燃气轮机压气机相关参数。

在求取燃气轮机计算工况的 6 个未知参数 $G_{c_{1_{re}}}$,$G_{c_{2_{re}}}$,π_{c_1},π_{c_2},η_{c_1},η_{c_2} 时,我们需要用到四个方程和两个关系曲线图。计算需要用到的关系曲线图分别为低压压气机和高压压气机通用特性曲线,在当前计算阶段应当已经通过上文介绍的方法取得。方程组需要按照逐次近似法求解。代入低压压气机和高压压气机绝热效率一次近似值——$\eta_{c_{1_i}}^{\mathrm{I}}$,$\eta_{c_{2_i}}^{\mathrm{I}}$,求出方程组式(8.50)、式(8.54)、式(8.57)、式(8.58)的解。计算出参数值 $G_{c_{1_{re_i}}}$,$G_{c_{2_{re_i}}}$,$\pi_{c_{1_i}}$,$\pi_{c_{2_i}}$,将其代入低压压气机和高压压气机通用特性曲线图,确定出新的 $\eta_{c_{1_i}}$ 和 $\eta_{c_{2_i}}$。如果求得的压气机效率之差大于计算允许误差,则代入二次近似值、三次近似值……直至计算结果达到计算精度要求。

此后,需根据上述公式确定燃气轮机气流流道内的空气和燃气参数绝对值,并计算出燃气轮机机组热力系统主要效率指标。针对多组排气设备燃气流参数进行反复计算,便可得出燃气轮机机组在全功率范围内的关键参数变化特性曲线图。在进行此类计算时,所得到的燃料消耗率与功率的关系曲线是燃气轮机机组最重要的效率指标,如图 8.13 所示。

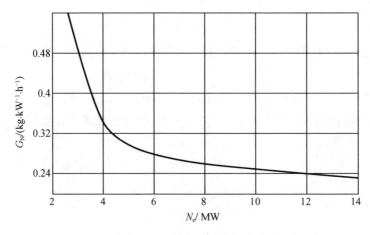

图 8.13 燃气轮机机组燃料消耗率与功率关系曲线图

在利用燃气轮机压气机通用特性曲线进行计算时,在特性曲线上确定出上述方程组有解的工况点。将这些工况点彼此相连,即可得到压气机及其驱动涡轮的共同工作线。如图

8.14 所示,压气机及涡轮共同工作线也可绘制在压气机通用特性曲线图上,如此便可在同一张图上同时显示出低压压气机和高压压气机特性曲线。特别是,在这张特性曲线图上还可以清楚地看到,低压压气机在哪些部分负荷工况下会出现喘振现象。这样,我们就可以确定燃气轮机控制逻辑在何时应当打开空气旁通阀或者防喘阀,或者采用适当的方法调整低压压气机进口级可转导向器叶片安装角。

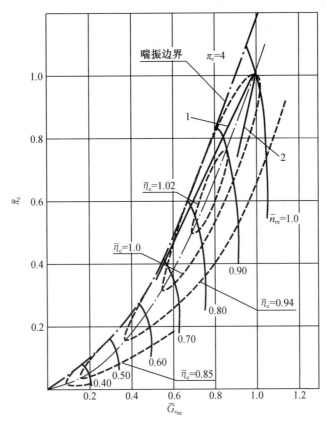

图 8.14 燃气轮机压气机广义通用特性曲线及共同工作线
1—低压压气机;2—高压压气机

课后练习题

1. 请分别介绍一下船用燃气轮机各主要运行工况的特性。
2. 请说出在模拟叶片机构稳定运行过程时判断燃气气流相似的基本要求。
3. 在何种情况下同一台燃气轮机的所有部件在相似运行工况下满足燃气气流相似条件?
4. 请阐述保证燃气轮机运行工况近似相似的主要假定条件。
5. 请简单论证按计算(标准)大气条件对燃气轮机试验结果进行折算的必要性。
6. 利用哪个公式可以确定在进口计算大气条件下的燃气轮机折合功率?
7. 利用哪个公式可以确定在进口计算(标准)大气条件下的燃气轮机折合每小时燃料消耗量?

8. 请说明船用定距螺旋桨驱动用燃气轮机的输出特性。

9. 请介绍利用折合计算公式确定船用定距螺旋桨驱动用燃气轮机输出特性的计算方法。

10. 在进行船用燃气轮机参数计算时会使用哪些压气机特性曲线？其特点是什么？

11. 燃气轮机轴流式涡轮有哪些特性曲线？其特点是什么？

12. 请指出船用燃气轮机轴流式涡轮单线特性曲线有哪些特点。

13. 请简要说明船用燃气轮机轴流式涡轮计算单线特性曲线的建立方法。

14. 请说出保证燃气轮机机组中的燃气轮机在任意过渡工况下均能稳定运行及建立计算方程组的基本条件。

15. 请说明燃气轮机变工况参数计算方程组的求解方法。

16. 请解释在燃气轮机降工况时其效率也随之降低的原因。

附　　录

附表 A　简单循环燃气轮机机组热力循环性能计算

参数	取值方法	数值	
		一次近似	二次近似
1. 循环总增压比 π_{c_Σ}	选取数值	19.50	
2. 循环最高温度 T_3,K	选取数值	1 400.0	
3. 大气计算温度 T_{at},K	选取数值	288.0	
4. 涡轮叶片金属强度允许温度 T_p,K	选取数值	1 080.0	
5. 压气机基元级绝热效率 η_{ac}	选取数值	0.895 0	
6. 涡轮基元级绝热效率 η_{at}	选取数值	0.880 0	
7. 燃烧室燃料燃烧效率 η_{cc}	选取数值	0.990 0	
8. 进气设备总压恢复系数 ν_{in}	选取数值	0.980 0	
9. 压气机过渡段总压恢复系数 ν_c	选取数值	0.995 0	
10. 燃烧室总压恢复系数 ν_{cc}	选取数值	0.950 0	
11. 涡轮支撑环总压恢复系数 ν_t	选取数值	0.995 0	
12. 排气管总压恢复系数 ν_{go}	选取数值	0.970 0	
13. 涡轮机械效率 η_m	选取数值	0.995 0	
14. 减速器机械效率 η_{rg}	选取数值	0.980 0	
15. 燃烧室流量系数 β	选取数值 (0.98~0.99)	0.990 0	
16. 冷却空气标准流量系数 g_e	选取数值 (0.020~0.030)	0.025 0	
17. 燃料低热值 H_u,kJ/kg	取自附表 B	42 915	
18. 化学当量空气量 L_0,kg/kg	取自附表 B	14.78	
19. 压气机绝热效率 η_c (一次近似取值 $k_a = 1.4$)	$\dfrac{\pi_c^{\frac{k_a-1}{k_a}} - 1}{\pi_c^{\frac{k_a-1}{k_a\eta_{ac}}} - 1}$	0.845 3	0.846 9
20. 压气机实际温升 ΔT_c,K	$\dfrac{T_{at}(\pi_c^{\frac{k_a-1}{k_a}} - 1)}{\eta_c}$	455.4	434.6
21. 压气机后空气温度 T_2,K	$T_{at} + \Delta T_c$	743.4	722.6
22. 压气机压缩过程空气平均温度 T_{av_c},K	$T_{at} + \dfrac{\Delta T_c \eta_c}{2}$	515.7	505.3

附表 A(续)

参数	取值方法	数值	
		一次近似	二次近似
23. 压气机压缩过程空气平均质量定压热容 $c_{p_{a.c}}$,kJ/(kg·K)	$f(T_{av_c})$ 按 $c_p - T$ 图	1.034 5	1.033 3
24. 压气机压缩过程等熵指数 k_a(返回第 19 项进行二次近似计算)	$\dfrac{c_{p_{a.c}}}{c_{p_{a.c}} - R_a}$, $R_a = 0.287\ 0\ \text{kJ/(kg·K)}$	1.383 5	1.384 6
25. 燃烧室燃烧过程空气平均温度 $T_{av_{a.cc}}$,K	$\dfrac{293 + T_2}{2}$	507.8	
26. 燃烧室燃烧过程空气平均质量定压热容 $c_{p_a}\big|_{293}^{T_2}$,kJ/(kg·K)	$f(T_{av_{a.cc}})$ 按 $c_p - T$ 图	1.033 7	
27. 燃烧室燃烧过程燃气平均温度 $T_{av_{g.cc}}$,K	$\dfrac{293 + T_3}{2}$	846.5	
28. 燃烧室燃烧过程燃气平均质量定压热容 $c_{p_g}\big|_{293}^{T_3}$,kJ/(kg·K)(一次近似取值 $\alpha = 5$)	$f(T_{av_{g.cc}}, \alpha)$ 按 $c_p - T$ 图	1.130 8	1.140 4
29. 燃烧室燃烧过程单位热输入量 q_{cc},kJ/kg	$\left[\left(1 + \dfrac{1}{\alpha L_0}\right) c_{p_g}\big|_{293}^{T_3} \times \right.$ $(T_3 - 293) - c_{p_a}\big|_{293}^{T_2} \times$ $\left.(T_2 - 293)\right]/\eta_{cc}$	833.0	851.3
30. 燃烧室燃料相对流量 g_f	$\dfrac{q_{cc}}{H_u}$	0.019 41	0.019 84
31. 燃烧室余气系数 α(返回第 28 项按新 α 值进行二次近似计算)	$\dfrac{1}{g_f L_0}$	3.49	3.41
32. 燃气轮机机组气流流道总压总恢复系数 $\Pi \nu_{GTA}$	$\nu_{in}\nu_c\nu_{cc}\nu_t\nu_{go}$	0.889 6	
33. 涡轮膨胀比 π_t	$\pi_c \Pi \nu_{GTA}$	17.35	
34. 涡轮绝热效率 η_t(一次近似取值 $k_g = 1.33$)	$\dfrac{1 - \dfrac{1}{\pi_t^{\frac{k_g-1}{k_g}\eta_{at}}}}{1 - \dfrac{1}{\pi_t^{\frac{k_g-1}{k_g}}}}$	0.913 9	0.913 0

附表 A（续）

参数	取值方法	数值	
		一次近似	二次近似
35. 涡轮实际温降 ΔT_t，K	$T_3\left(1 - \dfrac{1}{\pi_t^{\frac{k_g-1}{k_g}}}\right)\eta_t$	649.2	635.0
36. 涡轮后燃气温度 T_4，K	$T_3 - \Delta T_t$	750.8	765.0
37. 涡轮理论膨胀过程平均温度 T_{av_t}，K	$T_3 - \dfrac{\Delta T_t}{2\eta_t}$	1 075.4	1 082.5
38. 涡轮膨胀过程燃气平均质量定压热容 $c_{p_g}\Big\|_{T_4}^{T_3}$，kJ/(kg·K)	$f(T_{av_t},\alpha)$ 按 $c_p - T$ 图	1.195 1	1.196 8
39. 燃烧产物等熵指数 k_g（返回第 34 项按新 k_g 值进行二次近似计算）	$\dfrac{c_{p_g}\big\|_{T_4}^{T_3}}{c_{p_g}\big\|_{T_4}^{T_3} - R_g}$，$R_g = 0.288\ 0\ \text{kJ/(kg·K)}$	1.316 9	1.316 32
40. 冷却叶片列数 n_{co}，$\left(\dfrac{\Delta T}{T}\right)_{st} = 0.12$	$\text{integer}\ \dfrac{2\lg\dfrac{T_p}{T_3}}{\lg\left[1 - \left(\dfrac{\Delta T}{T}\right)_{st}\right]}$	4	
41. 冷却空气相对流量 g_{co}（取 $\beta_t = 0.93$；$a = 1.4$；$k_t = 1.05$）	$ak_t g_e \beta_t \dfrac{(n_{co}+1)}{2} \times \dfrac{(T_3 - T_p)}{(T_p - T_2)}\left(\dfrac{T_3}{T_2}\right)^{0.25}$	0.087 35	
42. 冷却空气膨胀过程起始温度 $T_{3_{co.a}}$，K	$T_2 + 0.3(T_p - T_2)$	829.8	
43. 涡轮冷却区段膨胀比 $\pi_{t_{co}}$	$\left(\dfrac{T_3}{T_p}\right)^{\frac{k_g}{(k_g-1)\eta_{a_t}}}$	3.406	
44. 涡轮非冷却区段膨胀比 $\pi_{t_{n.co}}$	$\dfrac{\pi_t}{\pi_{t_{co}}}$	5.093 8	
45. 涡轮非冷却区段实际温降 $\Delta T_{co.a}$，K	$T_{3_{co.a}}\left(1 - \dfrac{1}{\pi_{t_{n.co}}^{\frac{k_a-1}{k_a}\eta_{a_{co}}}}\right)$，$\eta_{a_{co}} = 0.4, k_a = 1.35$	128.9	

附表 A（续）

参数	取值方法	数值	
		一次近似	二次近似
46. 冷却空气膨胀过程平均温度 $T_{av_{co}}$, K	$T_{3_{co.a}} - \dfrac{\Delta T_{co.a}}{2}$	765.4	
47. 冷却空气膨胀过程空气平均质量定压热容 $c_{p_{a.co}}$, kJ/(kg·K)	$f(T_{av_{co}})$ 按 $c_p - T$ 图	1.088	
48. 涡轮总焓降 q_t, kJ/(kg·s^{-1})	$\left(1 + \dfrac{1}{\alpha L_0}\right)(\beta - g_{co}) \times$ $c_{p_g}\Big\vert_{T_{4_t}}^{T_3}\Delta T_t$	720.7	
49. 再循环冷却空气压缩耗能 q_{co}, kJ/(kg·s^{-1})	$g_{co}c_{p_{a.co}}\Delta T_{co.a}$	12.66	
50. 压气机驱动耗能 q_c, kJ/(kg·s^{-1})	$c_{p_{a.c}}\Delta T_c$	449.1	
51. 燃气轮机机组比功率 $N_{e_{sp}}$, kJ/(kg·s^{-1})	$(q_t + q_{co} - q_c)\eta_m\eta_{rg}$	277.2	
52. 燃气轮机机组效率 η_e	$\dfrac{N_{e_{sp}}}{(\beta - g_{co})q_{cc}}$	0.361 9	
53. 燃气轮机机组燃料消耗率 C_{N_e}, kg/(kW·h)	$\dfrac{3\ 600}{\eta_e H_u}$	0.231 8	

附表 B 燃气轮机机组燃料及其燃烧产物特性

参数	燃气轮机机组燃料				标准
	煤油 T-1	汽油 Б-70	柴油 Д3	天然气	
组分：					
C, %	86.30	85.26	86.78	74.87	85.50
H, %	13.70	14.74	13.22	25.13	14.50
H_u, kJ/kg	42 915	44 066	43 208	50 032	42 915
L_0, kg/kg	14.60	14.83	14.49	17.18	14.78
R_g, kJ/(kg·K)	0.286 8	0.288 1	0.286 2	0.301 2	0.287 8
燃烧产物组分：					
CO_2, %	20.28	19.73	20.53	15.08	19.85
H_2O, %	7.85	8.32	7.63	12.34	8.21
N_2, %	71.87	71.95	71.84	72.58	71.93
质量定压热容： c_{p_g}, kJ/(kg·K)					
$T = 573$ K	1.132 6	1.136 8	1.130 5	1.174 9	1.140 4
$T = 1273$ K	1.320 5	1.325 9	1.318 0	1.373 2	1.373 2

附表 C 标准烃燃料燃烧产物平均质量定压热容　　　单位:kJ·kg^{-1}·K^{-1}

温度/K	余气系数				
	1	2	3	4	5
300	1.061	1.035	1.026	1.021	1.018
400	1.087	1.052	1.039	1.033	1.029
500	1.115	1.074	1.059	1.052	1.048
600	1.145	1.099	1.084	1.076	1.071
700	1.178	1.128	1.111	1.102	1.097
800	1.209	1.156	1.137	1.128	1.122
900	1.237	1.181	1.161	1.151	1.145
1 000	1.265	1.205	1.184	1.173	1.167
1 100	1.289	1.226	1.204	1.193	1.186
1 200	1.309	1.244	1.221	1.210	1.203
1 300	1.332	1.263	1.238	1.226	1.219
1 400	1.349	1.280	1.256	1.244	1.237
1 500	1.364	1.299	1.276	1.265	1.258
1 600	1.378	1.315	1.293	1.282	1.275
1 700	1.390	1.330	1.301	1.299	1.293
1 800	1.401	1.345	1.326	1.316	1.310

附表 D 天然气(甲烷)燃烧产物平均质量定压热容　　　单位:kJ·kg^{-1}·K^{-1}

温度/K	余气系数				
	1	2	3	4	5
300	1.161	1.063	1.045	1.036	1.030
400	1.139	1.078	1.057	1.047	1.040
500	1.167	1.100	1.077	1.066	1.059
600	1.198	1.126	1.102	1.089	1.082
700	1.230	1.155	1.129	1.115	1.107
800	1.262	1.183	1.155	1.142	1.133
900	1.294	1.210	1.181	1.166	1.157
1 000	1.324	1.235	1.204	1.189	1.179
1 100	1.351	1.258	1.225	1.209	1.199
1 200	1.376	1.278	1.244	1.227	1.217
1 300	1.398	1.296	1.261	1.243	1.233
1 400	1.418	1.315	1.280	1.262	1.251
1 500	1.436	1.336	1.301	1.284	1.273
1 600	1.452	1.353	1.318	1.301	1.291
1 700	1.466	1.369	1.336	1.319	1.309
1 800	1.479	1.385	1.353	1.336	1.326

附表 E 空气平均质量定压热容 c_{p_a}、水蒸气平均质量定压热容 c_{pH_2O}、水蒸气焓值 h_{H_2O}

温度/K	c_{p_a}/(kJ·kg·K^{-1})	c_{pH_2O}/(kJ·kg·K^{-1})	h_{H_2O}/(kJ·kg^{-1})	温度/K	c_{p_a}/(kJ·kg·K^{-1})	c_{pH_2O}/(kJ·kg·K^{-1})	h_{H_2O}/(kJ·kg^{-1})
300	1.007	1.875	552.1	1 100	1.159	2.366	2 226.1
400	1.014	1.913	740.4	1 200	1.175	2.434	2 466.2
500	1.030	1.965	933.2	1 300	1.189	2.496	2 712.8
600	1.051	2.021	1 132.0	1 400	1.207	1.567	2 966.0
700	1.075	2.082	1 337.1	1 500	1.230	2.616	3 225.2
800	1.099	2.147	1 548.6	1 600	1.248	2.672	3 489.6
900	1.121	2.223	1 767.1	1 700	1.267	2.722	3 759.4
1 000	1.141	2.294	1 993.1	1 800	1.286	2.746	4 033.9

附表 F 简单循环燃气轮机机组额定工况热力系统校核计算

参数	取值方法	数值 一次近似	数值 二次近似
1. 循环增压比 π_{c_Σ}	选取数值	19.50	
2. 循环最高温度 T_3，K	选取数值	1 400.0	
3. 大气计算温度 T_{at}，K	选取数值	288.0	
4. 大气计算压力 P_{at}，MPa	选取数值	0.101 3	
5. 涡轮叶片金属强度允许温度 T_p，K	选取数值	1 080.0	
6. 压气机基元级绝热效率 η_{a_c}	选取数值	0.895 0	
7. 燃烧室燃烧效率 η_{cc}	选取数值	0.990 0	
8. 进气设备总压恢复系数 ν_{in}	选取数值	0.980 0	
9. 压气机过渡段总压恢复系数 ν_c	选取数值	0.995 0	
10. 燃烧室总压恢复系数 ν_{cc}	选取数值	0.950 0	
11. 低压涡轮支撑环总压恢复系数 ν_{t2}	选取数值	0.995 0	
12. 动力涡轮支撑环总压恢复系数 ν_{t3}	选取数值	0.995 0	
13. 排气管总压恢复系数 ν_{go}	选取数值	0.970 0	
14. 高压涡轮内效率 η_{t1}	选取数值	0.890 0	
15. 低压涡轮内效率 η_{t2}	选取数值	0.900 0	
16. 动力涡轮内效率 η_{t3}	选取数值	0.920 0	
17. 涡轮机械效率 η_{m_i}	选取数值	0.995 0	
18. 减速器机械效率 η_{rg}	选取数值	0.980 0	
19. 高压压气机流量系数 α_{c_2}	选取数值	0.985 0	
20. 冷却空气标准流量系数 g_e	选取数值	0.025 0	
21. 燃料低热值 H_u，kJ/kg	自附表 B 取值	42 915	

附表 **F**(续)

参数	取值方法	数值	
		一次近似	二次近似
22. 化学当量空气量 L_0,kg/kg	自附表 B 取值	14.78	
23. 燃气轮机机组有效功率 N_e,kW	选取数值	16 000	
24. 高压压气机增压比 π_{c_2}	选取数值	4.416	
25. 低压压气机增压比 π_{c_1}	$\pi_{c_1} = \dfrac{\pi_{c_\Sigma}}{\pi_{c_2}}$	4.416	
26. 低压压气机绝热效率 η_{c_1}(一次近似取 $k_{a_1} = 1.4$)	$\dfrac{\pi_{c_1}^{\frac{k_{a_1}-1}{k_{a_1}}} - 1}{\pi_{c_1}^{\frac{k_{a_1}-1}{k_{a_1}\eta_{a_c}}} - 1}$	0.871 4	0.871 5
27. 低压压气机空气实际温升 ΔT_{c_1},K	$\dfrac{T_{at}(\pi_{c_1}^{\frac{k_{a_1}-1}{k_{a_1}}} - 1)}{\eta_{c_1}}$	174.7	173.3
28. 低压压气机后空气温度 $T_{2.1}$,K	$T_{at} + \Delta T_{c_1}$	462.7	461.3
29. 低压压气机压缩过程平均温度 $T_{av_{c_1}}$,K	$T_{at} + \dfrac{\Delta T_{c_1}\eta_{c_1}}{2}$	375.4	374.7
30. 低压压气机空气平均质量定压热容 $c_{p_{a_1}}$,kJ/(kg·K)	$f(T_{av_{c_1}})$ 按 $c_p - T$ 取值	1.011	1.011
31. 低压压气机压缩过程绝热指数 k_{a_1}(返回第 26 项进行二次近似计算)	$\dfrac{c_{p_{a_1}}}{c_{p_{a_1}} - R_a}$	1.396	1.396
32. 低压压气机进口空气压力 P_1,MPa	$P_{at}\nu_{in}$	0.099 3	0.099 3
33. 低压压气机出口空气压力 $P_{2.1}$,MPa	$P_1\pi_{c_1}$	0.438 4	0.438 4
34. 高压压气机绝热效率 η_{c_2}(一次近似取 $k_{a_2} = 1.38$)	$\dfrac{\pi_{c_2}^{\frac{k_{a_2}-1}{k_{a_2}}} - 1}{\pi_{c_2}^{\frac{k_{a_2}-1}{k_{a_2}\eta_{a_c}}} - 1}$	0.872 3	0.872 4
35. 高压压气机空气实际温升 ΔT_{c_2},K	$\dfrac{T_{2.1}(\pi_{c_2}^{\frac{k_{a_2}-1}{k_{a_2}}} - 1)}{\eta_{c_2}}$	267.2	265.1
36. 高压压气机后空气温度 T_2,K	$T_{2.1} + \Delta T_{c_2}$	728.5	726.4
37. 高压压气机压缩过程平均温度 $T_{av_{c_2}}$,K	$T_{2.1} + \dfrac{\Delta T_{c_2}\eta_{c_2}}{2}$	594.9	593.8

附表 F（续）

参数	取值方法	数值	
		一次近似	二次近似
38. 高压压气机空气平均质量定压热容 $c_{p_{a_2}}$,kJ/(kg·K)	$f(T_{av_{c_2}})$ 按 $c_p - T$ 取值	1.049	1.049
39. 高压压气机压缩空气绝热指数 k_{a_2}（返回第 34 项进行二次近似计算）	$\dfrac{c_{p_{a_2}}}{c_{p_{a_2}} - R_a}$	1.377	1.377
40. 高压压气机进口空气压力 $P_{1.2}$,MPa	$P_{2.1}\nu_c$	0.436 2	
41. 高压压气机出口空气压力 P_2,MPa	$P_{1.2}\pi_{c_2}$	1.926	
42. 燃烧室空气平均质量定压热容	按 $c_p - T$ 取值		
$c_{p_a}\big|_{293}^{T_3}$,kJ/(kg·K)	$f(T_{av})$	1.108	
$c_{p_a}\big|_{293}^{T_2}$,kJ/(kg·K)	$f(T_{av})$	1.034	
43. 燃烧产物平均质量定压热容 $c_{p_g}\big|_{293}^{T_3}$, kJ/(kg·K)	$f(T_{av}, \alpha = 1)$ 按 $c_p - T$ 取值	1.215	
44. 燃烧室燃料相对流量 g_f	$\left[c_{p_a}\big|_{293}^{T_3}(T_3 - 293) - c_{p_a}\big|_{293}^{T_2}(T_2 - 293) \right] /$ $\left\{ H_u\eta_{cc} - c_{p_g}\big|_{293}^{T_3} \times (L_0 + 1) - c_{p_a}\big|_{293}^{T_3} L_0 \right] \times (T_3 - 293) \right\}$	0.019 77	
45. 燃烧室余气系数 α	$\dfrac{1}{g_f L_0}$	3.42	
46. 燃烧室出口燃气压力 P_3,MPa	$P_2\nu_{cc}$	1.829 9	
47. 高压涡轮冷却叶环列数 n_{co_1}（因高压涡轮仅有一级，故取 $n_{co_1} = 2$）	$\text{integer} \dfrac{2\lg\dfrac{T_p}{T_3}}{\lg\left[1 - \left(\dfrac{\Delta T}{T}\right)_{st} \right]}$	2	
48. 高压涡轮冷却空气相对流量 g_{co_1}（取 $T_{co} = T_2; \beta_{t_1} = 0.9; k_t = 1.05$）	$ak_t g_e \beta_{t_1} \dfrac{(n_{co_1} + 1)}{2} \times$ $\dfrac{(T_3 - T_p)}{(T_p - T_{co})}\left(\dfrac{T_3}{T_{co}}\right)^{0.25}$	0.052 9	
49. 低压涡轮前估算温度 $T'_{3.2}$,K	$T_3 - 0.91\dfrac{\Delta T_{c_2}}{2}$	1 158.7	

附表 F（续）

参数	取值方法	数值	
		一次近似	二次近似
50. 低压涡轮冷却叶片列数 n_{co_2}（低压涡轮仅有一级，故取 $n_{co_2}=1$）	$\text{integer}\ \dfrac{2\lg\dfrac{T_p}{T'_{3.2}}}{\lg\left[1-\left(\dfrac{\Delta T}{T}\right)_{st}\right]}$	1	
51. 低压涡轮冷却空气相对流量 g_{co_2}（取 $k_t=1.05$；$T_{co}=T_2$；$\beta_{t2}=0.98$）	$ak_t g_e\ \dfrac{(n_{co_2}+1)}{2}\times$ $\beta_{t2}\dfrac{(T'_{3.2}-T_p)}{(T_p-T_{co})}\left(\dfrac{T'_{3.2}}{T_{co}}\right)^{0.25}$	0.010 9	
52. 燃烧室空气流量系数 α_{cc}	$\alpha_{c_2}-g_{co_1}-g_{co_2}-0.011$	0.910 2	
53. 高压涡轮燃气流量系数 β_{t_1}	$\dfrac{(1+g_f)\alpha_{cc}}{\alpha_{c_2}}$	0.942 3	
54. 低压涡轮燃气流量系数 β_{t_2}	$\beta_{t_1}\alpha_{c_2}+g_{co_1}+0.006$	0.988 1	
55. 动力涡轮流量系数 β_{t_3}	$\beta_{t_2}+g_{co_2}+0.004$	1.003	
56. 排气管流量系数 β_{go}	$\beta_{t_3}+0.004$	1.007	
57. 高压涡轮燃气平均温度 $T_{av_{t_1}}$，K	$T_3-0.91\dfrac{\Delta T_{c_2}}{2\eta_{t_1}}$	1 280.7	
58. 高压涡轮膨胀过程燃气平均质量定压热容 $c_{p_{g_1}}$，kJ/（kg·K）	$f(T_{av_{t_1}},\alpha)$ 按 c_p-T 图取值	1.238	
59. 高压涡轮膨胀过程绝热指数 k_{g_1}	$\dfrac{c_{p_{g_1}}}{c_{p_{g_1}}-R_g}$	1.302 5	
60. 高压涡轮压气机转子功率平衡系数 C_2	$\dfrac{c_{p_{a_2}}}{\beta_{t_1}c_{p_{g_1}}\eta_{m_1}}$	0.903 1	
61. 高压涡轮温降 ΔT_{t_1}，K	$C_2\Delta T_{c_2}$	239.46	
62. 高压涡轮后估算温度 $T'_{4.1}$，K	$T_3-\Delta T_{t_1}$	1 160.5	
63. 掺混过程空气及燃气平均质量定压热容	按 c_p-T 图取值		
$c_{p_{a.mix}}$，kJ/（kg·K）	$f(T'_{4.1})$	1.181	
$c_{p_{g.mix}}$，kJ/（kg·K）	$f(T'_{4.1},\alpha)$	1.217	
64. 高压涡轮后燃气温度 $T_{4.1}$，K	$\dfrac{\alpha_{c_2}\beta_{t_1}(T_3-\Delta T_{t_1})}{(\alpha_{c_2}\beta_{t_1}+g_{co_1})}+$ $\dfrac{c_{p_{a.mix}}g_{co_1}T_2}{c_{p_{g.mix}}(\alpha_{c_2}\beta_{t_1}+g_{co_1})}$	1 136.0	

附表 F（续）

参数	取值方法	数值	
		一次近似	二次近似
65. 高压涡轮膨胀比 π_{t_1}	$\left(\dfrac{T_3\eta_{t_1}}{T_3\eta_{t_1}-\Delta T_{t_1}}\right)^{\frac{k_{g1}}{k_{g1}-1}}$	2.506	
66. 高压涡轮后燃气压力 $P_{4.1}$,MPa	$\dfrac{P_3}{\pi_{t_1}}$	0.730 1	
67. 低压涡轮前燃气温度 $T_{3.2}$,K	$T_{3.2}=T_{4.1}$	1 136.0	
68. 低压涡轮燃气平均温度 $T_{av_{t_2}}$,K	$T_{3.2}-0.9\dfrac{\Delta T_{c_1}}{2\eta_{t_2}}$	1 058.0	
69. 低压涡轮膨胀过程燃气平均质量定压热容 $c_{p_{g_2}}$,kJ/(kg·K)	$f(T_{av_{t_2}},\alpha)$ 按 c_p-T 图取值	1.195	
70. 低压涡轮膨胀过程绝热指数 k_{g_2}	$\dfrac{c_{p_{g_2}}}{c_{p_{g_2}}-R_g}$	1.317	
71. 低压涡轮压气机转子功率平衡系数 C_1	$\dfrac{c_{p_{a_1}}}{\beta_{t_2}c_{p_{g_2}}\eta_{m_2}}$	0.860 6	
72. 低压涡轮温降 ΔT_{t_2},K	$C_1\Delta T_{c_1}$	149.1	
73. 低压涡轮后估算温度 $T'_{4.2}$,K	$T_{3.2}-\Delta T_{t_2}$	986.8	
74. 掺混过程空气及燃气平均质量定压热容	按 c_p-T 图取值		
$c'_{p_{a.mix}}$,kJ/(kg·K)	$f(T'_{4.2})$	1.142	
$c'_{p_{g.mix}}$,kJ/(kg·K)	$f(T'_{4.2},\alpha)$	1.178	
75. 低压涡轮后燃气温度 $T_{4.2}$,K	$\dfrac{\beta_{t_2}(T_{3.2}-\Delta T_{t_2})}{(\beta_{t_2}+g_{co_2})}+$ $\dfrac{c'_{p_{a.mix}}g_{co_2}T_2}{c'_{p_{g.mix}}(\beta_{t_2}+g_{co_2})}$	983.8	
76. 低压涡轮膨胀比 π_{t_2}	$\left(\dfrac{T_{3.2}\eta_{t_2}}{T_{3.2}\eta_{t_2}-\Delta T_{t_2}}\right)^{\frac{k_{g2}}{k_{g2}-1}}$	1.925 2	
77. 低压涡轮前燃气压力 $P_{3.2}$,MPa ($\nu_{t_1}=1.0$)	$P_{4.1}\nu_{t_1}$	0.730 1	
78. 低压涡轮后燃气压力 $P_{4.2}$,MPa	$\dfrac{P_{3.2}}{\pi_{t_2}}$	0.379 2	
79. 动力涡轮前燃气温度 $T_{3.3}$,K	$T_{3.3}=T_{4.2}$	983.8	

附表 F(续)

参数	取值方法	数值	
		一次近似	二次近似
80. 动力涡轮前燃气压力 $P_{3.3}$, MPa	$P_{4.2}\nu_{t_2}$	0.377 3	
81. 动力涡轮后燃气压力 P_4, MPa	$\dfrac{P_{at}}{\nu_{go}\nu_{t_3}}$	0.105 0	
82. 动力涡轮膨胀比 π_{t_3}	$\dfrac{P_{3.3}}{P_4}$	3.595 1	
83. 动力涡轮燃气一次近似平均温度 $T'_{av_{t_3}}$, K	$T_{3.3}-\dfrac{\Delta T_{c_1}+\Delta T_{c_2}}{4}$	874.2	
84. 动力涡轮膨胀过程燃气平均质量定压热容 $c_{p_{g3}}$, kJ/(kg·K)	$f(T'_{av_{t_3}},\alpha)$ 按 c_p-T 图取值	1.150	1.146
85. 动力涡轮膨胀过程绝热指数 k_{g3}	$\dfrac{c_{p_{g3}}}{c_{p_{g3}}-R_g}$	1.334	1.335
86. 动力涡轮温降 ΔT_{t_3}, K	$T_{3.3}\left(1-\dfrac{1}{\pi_{t_3}^{\frac{k_{g3}-1}{k_{g3}}}}\right)\eta_{t_3}$	247.9	248.5
87. 动力涡轮后燃气温度 T_4, K	$T_{3.3}-\Delta T_{t_3}$	735.9	735.2
88. 动力涡轮燃气平均温度 $T_{av_{t_3}}$, K (返回第84项计算内容)	$T_{3.3}-\dfrac{\Delta T_{t_3}}{2\eta_{t_3}}$	859.5	
89. 燃气轮机比功率 N_{spGTE}, kW/(kg/s)	$c_{p_{g3}}\Delta T_{t_3}\beta_{t_3}\eta_{m2}\nu_{in}$	278.6	
90. 低压压气机空气折合流量 $G_{c_{1re}}$, kg/s	$\dfrac{N_e}{N_{spGTE}\eta_{rg}}$	58.59	
91. 低压压气机空气流量 G_{c_1}, kg/s	$G_{c_{1re}}\nu_{in}$	57.42	
92. 高压压气机空气流量 G_{c_2}, kg/s	$G_{c_1}\alpha_{c_2}$	56.56	
93. 燃烧室空气流量 $G_{a_{cc}}$, kg/s	$G_{c_1}\alpha_{cc}$	52.26	
94. 燃气轮机小时耗油量 G_{fh}, kg/h	$g_f G_{a_{cc}}3\,600$	3 719.3	
95. 高压涡轮叶片冷却空气流量 G_{co_1}, kg/s	$G_{c_1}g_{co_1}$	3.038	
96. 高压涡轮燃气流量 G_{t_1}, kg/s	$G_{c_2}\beta_{t_1}$	53.30	
97. 低压涡轮叶片冷却空气流量 G_{co_2}, kg/s	$G_{c_1}g_{co_2}$	0.628 0	
98. 低压涡轮燃气流量 G_{t_2}, kg/s	$G_{c_1}\beta_{t_2}$	56.74	
99. 动力涡轮燃气流量 G_{t_3}, kg/s	$G_{c_1}\beta_{t_3}$	57.59	

附表 F(续)

参数	取值方法	数值	
		一次近似	二次近似
100. 排气管燃气流量 G_{go}, kg/s	$G_{c_1}\beta_{go}$	57.82	
101. 燃气轮机机组燃料消耗率 C_{N_e}, kg/(kW·h)	$\dfrac{G_{f_h}}{N_e}$	0.232 5	
102. 燃气轮机机组效率 η_e	$\dfrac{3\ 600}{C_{N_e}H_u}$	0.360 9	

参 考 文 献

［1］ Артемов Г А,Горбов В М,Романовский Г Ф. Судовые установки с газотурбинными двигателями:Учебное пособие［Z］. Николаев:УГМТУ,1997.

［2］ Ващиленко Н В. Выбор оптимальных термодинамических параметров судовых ГТД с использованием ЕС ЭВМ:Учебное пособие［Z］. Николаев:НКИ,1985.

［3］ Ващиленко Н В. Тепловые расчеты судовых газотурбинных и газопаротурбинных агрегатов с использованием ЕС ЭВМ:Учебное пособие［Z］. Николаев:НКИ,1987.

［4］ Жирицкий Г С, Локай В И, Максутова М К, и др. Газовые турбины авиационных двигателей［М］. М. :Оборонгиз,1963.

［5］ Гартвиг В В,Гутин С Я,Анушкин Б И,и др. Газотурбинные установки:Состояние и перспективы развития ГТУ иностранных кораблей и судов ［М］. Л.: Судостроение,1970.

［6］ Гофлин А П,Шилов В Д. Судовые компрессорные машины［М］. Л. :Судостроение,1977.

［7］ Захаров И Г. Корабельные газотурбинные энергетические установки［J］. Газотурбинные технологии,2000(1):11 – 15.

［8］ Коваленко А В,Бондаренко А С,Бочаров И В. Газотурбинные установки на военно – морском флоте и опыт их эксплуатации на кораблях с динамическими принципами поддержания［J］. Известия Академии инженерных наук Украины:Специальное тематическое приложение отделения машиностроения и прогрессивных технологий, 1999(1):31 – 37.

［9］ Кулагин И И. Основы теории авиационных газотурбинных двигателей［М］. М.: Военное издательство,1967.

［10］ Курзон А Г. Теория судовых паровых и газовых турбин［М］. Л. :Судостроение,1970.

［11］ Левенберг В Д,Горбов В М. Проектирование турбин судовых ГТД с использованием ЭЦВМ:Учебное пособие［Z］. Николаев:НКИ,1977.

［12］ Лефевр А. Процессы в камерах сгорания ГТД［М］. М. :Мир,1986.

［13］ Локай В И,Максутова М К,Стрункин В А. Газовые турбины двигателей летательных аппаратов:Теория,конструкция и расчет［М］. М. :Машиностроение,1979.

［14］ Масленников М М,Шальман Ю Н. Авиационные газотурбинные двигатели［М］. М.: Машиностроение,1975.

［15］ Нарежный Э Г,Сударев А В. Камеры сгорания судовых газотурбинных установок ［М］. Л. :Судостроение,1973.

［16］ Лимборская Л. Наш генеральный конструктор:Штрихи к портрету［М］. Одесса: Черноморье,1998.

［17］ Деревянко А В,Журавлев В А,Зикеев В В,и др. Основы проектирования турбин авиадвигателей［М］. М. :Машиностроение,1988.

[18] Пчелкин Ю М. Камеры сгорания газотурбинных двигателей[M]. М. :Машиностроение,1984.

[19] Ребров Б В. Судовые газотурбинные установки[M]. Л. :Судпромгиз. 1961.

[20] Романов В И. НПП "Машпроект" 45 лет[J]. Известия Академии инженерных наук Украины: Специальное тематическое приложение отделения машиностроения и прогрессивных технологий,1999(1):10 - 17.

[21] Романовский Г Ф, Сербин С И. Выбор параметров и расчет элементов камеры сгорания судового ГТД:Учеб. пособие[Z]. Николаев:НКИ,1988.

[22] Романовський Г Ф, Сербін С І. Камери згоряння суднових газотурбінних двигунів: Навчальній посібник[Z]. Миколаїв:УДМТУ,2000.

[23] Сербін С І, Седько М П. Газодинамічний розрахунок осьового компресора з використанням ПЕОМ:Навчальний посібник[Z]. Миколаїв:УДМТУ,1999.

[24] Скубачевский Г С. Авиационные газотурбинные двигатели[M]. М. :Машиностроение,1974.

[25] Солохина Е В, Митрофанов А А. Выбор параметров и расчет на ЭВМ осевого компрессора по среднему диаметру[Z]. М. :МАИ,1978.

[26] Сорока Я Х. Проектирование судовых газотурбинных двигателей:Учебное пособие [Z]. Николаев:НКИ,1972.

[27] Сорока Я Х. Теория и проектирование судовых газотурбинных двигателей:Учебное пособие[M]. Л. :Судостроение,1982.

[28] Сорока Я Х, Ващиленко Н В. Выбор типа газотурбинной установки с учетом требований по скорости судна[J]. Судостроение и морские сооружения,1973(21): 23 - 26.

[29] Селезнев К П,Галеркин Ю Б,Анисимов С А,и др. Теория и расчет турбокомпрессоров [M]. Л. :Машиностроение,1986.

[30] Стечкин Б С. Теория реактивных двигателей[M]. М. :Оборонгиз,1956.

[31] Терещенко Ю М. Аэродинамическое совершенствование лопаточных аппаратов компрессоров[M]. М. :Машиностроение,1987.

[32] Вукалович М П ,Кириллин В А,Ремизов С А,и др. Термодинамические свойства газов[M]. М. :Машгиз,1953.

[33] Дорофеев В М, Маслов В Г, Перышкин Н В, и др. Термодинамический расчет газотурбинных силовых установок[M]. М. :Машиностроение,1973.

[34] Тихонов С З, Копелев Н Д. Расчет турбин авиационных двигателей [M]. М. : Машиностроение,1974.

[35] Холщевников К В, Емин О Н, Митрохин В Т. Теория и расчет авиационных лопаточных машин[M]. М. :Машиностроение,1986.

[36] Шапиро Л С. Сердце корабля[M]. Л. :Судостроение,1990.

[37] Шнее Я И, Капинос В М, Котляр И В. Газовые турбины. Ч. 1 [Z]. Киев: Вища школа,1976.

[38] Mullins P. Maintaining fast ferry gas turbine systems[J]. Diesel&Gas Turbine Worldwide, 1997(4):10 - 15.